ヤマケイ文庫

増補改訂版 懐かしい未来 ラダックから学ぶ

Helena Norberg-Hodge
ヘレナ・ノーバーグ＝ホッジ　鎌田陽司・監訳

Yamakei Library

ANCIENT FUTURES

Learning from Ladakh

By Helena Norberg-Hodge

First published in USA in 1991 by Sierra Club Books.
First published in UK in 1992 by Rider.
Revised edition published by
Rider in 2000 and Sierra Club Books in 2009

懐かしい未来　目次

PREFACE

I am happy to learn that a Japanese version of Ancient Futures: Learning from Ladakh is being published by Yama-Kei publishers in Japan.

As I had written in the original English preface to this book, I am concerned at the threatened ecology of our planet and admire the works being done in promoting alternative solutions to many of the problems of modern development. I believe we can all learn from the Ladakhis'natural sense of responsibility for each other and their environment and reapply it to new situations.

THE DALAI LAMA

April 29, 2002

日本語版に寄せて

"Ancient Futures : Learning from Ladakh" の日本語版が、日本で山と溪谷社によって出版されることを知り、うれしく思います。

この本の原著である英語版で書いたように、私たちの惑星において脅かされている生態系に私は関心を抱いており、近代的な開発の多くの問題への、オルタナティブ（注）な解決のための取り組みを高く評価しています。私たちは皆、ラダックの人びとが持っている、お互いや環境に対して当然のように発揮される責任感から学ぶことができますし、新しい状況においてそれを再び適用できると信じています。

2002年4月29日
ダライ・ラマ

（注）もともとの意味は、「もうひとつの」、「代替的な」、「別の可能性」などがある。特定分野での主流的、体制的なものとは異なるもうひとつのあり方を提示することを意味しているが、徐々に近代化の流れに代わる新しい文明のあり方を創り出そうとする潮流全体を指すようになってきている。特定分野の使用例としては、風力、水力、太陽光・熱利用など、石油などの化石燃料とは異なる再生可能なエネルギー（オルタナティブ・エネルギー）、西洋医療とは異なる伝統医療や民間医療（オルタナティブ・メディスン）、学校制度とは別のフリースクールやホームスクール（オルタナティブ・スクール）、マスメディアが伝えない情報を伝えるメディア（オルタナティブ・メディア）、開発途上国の文化や自然に配慮した観光（オルタナティブ・ツアー）など。

序

ダライ・ラマ

ヘレナ・ノーバーグ＝ホッジは、ラダックの土地と、そこに住む人たちとの長いあいだの友人である。彼女は本書の中で、ラダックの伝統的な生活様式に対する深い敬意とともに、その未来にいくばくかの懸念を表明している。

ラダックは、チベットや他のヒマラヤ地域と同様、何世紀ものあいだ、外界の影響をほとんど受けることもなく、自足的な生活が営まれてきた。厳しい気候と苛酷な環境にもかかわらず、人びとは幸福で、満ち足りた暮らしをしてきた。その一部は自立した生活から生まれる倹約によるものであり、一部は優勢な仏教文化によるものであることは間違いない。著者は適切にも、ラダックの社会の人間的な価値に光を当てている。お互いの基本的ニーズを尊重するという深く根づいた姿勢と、自然環境にはおのずと限界があり、それらを受け入れていることを強調している。ラダックの人びとのこの責任ある態度に私たちは感心するとともに、学ぶものがある。

ここ何十年かのあいだにラダックで生じている急激な変化は、地球的規模での潮流の反映である。私たちの世界が小さくなるにつれ、かつて独立していた人びとがより大きな集団の中に避けがたく組み込まれるようになった。当然のことながら適応するには時間が必要であり、その過程で変化は起こっていくものである。

私たちの惑星の生態系が脅かされていることについての、著者の懸念に私は同意するし、近代的開発がもたらす多くの問題に対し、代替的な解決策を促進するために著者が取り組んできた仕事に、敬意を覚える。ラダックの人びとの永遠の宝——自然に培われた人間相互の理解と環境に対し、責任という感覚を維持し、それを新しい状況に適用するなら、ラダックの未来は楽観できるだろうと私は考えている。ラダックの青年の中には、近代教育を修了した後、自分たちの民族の役に立とうと覚悟を決めている者もいる。同時に、亡命チベット人によって再建されたチベット仏教の僧院との交流が復活し、伝統的教育が僧院制度の中で活況を呈するようになっている。さらに、支持と援助を進んで提供してくれる著者のような外国の友人に、ラダックはとても恵まれている。

たとえどんなに伝統的な農村社会が魅力的であるとしても、そこに住む人びとが近代的な開発の恩恵に浴する機会を一概に否定することはできない。しかし、本書が示唆するように、開発や学習が一方通行的にしか行なわれないようなことであってはならない。ラダックのような伝統社会の人びとは、思いやりと足ることを知り、精神的に成長したところがある。これは私たち皆が見習うべきことであろう。

一九九一年二月二十六日

ヘレナ・ノーバーグ＝ホッジ

国際NPOローカル・フューチャーズ創立者＆代表。スウェーデンとドイツに育ち、7カ国語を駆使する。1975年ラダックに入り、初めてのラダック語―英語の辞書を作成。ラダックに息づく伝統智とともに、グローバル経済が地域に及ぼす構造的暴力を深く読み解く。そして抜本的社会変革のビジョンとして、「ローカリゼーション」を提唱。運動を国際的にリードしてきた。主要作品は、書籍＆映画『懐かしい未来』、映画『幸せの経済学』。もう一つのノーベル賞と言われるライト・ライブリフッド賞（1986年）、五井平和賞（2012年）を受賞。

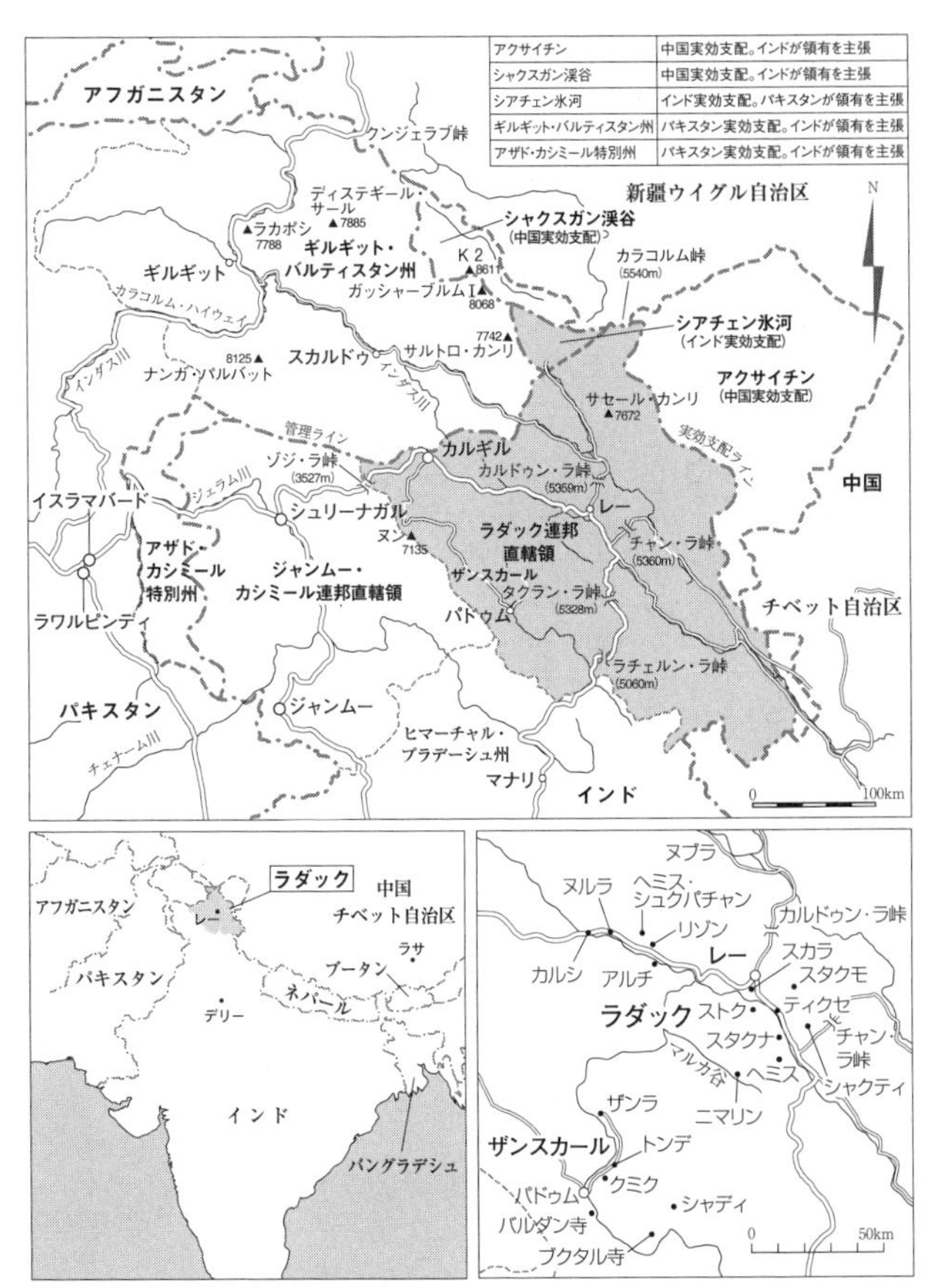

旧ジャンムー・カシミール州は、2020年10月にラダック連邦直轄領とジャンムー・カシミール連邦直轄領に分割された。ラダックの領域は歴史的に変遷してきたが、現在(2020年12月)、ラダックの領域は、概ねラダック連邦直轄領を指す。ただし、周囲はいまだに国境が確定していない。

はじめに　ラダックに学ぶ

なぜ世界はひとつの危機からまた別の危機へと揺れ動くのだろうか。これまでも、いつもそうだったのだろうか。昔はもっと悪かったのか、それともよかったのだろうか。チベット高原の古い文化の地、ラダックでの十六年以上にわたる経験（注1）によって、これらの疑問に対する私の答えは劇的に変化した。私は自分が属する産業社会の文化を、かなり違った光を当てて見るようになった。

ラダックへ行く前、「進歩」に向かって進むことは避けがたいものであり、疑う余地のないものだと思っていた。そのため、公園の真ん中を突き抜ける新しい道路や、二〇〇年も前から建っていた古い教会の跡地に鉄とガラスの銀行が建ったり、小さな店にわってスーパーマーケットができること、そして生活が日を追ってより厳しく、速くなっていくという事実を、私は仕方のないものとして受け入れてきた。だが、今では違う。ラダックは、未来への道はひとつとは限らないことを私に確信させ、とても大きな力と希望を与えてくれた。

ラダックで、私はひとつの健全な生活様式を体験し、外から自分自身の文化を見る特権を持つことができた。根本的に違った原理に基づく社会に暮らし、その文化に対し、現代の世界が与える衝撃を目の当たりにした。数十年ぶりにラダックを訪れた外国人のひとりとして、私がはじめて到着したとき、ラダックはまだ基本的に西洋の影響は受けていなかった。だが、変化は素早くやってきた。ふたつの文化の衝突もまたきわめて劇的であり、明確で鮮明な対比を見ることができた。私たちの産業社会を支える心理や価値観、社会と技術の構造について学び、また、古くから自然に基づく社会を支えてきたものについて、私は学んだ。それは私たちの社会経済構造とは別の、もっと根本的な存在の在りよう、人間と大地がともに進化することに拠(よ)りどころをおいた在りようを比較するまれな機会であった。

ラダックでの経験を通じて、私が以前、破壊的な変化に直面したとき無抵抗だったのは、少なくとも部分的には、人間の本性によるものと文化とを混同していたためだということを自覚するようになった。マイナスの動きの多くは、人間のコントロールを超えた自然の進化の力というよりはむしろ、私たち産業社会文化の結果なのだということを認識していなかった。深く考えることもせず、人間は基本的に自己中心的で、生き残るために競争し、闘うものと見なし、より共同的な社会というのはユートピア的な夢でしかないと思っていた。

私がそのように考えたのも不思議なことではない。私は多くの国に暮らしたが、それらはすべて産業社会文化の国であった。世界の「発展」していない地域への私の旅は、かなり広範囲にわたるものだったが、その内側を見るには十分ではなかった。オルダス・ハクスレー（注2）やエーリッヒ・フロム（注3）を読む知的な旅も、少しはドアを開いてくれたが、私自身は基本的に産業社会の産物であり、すべての文化がそれ自体の永続のためにやるように、一種の目隠しをされた教育を受けてきた。私の価値観、歴史に対する理解、思考のパターンは、すべてホモ・インダストリアリス（産業社会人）の世界観を反映したものであった。

アダム・スミスからフロイトまで、西洋の主流の思想家や今日のアカデミズムは、西洋あるいは産業社会の経験を普遍化しようとする傾向がある。彼らは、自分たちが述べていることの特質は、産業社会文化の産物というより、人間の本性の現われだと、明らかに、あるいは暗に決め込んでいる。西洋の文化がヨーロッパや北アメリカから発し、地球上の人びとに影響を与えるように広がっていくにつれ、西洋の経験を一般化する傾向はほとんど避けがたいものになっている。

どの社会も、自分たちを宇宙の中心に置き、他の文化については色眼鏡で見る傾向があるが、西洋の文化を際立たせているのは、それがあまりに広範囲にわたり、かつ強力なため、それ自体釣り合いの取れた見方を失っていることである。比較すべき「他者」がないのである。だれもが自分たちと同じであるか、または同じようになりたいと望んでいると見なしている。

西洋人のほとんどは、無知や病気、単調な重労働は前産業社会の運命だと信じるようになった。開発途上世界に見られる貧困や病気、飢餓は、一見したところこのような仮定を実証しているように見える。だが実際には、今日の「第三世界（注4）」の問題は、ほとんどとは言わないまでも、その多くが植民地主義や誤った開発の結果である。

ここ何十年かのあいだにアラスカからオーストラリアまでのさまざまな文化が、産業社会のモノカルチャー（注5）によって荒廃してしまった。今日の「征服者」は、「開発」であり、広告、メディア、そして観光である。世界中でテレビ映画『ダラス』が放映され、ピンストライプのスーツが礼服として必需品になっている。今年、私はラダックとスペインの山村でほとんど同じようなおもちゃ屋を見た。店にはともに、ブロンドの青い目のバービー人形と、マシンガンを持ったランボーが売られていた。

産業社会のモノカルチャーの拡大は、多くの面で悲劇である。ひとつの文化を破壊するたびに、数百年にわたって蓄積されてきた知識が失われ、さまざまなエスニック・

グループが自分たちのアイデンティティを脅かされ、紛争や社会の崩壊がほとんど避けがたく起こってくる。

ますます西洋の文化がふつうのもの、唯一のものとして見られるようになりつつある。世界の多くの人びとが競争し合い、貪欲で自己中心的になってきているため、それらの特性は人間の本性と見なされるようになってきた。常に反対の声が上がっているにもかかわらず、西洋社会の支配的な考え方によれば、人間は生来、攻撃的で、ダーウィン流の生存闘争にさらされていると長らく考えられてきた。私たちが社会を構成する方法についてこれが示唆するところは、根本的に重要である。私たちが生得として善であるとか悪であるという人間の本性に関する仮定は、政治的イデオロギーの基礎となり、私たちの生活を左右する制度や習慣を形づくるのを助けるからである。

西洋の主流の文化では、「開発」や「進歩」と呼ばれる構造的変化において、自分たち西洋人の果たす役割を無視し、私たちの問題を生来の人間の欠陥のせいにしてしまう。技術の発展は、連続して進化する変化の一部と見なしている。人類が何千年もかけ、直立歩行にはじまり、言語を使い、人工物を作り出して進化してきたのと同じように、原爆やバイオテクノロジー（生命工学）を発明したと考えている。進化と、科学革命でもたらされた変化を区別せず、西洋が産業化によって変容していったあいだ、世界の大多数が別の原理や価値観に基づいて生きつづけてきたことを忘れている。それは伝統的な生活を送っている人びとよりも、西洋は高度に進化している、と実は言っているのである。

私たちは技術の変化を天気の変化よりも自然なことのように扱い、科学的発明が導くところなら、どこへでも行くべきだという信念で凝り固まっているように見える。人間の本性が暗い面を持っていることや、開発が利益をもたらしていることを否定はしない。だが、その開発過程で、貪欲さや競争、攻撃性を強化させ、破壊への潜在的可能性をより増大させていることを、ラダックは示している。今日のような速度で気候に影響を与え、海を汚し、森や動物種、文化を消滅させることなど、過去においてはまったく不可能であった。私たちの破壊する力の規模と速度がこれほど大きくなったことはない（注6）。歴史上、前例がない特異な事態は、待ったなしの状況にある。

大規模な環境破壊、インフレーション、失業は、技術・経済的力学の結果であって、政治的に右や左といったこととはほとんど関係がない。根本的に、世界は科学技術に基づくただひとつの型、たったひとつの開発モデルしか経験していない。その結果、専門化、集中化が起こり、生活に急激な変化をもたらしており、それは主義の違いを超えて重要である。

ラダックで私が見たものは、廃棄物も汚染もなく、犯罪は事実上存在せず、地域共同体は健全で結束力が強く、十代の少年が母親や祖母に優しく愛情深く接するのに決して気後れすることのないような社会であった。そうした社会が近代化の圧力のもとで解体しはじめているとき、この教訓はラダックを超え、意義を持つ。

チベット高原の「原始的」な文化が、私たちの産業社会の文化に対して何か教えるものがあるというのは馬鹿げていると思えるかもしれない。だが、私たちの複雑な文化をよりよく理解する基準が必要である。進歩が人びとを大地から引き離し、人びとを互いに引き離し、ついには自分から自己を引き離すのを、私はラダックで直接目にした。幸福だった人びとが、西洋の規範にしたがって生活をはじめたとき、静穏を失うのを私は見てきた。文化は人間の形成において、私が以前考えていたよりもはるかに重要な役割を果たすという結論に到達せざるをえなくなった。

現在、私たちはますます視野を狭め、問題の根元を見えにくくしている。木を見て森を見ることができなくなっているのである。西洋の文化は、より広い、長期的な視点を犠牲にし、専門的で、短期的な関心しか持たない専門家にますます依存するようになった。経済の力は、世界をよりいっそう大規模な専門化と集中化へと導き、ますます資本集約的でエネルギー多消費型の生活様式へと急速に引きずり込んでいる。

都市と農村の均衡、男性と女性の均衡、文化と自然の均衡を目指した持続可能な舵取りが、緊急に必要になっている。ラダックは、社会を形作る相互に関連した力を理解することを助け、その道筋を私たちに示してくれる。私たち自身と地球を癒す方法を学ぶには、こうしたより広い視野を持つことが欠くことのできないステップだと、私は信じている。

（注1）原著出版時（一九九一）。以後、現在（二〇二一年）に至るまで、四十六年にわたってラダックに関わりつづけている。

（注2）Aldous Huxley　一八九四—一九六三　イギリスの作家。専制的な逆ユートピアを先見性をもって描いた『すばらしい新世界』や、神秘思想家たちについてまとめた『永遠の哲学—究極のリアリティー』、メスカリン服用による自らの変性意識体験をつづった『知覚の扉・天国と地獄』、それら探究の成果をもとに、ユートピア世界をイメージした『島』などの著者。言語化された知性の世界だけでなく、心と体に内在する無意識の知性を拓く大切さを説いた。その思想には反権威主義的なヒューマニズムが一貫している。

（注3）Erich Fromm　一九〇〇—一九八〇　アメリカのユダヤ系精神分析学者・社会心理学者。フランクフルト生まれ。ナチスの迫害を逃れ、渡米し、帰化する。『自由からの逃走』『正気の社会』『愛するということ』などの著者。フロイトとマルクスを批判的に分析し、人間と社会の闇・病いの原因を追及し解放への道を説いた。

（注4）世界をアメリカ、西欧を中心とした第一世界、旧ソ連を中心とした第二世界、その他を第三世界と捉える見方。冷戦構造下で発生した言葉であり、すでに世界の構造は変わりつつあるが、「第三世界」を、世界資本主義システムの中で「周辺部」と位置づけられた地域であると定義すれば、まだ概念的にも有効であると考えられる。開発途上国、発展途上国というカテゴリーと実際のところはほぼ重なるが、これらの言葉は、先進国の方が進んでおり、モデルであるとする価値観に基づいている。今では、「グローバル・サウス」と言われることが多い。

（注5）もともとは単一作物の栽培を意味する。植民地のプランテーションではじめられ、第二次大戦後は近代的農業の普及とともに進められた農業生産システムの一形態である。この原義に最近加えられたのが、「単一文化」という意味である。グローバリゼーションによって、大国や大企業による世界支配が進み、アメリカなどを中心とする大量消費文化が世界を席巻することによって、文化の画一化が進むことを意味する。この新しい定義（単一文化）は、もともとの定義（単一栽培）が内包していた特徴をかなりの部分引き継いでいる点が興味深い。

（注6）人類が地球の生態系や気候に大きな影響を及ぼすようになったため、新たな地質区分として「人新世（ひとしんせい）」が二〇〇〇年ころから提案されている。

第一章　伝統

Tradition

リトル・チベット

知られていない土地であればこそ、そこから世界が見える
――ケサル伝説・叙事詩（注1）

でこぼこの曲がりくねった道が、シュリーナガルから旧ラダック王国の首都レーへと通じている。カシミール地方の深緑色の松林を抜け、ゾジ・ラ（峠）へと上っていく。そこががらりと異なる二つの世界の境界線である。前方には、ヒマラヤ山脈の山陰に、乾燥したむき出しの大地が広がっている。どの方角にも山があり、赤褐色から薄い緑色までさまざまな暖かい色の峰が連なっている。見上げると、雪をいただいた峰々が、静寂の蒼い空に向かってそびえ立ち、下を見れば、赤褐色のゴツゴツした岩壁が、月面のような荒涼とした谷に垂直に落ち込んでいる。

このような環境の中で、いったいどのような生活が営まれているのだろうか。どこもかしこも不毛であり、一歩進むごとにもうもうと砂ぼこりがたちこめる。やがて目が慣れてくると、広大な、象の肌のような砂漠の中に置かれたエメラルドのように、緑

に光輝くオアシスが視界に飛び込んでくる。

野の花や草、氷河から流れ込む澄んだ小川に縁どられた大麦畑が現われる。畑の上の方には、巧みに彫刻されたバルコニーを持つ三階建ての家々が白く輝き、屋根には、彩り鮮やかな祈りの旗、タルチョ（注2）がはためいている。さらに上の山腹には、村中を見わたす寺院がある。気の向くままに畑を通り抜け、家々のあいだを蛇行する小道をたどると、村人の笑顔が迎えてくれる。このような荒涼とした大地で人びとが繁栄できるとは信じがたいが、それが可能だということをあらゆるものが示している。山肌を切り拓いて造られた畑は見事な段々畑をなし、作物はたくましく育ち、まるで画家が種を播いたかのような模様になっている。すべてのものが考え抜かれてつくられている。

どの家にも、山羊の食害から野菜や果物の木を守っている石垣に、台所での燃料となる家畜の糞が日に晒され、屋上には家畜の餌である牧草や干し草、それに野生のアイリスの葉が冬に備えてきちんと束ねられ、積み重ねられている。ヤクの毛で作られた毛布の上に干されているアンズ、鉢植えのキンセンカのオレンジ色がまぶしい。

＊

ラダックという地名は、おそらく、チベット語で「峠の地」を意味するla-dagsに由来する。ヒマラヤ山脈の西の端に横たわるラダックは、巨大な山脈が交差する標高の高い砂漠地帯にある。ここでの最初の居住者は、北インドのモン族とギルギットのダルド族のふたつのアーリア系のグループだと考えられている。さらに、紀元前五〇〇年ごろというかなり早い時期（注3）に、チベットから来たモンゴル系遊牧民のより大きなグループが、先のふたつのグループに加わった。今日のラダックの人びとは、これら三つの民族の血を引いている。文化的にはラダックはチベット文化圏にあり、しばしば「リトル・チベット」と呼ばれている。言語、芸術、建築物、医学、そして音楽、すべてにチベットの文化が反映されている。ここではチベット大乗仏教が主流で、ダライ・ラマが精神的指導者となっている。何世紀にもわたり、ラダックの僧侶はチベットの僧院で修行し、物資や思想の交流が盛んに行なわれていた。

　ラダックは文化的にチベットと緊密な交流があったが、西暦九五〇年ごろから、一八三四年にヒンドゥー系のドグラ族によって侵略されるまで、独立した王国であった。ドグラ族がカシミールを支配したとき、ラダックおよび隣接するバルティスタン（注4）は、ジャンムー・カシミールの藩王の統治下に入った。一九四七年のインド・パキスタン戦争の後、バルティスタン地方は停戦ラインのパキスタン側となり、残るラダック地方はインドのジャンムー・カシミール州の一部分となった。インドとパキス

ザンスカール・カルシャ村の子どもたち

タンの緊張が高まりつつある状況の中、一九五〇年代の中国のチベット侵攻、一九六二年のアクサイチン地域の占領によって、ラダックはインドにとって軍事戦略上の最重要地域のひとつとなった(注5)。

＊

ラダックほど季節によって生活が支配される居住地は、この地球上におそらくないだろう。夏は照りつける太陽に焼かれ、冬は氷点下四十度にもなり八カ月のあいだ凍りつくという、苛酷な気候である。砂漠の起伏の低い部分に沿って竜巻が舞い上がり、雨はきわめてまれで、その存在を忘れてしまうほどである。

大多数のラダックの人びとは自給自足の農民であり、高地の砂漠に散在する小さな集落に暮らしている(注6)。それぞれの村の大きさは、山からの融雪水の量によって決まる。何世代も前に水路が築かれ、上部からの雪解け水を下の畑に供給している。その水路はガレ場や険しい岩壁を横切り、ときには数キロにもおよび、可能なかぎり遠くまで延びている。その支水路は複雑だがよく整備され、水路網はそれぞれの村にくまなく行きわたっている。

村は標高三〇〇〇メートル以上の高地にあり、しかも作物の栽培可能な時期が四カ月間ほどしかないので、ラダックの人びとが栽培するものといえば、とても限られている。おもな作物はチベット高原の他の地域と同じ大麦で、食事はその粉を煎ったンガンペ（注7）が基本になっている。耕地の三分の二に大麦が作付けされ、残りは生育の早い品種の小麦が植えられる。また、ほとんどの農家は小さな畑にエンドウ豆やカブを植えている。標高三三〇〇メートル以下の谷間には、アンズやオニグルミの果樹園も見られる。大麦も育たないような標高の高い土地では、飼育している家畜にほとんどを依存している。

平均的な家族の保有している土地は二ヘクタールほどだが、ときにはその倍になることもある。最適な面積は家族の規模によって決定されるが、おおよそ家族内の労働人口ひとり当たり〇・四ヘクタールとされる。それ以上の土地は不要である。耕すことのできない土地を所有することにはなんの意味もない。こうした考えは、ラダックの人びとが土地の広さをその土地を耕すのに要する日数で測るという事実に反映されている。土地の広さは「一日耕」、「二日耕」などと表わされる。

家畜は経済の中で中心的な位置を占めている。おもな燃料となる畜糞とともに、運搬、農作業のときの牽引、毛、乳などをもたらしてくれる。もっとも一般的な家畜は、羊、山羊、ロバ、馬、乳牛、そしてあの有名なヤクである。在来種の牛とヤクとの雑種であるゾーは、牽引用の動物としてもっとも重要で役に立つ家畜である。

標高四五〇〇メートルから五四〇〇メートルぐらいの氷河地帯の近くに、「プー」と呼ばれる広大な牧草地が広がっていて、放牧地として利用されている。そこでは短い夏のあいだ、エーデルワイスなどの野生の植物がいっせいに繁茂する。ヨーロッパの温帯地域と違い、この乾燥した地域では標高が高いほど緑が多い。さまざまな野生動物の生息地ともなっており、ブルー・シープやひっそりと暮らす雪豹、狼などがいる。七月から九月にかけては家畜の世話をしたり、燃料の畜糞を集めたり、冬場に備えてバターやチーズを作ったりして、この高地、プーで過ごす家族もある。

ラダックでのはじめの数年間、私はロンドンにある東洋アフリカ研究学院（SOAS・注8）での研究のため、言語の分析と民話の収集を行なった。宗教の文書で用いられている言葉は、すべて古いチベット語であった。口語のラダック語はチベット語の一方言とされているが、別の言語と思われるほど違うものであった。もともと、ラダック語は話し言葉しかなかった。私はチベット仏教の僧侶であるギェロン・パルダンとともにラダック語・英語辞書の作成にほとんどの時間を費やし、ラダック語をはじめてチベット文字で表記した。ラダックの高名な学者のひとりであるタシ・ラプギャスには、世界でもっとも複雑な文法のひとつとされるラダック語の文法の手ほどきを受けた。このふたりとは間もなく親しい友人となった。

パルダンは三十代前半で、口調は穏やかだが、まじめな顔をし、キラリとした機知を発揮する人であった。彼は若いころ僧侶としてスリランカで過ごし、つづいて中央チベットの僧院で数年を送った。タシは彼より十五歳年上で、僧侶ではないがラダックでもっとも尊敬されている仏教哲学者である。周囲の人を引き込む力のある人で、彼の大きな顔はいつも笑顔で輝いていた。タシにとって退屈なものは何ひとつなかった。アインシュタインの相対性理論からラダック語の動詞の活用まで、いかなることにも、湧き上がるような喜びを見出すことができた。彼は学者であると同時に、詩と歌でもラダックに知れわたっていた。一緒に働きはじめて間もないころ、彼は私に次のような詩文をラダック語で書いてくれた。それをのちに英語に翻訳してくれた。

偉大なるヨーロッパ、あなたの故郷
多くの自由な国が花開き、
無限のものの豊かさ
技術も産業も繁栄している

より多くの悦楽に満ち、

よりあわただしい生活を送り、
より多くの科学と文学にあふれ、
より激しく事態は変化する

進歩を欠いたこの地だが、
幸福で平穏な心がある
技術はないが、
仏の法に根ざした深い道がある

ラダックとチベットの言葉は、
賢いラマの言葉
仏の法にあふれた宝
これに並ぶ言葉なし

きらびやかな、すべての現象は、
心して見よ

何か深い意味が存在するかを
なんの意味も私は見出せない

人は多くを消費するかもしれない
繁栄の喜びがあふれるかもしれない
偉大な名声や権力を得るかもしれない
だが、死は確実に人を奪い去る

死の際には、その人の功績のほかに、
ひとかけらの富さえもなくなる
善行と悪行が、
喜びと悲しみを生む

仏の法の本質を悟らなければ、
二重の妄想が残る
理解が言葉を超えるまで、

言葉は果てしなくつづく
精神を集中して努力しなさい
そうすれば直ちにわかるであろう
壮大なものが見えてくる
そして、私の言葉も明らかとなる

ラダック語の研究が仕事の中心であったが、そこに住む人びと、彼らの価値観、世界観に私の心はどんどん魅了されていった。なぜ彼らはいつも笑顔でいられるのだろうか。このような苛酷な環境のもとでいったい、どのように彼ら自身の生活を快適に保っているのだろうか。

＊

私がラダックの伝統的な生活にはじめて触れることができたのは、ヘミス・シュクパチャン村出身の青年、ソナムのおかげである。およそ一五六センチとかなり背の低い彼は、小さい人という意味の「バルー」とみんなから呼ばれていた。ソナムはレーの町の教育機関で事務員として働いていたが、彼の家族はみな村に住んでいた。私がレーに到着してほどなく、彼が村に戻るので一緒に行こうと誘ってくれた。

まず私たちはソナムの兄、トゥンドゥップに会うため、彼が「ゴニェル(注9)」として鍵を預かっているリゾン僧院に向かった。ラダックにある僧院の中でも、リゾンはもっとも尊敬を集めている。そこの僧たちは、十六世紀、偉大な改革者ツォンカパによって確立されたチベット大乗仏教の黄帽派に属しているが、古い赤帽派に比べ戒律がより厳格であるとされる。その黄帽派の中でも、リゾンはことに戒律の厳しいことで知られている(注10)。

この僧院は、見る者に畏敬の念を抱かせる建物で、果てのない静寂の中、連なる荒涼とした山々に深く埋め込まれ、僧服の濃いえんじ色を散らした白いどっしりとした壁は岩の一部のようである。谷から山腹を経て寺院の入り口へと険しいジグザグの小道がつづき、えんじ色をまとった人影がその道に並んでいる。それははじめ行列に見えたが、近づくにつれ、僧侶たちが石を持ち上げ、シャベルで泥や小石を取り除いているのだとわかった。嵐で小道の一部が崩壊していたのであった。僧侶たちは特に禁欲的だと聞いていたので、冗談を言い合ったり、歌を歌ったりしながら作業をしている光景に、私は驚いてしまった。

リゾン僧院からヘミス・シュクパチャン村までは歩いて四時間かかった。ヘミス村出身のノルブという年老いた僧侶が、私たちに同行してくれた。頭のはげた彼は、真っ白な歯を見せ、人を引き込むように笑うのであった。標高三九〇〇メートルで峠を越えた。そこは、岩や土が太陽に焦がされた不毛の地であった。ノルブは頭痛を感じていたのだが相変わらず笑みを絶やさず、真言と聖なる風の馬（ルンタ）を刷り込んだ祈りの旗（注11）を、峠の塚に取り付ける元気があった。眼下には、紫色の岩肌のあいだで緑がかった玉虫色の蛇がとぐろを巻いたかのように、村の畑が横たわっていた。

道は険しく岩でごつごつしていたが、ラダックの人はまるで舗装された道を歩くように軽やかに下っていった。ヘミス村が近づいてきた。ポプラが高く真っすぐに伸びている。白く塗られた家々は夕日の中で金色に輝き、成長した作物がそれぞれに違った緑色のパッチワークをなしている。山の崩れやすい土を維持するために幾世代もかけて造られた石垣のあいだを、くねくねと歩いた。村に入るには、宗教的な慣習に従ってチベット仏教のシンボルであるチョルテンの左側を通過しなければならないため、少し回り道になってしまった。

チョルテンは、巨大なチェスのポーン（歩）のようで、地面から突き出した山のような格好で各村の入口を飾っている。通常、チョルテンは泥と石と白色の塗料でできており、六メートルほどの高さで塔のように先が尖っている。チョルテン全体の構造が仏教の教えの根本を表現している。尖塔の先の太陽を抱いた月は、生命の一体性を示し、二元性の否定を象徴している。たとえ太陽と月のようにかけ離れているように思われるものであっても、すべてのものは分かちがたく結びついているということを、通りかかる人びとに思い起こさせるのである。

村に到着し、平らな屋根の大きな家々のあいだの狭い路地を歩き、野菜畑やアンズの果樹園を通り過ぎた。子どもたちが恐れもせずに走り寄ってきて、とても友好的である。女たちは毛糸を紡ぎながら楽しくおしゃべりをし、赤い頬をした赤ん坊を胸に抱いている者もいる。顔に無数のしわを刻んだ老人や、長い黒髪を編んだ少女、山羊に鼻を擦り寄せている子牛もいる。「ジュレー　カル　スキョダ　レ?」が日常のあいさつで、言葉どおりなら「どちらへ?」ということなのだが、「こんにちは。元気ですか」というような意味である。

ソナムの家に着き、まず、われわれは二階に通じる石の階段を上った。外の日の光に比べるとかなり暗い台所へと、彼は私を案内してくれた。少なくとも九メートル四方はある広い部屋の分厚い壁に、小さな窓が開いており、料理をするためのかまどからの煙で、部屋の中は煙っていた。真鍮や銅製のよく磨かれた壺の類が、くすんだ壁を背景に見事に並んでいた。

ソナムの母親ツェリン・ドルカがかまどにかかっている大きな鍋をかき混ぜていた。ソナムが私のことを彼女に説明しているあいだ、暖かい笑顔でうなずき、私たちを歓迎してくれた。ふだん、祖父のために空けてあるかまどの隣の上座に私が座るべきだと、ソナムは主張した。私たちの前には低いテーブル、チョグツェがあり、壁に沿ってL字型に敷かれた絨毯に座った。そして、あの有名な塩味のバター茶を飲んだ。そのよさがわかるまでには、時間がかかりそうな味である。真鍮製のティーポットには、優美な模様の彫刻と銀の象嵌(ぞうがん)が施され、取っ手と注ぎ口は龍をかたどっている。ソナムの叔父のプンツォックは、小さな女の子をあやして寝かせているところであった。彼は女の子を布で背負い、体を前後に揺すっている。ラダックの言葉で祖母を意味する「アビ　レ」は、真言を唱えながら、使い込んだ木製の数珠(じゅず)を膝の上でまさぐっていた。「オム　マニ　パドメ　フム、オム　マニ　パドメ　フム……（注12）」。あたかもこの台所にこれまで何度も座ったことがあるような――、私はこの人たちと一緒にいることで心の安らぎを覚えた。騒ぎ立てることもなく、見知らぬ人物の私がいることを、事実としてそのまま受け入れてくれたからである。

（注1）チベットの伝説の仏教王であるケサル王と魔王との戦いの物語。その叙事詩は世界最長といわれる。
（注2）寺院の中庭、家屋の屋根、峠などにかかげる、真言や経文を刷った布製の旗。年に一度、取り替えることが多い。馬を刷ったものは「ルンタ」（三四ページ参照）ともいう。
（注3）チベット人のラダック進出年代を紀元前数百年とするフランケ博士の説に従ったものと推測される。だが実際には、チベット人のラダック進出の時期は吐蕃王ソンツェン・ガンポによるシャンシュン王国併合（六四三年）以降と考えられている。七二〇年までには吐蕃（チベット）がラダックを支配下に置いていた。ラダックのチベット化がいっそう進むのは十世紀、グゲ王国・ラダック王国の成立以降である。
（注4）ラダックの北西側に位置する地方で、現在はパキスタンのギルギット・バルティスタン州に属している。中心地はスカルドゥ。ラダックの大半を占めるチベット系民族ラダッキと近縁のチベット系民族バルティが住む。宗教はイスラム教シーア派。小王国が多数分立し、ラダックとは古くから交易が盛んだった。十七世紀初めに強大となったスカルドゥ王国は、一時ラダックを属国としていた。一八四〇年にラダックとともにジャンムー領となり、後にジャンムー・カシミール藩王国に属する。一九四七年にはイスラム教徒民兵・パキスタン軍の力を借りジャンムー・カシミール藩王国から離脱、パキスタン帰属を表明した。現在は対インド軍最前線、カラコルム登山の基地として有名である。
（注5）かつてのジャンムー・カシミール藩王国は、管理ラインと実効支配線によって、インド支配下のラダック連邦直轄領とジャンムー・カシミール連邦直轄領、パキスタン支配下のアザド・カシミール特別州及びギルギット・バルティスタン州、中国支配下のアクサイチン及びシャクスガン渓谷に分断されている。シアチェン氷河付近は、実質インド支配下にあるが、管理ラインも

確定していない。カシミール問題は、特にインド・パキスタン問題として、カルギル紛争（一九九九年）、ジャンムー・カシミール州議会襲撃事件（二〇〇一年）など、国家間、宗教間の大規模な対立の火種になってきた。ラダックにはカルギル紛争時にパキスタンのミサイルが飛来し、従軍したラダック人が多数戦死した。二〇二〇年にはアクサイチンの実効支配線上で、インド軍と中国軍が争い双方に死者が出た。

（注6）ラダック東部のチャンタンは、遊牧民の住む高原である。

（注7）チベットではツァンパという。大麦を炒った後、臼で挽き粉末にした食品。バター茶などで練って食べる。食生活は多様化しつつあるものの、いまでもラダックの人の重要な主食のひとつである。

（注8）一九一六年に設立。SOAS（School of Oriental and African Studies）は、ロンドン大学の一部を構成し、アジア・アフリカに関する世界的な研究・教育センター。八十を超える国々からの学生が学んでいる。

（注9）「ゴ」は「ドア」、「ニェル」は「管理人」。鍵番である。僧院のお堂は朝夕の勤行時・祭礼時以外は施錠されており、鍵はこの鍵番の僧が保管している。参拝客の少ない僧院では、拝観時に鍵番を探して僧院内を走り回ることになる。

（注10）チベット仏教の各宗派に関する中国人の呼び方。黄帽派は、ゲルク派に対応する。赤帽派は、ニンマ派を指す場合と旧派全体（ニンマ派、サキャ派、カギュ派）を指す場合がある。

（注11）聖地や峠にかかげる馬の絵を刷った旗。紐に通し万国旗のように掲げる。世界を構成する五元素を表わす赤青緑黄白の五色が多い。

（注12）観音菩薩に対する真言。意味は「蓮華の中の宝珠」。六道輪廻の中での転生を防ぎ、解脱にいたるために唱える。

大地とともに生きる

畝間に倒れるほどたわわに実れ
百人の若い男手でさえ刈れないほどに実れ
百人の乙女が運びきれないほどたわわに
――ラダックの種播き歌

ラダックでは、農業のサイクルは標高によって違うのだが、二月から六月のあいだにはじまる。種播きは詩に表現されるほど美しい時季である。太陽の描く弧は高くなり、谷間は再びよみがえる。村のはるか上の東向きの斜面に、四角錘の形に石を積み上げた大きな塚ニットーがあり、それが農事暦の役割を果たす。その影が落ちる位置でさまざまな活動をはじめるときを判断する。種播き、灌漑、収穫などは、すべて特定の位置につけられた目印によって決められる。太陽が種播きの位置に来たとき、占星術師に相談が持ち込まれる。彼は暦を調べ、作業が吉兆の日にはじまるよう確かめる。彼は大地と水の相性がわかると期待されている。彼が望ましいと考える印を持っている人が、最初に種を播く人として選ばれる。

次に、大地の精と水の精、サダクとルをなだめなければならない。土の中にいる虫、小川の中の魚、土地の精霊たちである。犂で耕したり、岩を砕いたり、また土を踏むことでさえ、これら精霊の平穏を乱し、怒りに触れることがある。種播きに先立って、精霊に敬意を表してお供えが用意される。僧侶たちは一日中経を唱え、そのあいだ、肉を食べたり、大麦から作られるどぶろくのチャンを口にする者はいない。村外れの木立の中に、精霊のために粘土の日干し煉瓦で小さな塚を作り、乳が供えられる。日が沈むころ、乳以外の供物は小川に投げ込まれる。

この行事の何週間か前、ロバの背で堆肥が運び込まれ、畑のかたわらに積み上げられている。それを明け方の今、女たちが手早く畝間に広げている。太陽が顔を出すころ、家族が全員集まる。男がふたりで、木で作られた犂を運んでいる。前方で、大きな二頭のゾーを引く子どもが小さく見える。労働と祝祭はひとつである。人びとは銀でメッキされたコップでチャンを飲み、空気は祝祭の音でざわついている。濃いえんじのローブを着た僧が経典を詠唱する。笑い声や歌声がそこかしこに、畑から畑に響きわたる。厳しい冬が終わったのである。

ゾーには頸木がつけられている。従順な家畜だが尊大である。彼らを急がせることはできない。ゾーは何事もないように犂を引く。その後ろから人が種を播き、そして歌う。

文殊菩薩、英知の化身よ、ハー！
神よ、水の精霊ルよ、母なる大地の精霊よ、ハー！
ひと粒の種から百の作物よ育て！
ふた粒の種から千の作物よ育て！
仏陀と菩薩を崇拝するに十分なだけ、我らに与えよ！
精舎を支え、貧しい人に与えるに十分なだけ！

種播きが終わってしまうと、それほど世話を必要としない。水やりだけである。これはたいてい村人のあいだで輪番で行なわれるが、ときにはサイコロで順番を決める。灌漑の調整は、ほとんどの村で、村人から選ばれたり指名されたりするチュルポン（注1）によって統制されている。水路を必要に応じて閉じたり開けたりして、流量を操作する。それぞれの世帯に、毎週一定の時間が割り当てられ、そのときは主水路から自分の畑に水を引き入れることができる。

あるとき、私はある母親とふたりの娘が畑に水を引くのを見ていた。彼女らは小さな水路を切り、畑を水で満たすと、鋤をひとかきして塞いだ。水は驚くほどまんべんなく行きわたった。どこなら流れやすく、どこに手を加えなくてはならないかがわかっているのである。鋤で土を掘ったり、埋めたり、石をちょっと動かして水路を開けたりしている。すべてが絶妙なタイミングで行なわれる。ときおり鋤に寄りかかり、近所の人たちとおしゃべりをするが、視線は水の流れを追っている。

*

収穫は、もうひとつの祝祭のときである。老若男女の刈り手が一列になり、鎌で刈り込みながら歌を歌う。夕方、人びとが集まり、歌い飲み、そして踊る。台所にはバターのランプが灯され、刈った小麦や大麦、豆の穂束が柱に巻きつけられる。

作物は束にして積み重ねられ、人の背で運ばれ脱穀される。土をつき固めてできた直径およそ九メートルの大きな円形の場所で脱穀される。柱を中心にして一列に並んでつながれた数頭の家畜が、首を垂れて脱穀する作物を食べようとして歩き、作物を踏みつける。ゾーはこの目的にもっとも適している。大きくて重いというだけではなく、一度動きはじめれば、何時間もうれしそうにぐるぐる歩きつづける。ときには十二頭ぐらいの家畜が組み合わされて使われる。ゾーは円の内側で短い距離を分担し、馬やロバはそれに追いつくように外側を走っている。その後ろで、子どものことが多い

のだが、監督する人が叫び声を上げて追い立て、歌でうながす。「ハロ　バルドゥル
ハロ　バルドゥル……」。脱穀した穀粒が家畜の糞で汚れるのを防ぐため、監督してい
る人は小枝で作った籠で、糞が地面に落ちる寸前にとても器用に受ける。控えのゾー
が近くで出番を待っている。一方、夏の放牧地から下ろされたほかの家畜は、畑の刈
り株を食んでいる。

風選の様子はとても優雅である。ゆったりとしたリズムで、穀粒を見事に空中にす
くい上げる。穀物の殻は風に飛ばされ、中の実だけが地面に落ちてくる。ふたり一組
の作業で、木製のフォークを持って向かい合い、口笛を吹いて風を招き、ときに歌う。

おお、純粋な風の女神よ
おお、美しい風の女神よ
殻を飛ばしておくれ
オングスラ　スキョット
実と殻を分けておくれ
人の力が及ばないところで
神よ私たちを助けてください

おお、美しい神よ
オングスラ　スキョット

穀粒はふるいにかけられる。袋に詰められる前、小さな宗教的な像かまたはその絵が、穀粒の山の上に収穫を祝うため儀礼的に置かれる。

*

ソナムが、収穫祭スカンソルの日に私を家に招いてくれた。私は目覚めるとシュクパと呼ばれるビャクシン（注2）の燃えるよい香りに気づいた。プンツォック叔父さんが香炉を持って部屋から部屋へと歩き、香りが隅々まで漂っている。この毎日の儀式は、精神の浄化をうながすとされ、すべての仏教徒の家で行なわれる。

私はバルコニーに出てみた。祖父母、父母、子どもたち、家族全員が畑で働いていた。刈り取りをしている者もいれば、それを積み上げている者、風選をしている者もいる。それぞれの作業には決まった歌がある。収穫物の黄金色の山が畑ごとに何百と積まれ、ほとんど地面が見えないくらいである。鮮やかな光が谷間に射し、きらきらと輝いている。醜い幾何学的な配置や、繰り返し不自然に引かれたような線が、この土地に入る隙はない。すべてのものが目に優しく、心を和ませてくれる。

谷の下の方では、畑を犂き起こすゾーに男が歌いかけている。

おお、二頭の大きなゾー、野生のヤクの息子よ
おまえの母親は雌牛でも、おまえは虎やライオンのようだ
おまえは鳥の王者の鷲のようだ
おまえは高い頂で踊るダンサーではないのか
おまえは山々を膝の上に抱え持つ者ではないのか
おまえは大海をひとのみで飲み干す者ではないのか
おお、おまえたち二頭の大きなゾーよ、引け、引け

銅製の長さ二メートル半ほどのホルン、ザンスタンの太くて低い音が、頭上の屋根からとどろき、儀式がはじまろうとしていることを告げた。すべての宗教的な行事と同様に、このスカンソルは社交の機会でもあり、客が何人かすでに到着していた。男性と女性はそれぞれ別の部屋でもてなされる。客は、龍や蓮の花の模様が複雑に彫刻された低いテーブルの前に座っていた。壁には何世代も経たフレスコ画が描かれている。男性は丈の長い手織の礼服ゴンチャを着ている。生成りのベージュ色もあれば、高

地特有の濃いえんじ色に染められたものもある。多くの人が大きなトルコ石のイヤリングをつけ、弁髪を背に垂らし、前髪を剃った伝統的な髪型をしている。女性は正装で、一番上には錦織りのベストを着ている。彼女たちは素晴らしいブレスレットや指輪、ネックレスなどの宝石を身につけ、何十個ものトルコ石と珊瑚をちりばめた目も眩むばかりの頭飾り、ペラックをつけている。ある年長の男が手招きして、私を隣に座らせた。「これは私の新しい義理の娘だ」と言って、ほかの人に紹介した。みんなが笑うと、彼の目はいたずらっぽく輝いた。

ソナムは、何度も客たちのあいだをお茶やチャンをついで回った。彼がつぎに来ると、つぐことができないようにコップを少し引っ込めながら、何度も何度も断わり、それからようやくついでもらうのが約束事になっている。このような礼儀にかなった断わり方、この断わり方をザングスチョチェスというのだが、ときにこれが主人と客とのあいだで、歌でやりとりされる。

もうこれ以上チャンは飲めません
青空を膝にのせることができるなら、チャンを飲みましょう

太陽や月なら青空を膝にのせている
さあ、冷たいチャンを飲んでくれ、飲んでくれ、飲んでくれ

もうこれ以上チャンは飲めません
もし、小川の水が編めるなら、チャンを飲みましょう

金色の目の魚は小川の水を編んでいる
さあ、冷たいチャンを飲んでくれ、飲んでくれ、飲んでくれ

僧侶たちは、家の仏間チョッカン（注3）で儀式を執り行なっていた。仏教における護法の五体の守護神、ダルマパーラに供える大麦の粉を練ってピラミッド型にし、バターでできた花びらをあしらった供物がこしらえてある。今日から二日のあいだ、ソナムの家ではスカンソルを祝う。収穫はすっかり終わり、農民にとっての新しい年のサイクルがはじまろうとしている。祈りは家族のためばかりでなく、宇宙の生きとし生けるすべてのものの幸福と繁栄のために奉げられる。僧侶たちの野太く響く読経の声と、リズミカルな太鼓の音が、あたりが暗くなるまで村中に聞こえていた。

＊

ラダックに着いて間もないころだが、私は川で洗濯をしようとしていた。汚れた服を川の水につけようとしたとき、上流の村からやってきた七歳に満たないくらいの小さな女の子が、「汚れものを川の水に入れちゃだめ」と恥ずかしそうに言った。「下の方の人たちがその水を飲まなくちゃいけないから」。彼女は少なくとも一・六キロメートル下流の村を指した。「向こうの水なら使えるよ。灌漑用だから」

ラダックの人びとがこのような厳しい環境の中でどうやって生存しつづけてこられたのか、私はわかりかけてきた。「倹約」という言葉の意味も知りはじめた。西洋では「倹約」という言葉から、歳のいったおばさん、鍵の掛けられた食品保存庫というイメージが思い浮かぶ。しかしラダックで見られる「倹約」は、人びとの豊かさの基盤となるものであり、西洋の倹約とはかなり違ったものである。限られた資源を注意深く利用することは、物惜しみとはまったく関係のないものである。これは、少ないものからより多くを得て「実り多い」という、本来の意味の「倹約」なのである。

あるものを完全に使い切り、あらゆる用途にも使いつくし、捨てようと私たちが思うものでも、ラダックの人たちはそこからさらなる用途を見つけ出す。簡単に捨てられるものは何もない。もう食べることができなくなったものでも、家畜にやることができる。燃料として使えないものでも、土を肥やす肥料とすることができる。

ソナムの祖母は、チャンを作った後の大麦を捨てることはしない。彼女は茹でて発酵させた大麦に水を加え、すでに四回チャンを絞った。それでもその大麦を捨てず、後で挽いて食べるようヤクの毛の毛布の上に広げて乾燥させておく。アンズの種を圧搾して丁寧に油を取った後に残る焦げ茶色のペーストも、それで小さなコップ状のものを作った。これは乾燥して硬くなったら、紡錘として使った。彼女はまた、食器を洗った後の食べ物のカスが混じった水でさえ捨てずにとっておき、少しでも栄養になるよう家畜に与えた。

ラダックの人びとは、手織りの服を、もうこれ以上つぎが当てられないくらいまでつぎ当てをする。冬のあいだ二、三枚重ね着しなければならないときは、いちばん上等のものを内側に着て、「よそゆき」としてきれいな状態にしている。着古して、もうこれ以上縫っても着ることができないとなると、泥と一緒に練り固め、灌漑水路の漏水を防ぐのに用いられる。

私たちが「雑草」と呼んでいる野生植物、灌木類は、灌漑水路や畑の畦に生えるものであれ、山に生えるものであれ、ほとんどすべて採取されてなんらかの目的に使われる。ブルツェは燃料や家畜の飼料に使われ、ヤグザスは家の屋根材に使われる。ツエルマンは刺があり、畑や庭を家畜から守るための垣根にする。ディモクは赤い染料となる。ほかにも薬や食品、香料、そして籠を編むのに用いるものがある。

牛舎の土は掘り出して肥料として使われるので、家畜の尿がリサイクルされている。畜糞は、畜舎や家畜囲いからだけでなく、放牧地からも集められる。人糞でさえも無駄にしない。どの家でも、地上階に堆肥用の小部屋があり、ひとつ上の階の床に開けられた穴から垂直に落とし込むような便所をしつらえている。これに台所から出るかまどの灰と土を混ぜることで、分解を助け、よりよい肥料とする。臭い消しにもなっている。年に一度、堆肥用の部屋は空にされ、中身は畑に入れられる。

このように、ラダックの人びとは伝統的にすべてのものをリサイクルしてきた。文字どおりのゴミというものは存在していない。ごくわずかの資源しか利用できない中で、農民は完全に近い自立した生活を実現してきた。外部の世界に頼るものといえば、塩、茶、調理器具と工具だけであった。

ラダックでの日々の新しい経験から、私はこの自立ということの意味についてより深く理解することができるようになった。「持続可能」ということや「エコロジー」という概念は、はじめてここを訪れたころは私にとってなんの意味も持っていなかった。だが年月を経るにつれ、ラダックの人びとの自然への巧みな適応に敬意の念を抱くようになっただけでなく、私がこれまで慣れ親しんできた西洋における生活様式の再評価を迫られることにもなった。
より自然に近い生活の思い出で特に記憶に残っているのが、高原の放牧地プーでの経験である。家畜にとっても、プーは約束の地である。春まだ浅いころ、やがて来る喜びを農民は家畜たちに歌って聞かせる。

おお、美しい生き物よ、強い生き物よ
尾は長く、角は天にもとどく
畑を耕しておくれ
しっかり働いておくれ
そうすれば、放牧地へ連れていこう
長く伸びた草花の食めるところへ
そして、一日中、何もしない
おお、美しい生き物よ

「太陽の牧草地」を意味する「ニマリン」のプーへ行くには、五三〇〇メートルの峠ゴンマル・ラを越えなければならない。それはまる一日かかる旅である。友だちのツェリンと私はすぐに戻ることになっていたが、彼女の姉デスキットとその子どもたちは叔父のノルブと一緒にそこに留まり、バターやチーズを作ったり、柴や畜糞を集めたりすることになっていた。夏のあいだ、少なくとも一トンもの乾燥した畜糞を集める。これは料理や冬のもっとも寒い時期の暖房に使われる。家族の中で村に残った者は、何度も登り下りしてパン、麦の粉、チャンを担ぎ上げ、収穫したものを村に下ろすことになっている。

出発の朝、私たちは早起きをした。必要と思われる厚手の服に毛布、大麦の粉、塩、お茶、干したアンズなどをロバの背に積んだ。私たちは昼ごろまでに谷の最奥部近くにたどり着き、雪解け水の流れのそばで休んだ。午前中、照りつける陽光を両側の切り立った山肌がずっとさえぎってくれたお陰で、私たちは快適に歩くことができた。だがしだいに暑くなってきて、みんなで喜んで休憩をとった。道端から小枝や畜糞を集めて、ツェリンが小さな焚火をおこした。塩味のバター茶が特に喜ばれた。このころにはもう、私はその味がわかるようになっていた。暑さと乾燥の中を長いあいだ歩いたあとは、塩分補給を欲するようになり、かさかさに乾いた唇を潤すバターが欲しくなる。

午後、一歩一歩登っていくにつれ、無言の風景の美しさに心打たれ、私は爽快な気分と深い喜びで満たされた。それでも、標高の高いところで激しく動くことは困難で、息も荒くなり、軽い頭痛がしてきて、私は立ち止まって何度も休まざるをえなかった。ツェリン、デスキットと子どもたちは、斜面を楽に登っていくことができたが、一緒に立ち止まってくれた。日没のころ峠の頂に着いた。果てしなくつづく山並みに夕陽の最後の光が射している。その眺望に私たちは立ちつくしてしまった。

「キキソソ　ラーギャロ（神々に勝利あれ）」

決まりの叫び声を上げた。そして、ラダックのどの峠道にもある、祈りの旗で飾られたラトと呼ぶ石塚で、少し休憩をとった。

私たちがプーの最初の家に着いたときは、もう薄暗くなっていた。太陽はすでに沈んでいたが、残照が一時間以上もつづき、一六〇キロも先のザンスカールの峰々がシルエットになっている。空が暗くなるにつれ、星が輝きはじめた。ノルブ叔父さんはドアの前に立ち、谷を見渡して、山羊をすべて集めたことを確かめた。日が暮れる前に、家畜囲いに追い込まなければならない。

羊、山羊、牛、ヤク、ゾーはすべて、ニマリンで夏を過ごす。羊や山羊は谷の上部の丘陵地に追い上げるが、過放牧を防ぐため、毎日違う場所に連れていかれる。一方、牛は谷の底に沿って放される。ゾーとヤクはいつも一頭ずつ独立して行動をとり、氷河の近くの高地で草を食む。これら堂々たる家畜は、その図体の大きさにもかかわらず、急峻な山の壁をやすやすと登り、しかも動きは驚くほど機敏である。ゾーは何キロも移動する習性があり、ときには高所の山道を徒歩で二、三日かかる距離に達することもあるので、夏のあいだ、ゾーを捜すのに多くの時間が費やされる。牧草地から勝手に下る道を見つけて、突然村に姿を現わすこともよくある。村の作物を守るため、ゾーはまたすぐプーに連れ戻される。遠くから見れば、紫色の山腹の、小石に混じる黒い点のようにしか見えないが、デスキットの十歳になる息子のアンチュックは、それがヤクや牛ではなくてゾーだとわかるばかりでなく、ほかの人のゾーと自分たちのゾーとを見分けることができた。

ニマリンには、六三〇〇メートルの頂が、お椀の形をした谷間からそびえ立っている。草地や花の絨毯が斑点状に広がり、ナキウサギが互いに鳴き交わし、笛の音や若い羊飼いの歌で空気が鳴り響いている。プーでの数日間、生活というものが何千年ものあいだきっとこのようなものであったに違いないことを、私は垣間見た。人と土地と動物とのあいだの緊密な関係は、深く心に触れるものであった。これは私の人生で経験したことがなかったことだが、にもかかわらず、どこか懐かしさを感じさせるものであった。

私たちは夏の住居となる石造りの小屋で寝泊まりをした。村の家に比べると慎ましいものであった。低い入口を入ると、狭くて暗い台所があり、貯蔵場所へとつづく。そこに運んできた麦の粉の袋をしまった。石組みの壁と一・五メートルほどの高さの天井が、洞窟のような雰囲気をつくり出している。だが夜になると、やっと顔が見分けられるほどの明るさのランプを灯した窮屈で煙い部屋は、暖かく活気にあふれた。私たちは歌い、子どもたちが踊り、話し声が絶えなかった。

突然、外で大きな物音がした。ノルブ叔父さんが「シャンク！　シャンク！」と叫んでいるのが聞こえた。みんな外に駆け出した。家畜囲いの向こう側から黒い影が夜の闇に消えるのが見えた。狼だ！　ノルブは家の中からランプを持ってきて、子牛にかざした。ほかの家畜はすべて囲いの反対側に身を寄せ合っている。その子牛はもう長くはなかった。まるで剃刀で切ったように、尻の肉が大きく切り裂かれていた。私は恐怖で震えていたが、どうしてあれほど見事に歯で切り裂くことができるのか不思議でならなかった。

みんな冷静であった。ノルブはその子牛を別の囲いに連れていき、安らかに最期のときを迎えさせた。台所に戻ってきて、山羊を追い込んだ家畜囲いの石垣の外で、どのようにして不意に狼を見つけたか、その様子を彼は話した。彼がちょうど山羊を誘導していたところ、狼は子牛に襲いかかっていた。石を投げたが外れた。彼が囲いの壁を飛び越え、棒で狼を叩くと、ようやく獲物をあきらめて山へ逃げていった。

プーでは、大きな家畜はそうでもないが、羊や山羊には狼が常に脅威だ。昼間でさえ、二、三〇〇頭の家畜の群れを谷間から高所の放牧地へ上げるときは、若い牧童は注意深く見張っていなければならない。アンチュックが、私と話をしながら投石の道具を調べているのを見たことがある。山でこのように家畜が襲われることがあるというのはわかっていたが、ラダックの人たちのその態度には驚いた。くやしがったり、自分を哀れむということは、かけらさえも見られなかった。何事にもその平静さを乱すことがないように思えた。

後になって、ツェリンは前に自分がプーに近い峡谷に羊を追ったときのことを詳しく話してくれた。

山道の上の方から、薪にする灌木、ブルツェの塊が小石だらけの山の斜面を転がりはじめた。予想に反してそれは弾まず、でこぼこした石の上でさえ、滑るようになめらかに動いた。彼女は驚いた。そんな光景は今まで見たこともなかったからである。困惑して近くに転がってくるのを見ていた。羊から数メートルの所まで来て止まったとき、その灌木が彼女を見上げた。彼女はそれが何か不意にわかった——、雪豹であった。この伝説的な動物は、偽装する能力で知られるが、とても用心深く、ほとんど見かけることはない。しかしその急襲は本当であった。ほんの数週間前、家畜囲いの小さな隙間から忍び込んだ雪豹に、隣人は三頭の羊を失った。雪豹は足跡だけを残して去ってしまった。

*

「われわれの料理を全部味わったことがあるかい。スキュウ（注4）、チュー・タギ（注5）……」。人びとはにこにこしながらよく私に尋ねた。その質問は、いかにもたくさんの種類があるかのようであった。だが実際は、選択の余地はかなり限られていたと思う。大麦を使った料理が六種類ほど、小麦を使ったものが同じぐらいあるだけであった。

ラダックの人たちは自分たちの食べ物を愛していたし、簡素だが栄養に富んだ食事であった。穀物とバター茶がおもな食料になっていた。ほとんどの大麦は煎ってから粉に挽き、手軽な即席の食べ物、ンガンペにする。お茶やチャン、水などの液体を混ぜると、すぐに食べられる。煎ってない大麦の粉は、スープに入れたり、乾燥させた豆の粉と混ぜて一種のパン・プディングを作ったりする。かまどの上で焼く薄いパンケーキのようなタギ・シャモ（注6）や、灰の上にかざして焼く厚くて丸いパンのカンビルは、小麦粉で作る。ときには収穫の四分の一にもなることもある余った大麦は、ほとんどはチャンにする。赤ん坊にさえ、薄くしたチャンを飲ませる。大麦と酵母菌の組み合せが、ビタミンBの重要な供給源となるのである。

バター茶、ソルジャは、緑茶の一種から作る。お茶の葉は塩と重曹で一時間くらい煮てからバターを加え、撹拌するために長い円筒状の木製の撹乳器、擬音的な名前のついたグルグルに注ぐ。だれもがこのお茶を愛しており、一日中、畑に出るときですら、やかんを木炭の火鉢の上で温めながらそばに置いている。

オマ、乳は、ほとんどはバターであるマルに加工される。ラダックの家畜はどれもあまりたくさんの乳を出さないが、とても濃厚である。ヤクの乳は特に濃く、そのバターは深いクリームイエロー色をしている。バターを採った残りの乳から低脂肪のチーズ、チュルペを作る。日に当てて乾燥させ、固くする。それといくらかの野菜、唯一の甘いごちそうであるアンズ、干し肉などの食品は、一年以上も腐らせず保存できる。カブやジャガイモのような野菜は、家のそばに掘った大きな地下の貯蔵庫で保存される。

ラダックの人びとは、特に冬に肉を食べる。おもに山羊の肉だが、ヤクやゾーの肉も食べる。おそらく冬場、それなしで切り抜けることが困難だからなのだろう。魚は決して食べない。もし生命を奪うのなら、大きな動物のほうがたくさんの人に食べ物を提供できるという考えからである。魚を食べるとしたら、もっとたくさんの命を奪わなければならない。動物を殺すということは軽々しく考えられてはおらず、祈りと許しを乞うことなしには行なわれない。

私が乗ったり、荷物運びに使った家畜たち
私が殺した家畜たち
私が肉を食べたすべての家畜たち
はやく成仏しますように

ヘミス村では、プンツォック叔父さんが家の外の大きなクルミの木影で、機織りをしているのがよく見られた。織機の踏み木を動かしながら、言葉のひと言ひと言に耳を傾けている大勢の子どもたちに囲まれ、彼は歌にちりばめられた物語を話して聞かせていた。子どもたちは、家から持ってきたお茶やチャンを絶え間なく勧めた。多くの邪魔が入ったにもかかわらず、思ったよりとても手早く仕事をし、一枚の布、スナンブーを一日で織り上げた。スナンブーは横幅三〇センチ、長さは三五トゥー。トゥーは肘から指先までの長さである（注7）。

ラダックの人たちは羊毛を自分の家畜からも採るし、余剰穀物との交換によって得ることもある。交換比率は大麦一〇キロに対し羊毛一キロである。彼らはそれを洗い、紡ぎ、織り、染め、自分で仕立てる。糸紡ぎはいつでも行なわれる仕事である。男も女も同じように、荷物を背負って歩きながらでも、糸を紡いでいる。その姿は、くつろぐための手段のようでもあり、ほとんど瞑想のようにも見える。男は山羊やヤクの硬い毛を紡ぐ。これは、毛布や靴、袋、ロープにする。男は縫物や機織りもこなす。女たちは服を作るためのもっと細い羊の毛を紡いでいる。ほとんどどの家にも機を織る人がひとりいるが、村によってはほんの少数しかいないところもある。そのような場合、機織人は物々交換で機を織り、見返りにバター、穀物、チャン、あるいは羊毛を手にする。

糸紡ぎで手を休みなく動かしているラダックの人たちとおしゃべりをしたり、笑ったりして私は多くの時間を過ごした。夕方、かまどのそばに座ってのこともあれば、畑で一緒にチャンを飲みながら、または山歩きをしながらのこともあった。羊毛は、男性の長くて真っすぐに伸びた立派なロープになり、女性のひだをとった流れるような

家畜を使って大麦を脱穀する（ダー・ハヌー地区・ダー村）

大麦の穀粒と殻を分ける風選（ダー・ハヌー地区・ハヌー村）

スカートとなる。だれもが羊の革を内側に張った山高帽子をかぶり、ヤクの毛でできた、絞り染めのつま先が上を向いたちょっと変った靴を履いている。

宝石類は輸入されている。トルコ石や珊瑚はすべて交易に用いることができ、ある種の余剰を意味している。ひとつの家族で、何百もの宝石類、銀や金のペンダント、そで貝の腕輪を持っているのを目にすることもある。

＊

村の家屋は大きな構えをしており、二階または三階建てで、延べ床面積はおおよそ三七〇平方メートルないしそれ以上ある。白く塗られた壁は、平らな天井に向かって緩やかに内側に傾斜し、どっしりとした要塞のような形にもかかわらず優雅さを備えている。新しい家は、大地の精霊サダクへの配慮なくして建てることは決してない。まず高位の僧が呼ばれ、大地に祝福を与えてもらう。それから彼は真鍮でできた鏡に周りを映し出し、建設のあいだ危害をおよぼすことのないようサダクを鏡の中に取り押さえておくのである。鏡は慎重に箱の中に納められ、それは家が完成するまでそこに安置される。完成した後、僧がその箱を開け、精霊を解き放つ儀式が行なわれる。

一階に石が使われることが多いが、おもな建設資材は泥である。家族全員で日干し煉瓦を準備する。小さな子どもでさえ、木型に泥を入れる手伝いをする。村によって土の質が違うので、ふつうより大きかったり、藁を混ぜたりと、作り方はそれぞれ異なっている。煉瓦は太陽の下で二週間ほど干され、でき上がる。壁は九十センチほどの厚さで、直訳すると「バターのような泥」を意味するマカラと呼ばれる細かい粘土が塗られ、その上から石灰石で漆喰を施される。ポプラの梁と矢筈模様に組んだ柳の枝が、平らな屋根を形作っている。ヤグザスと呼ばれるヒースによく似た灌木は百年はもつといわれており、屋根材の一番上に置かれ、その隙間に泥と土を入れて固められる。ここは降水量がとても少ないので、わずかな雪は簡単に掃き落とすことができるし、雨漏りがするほど雨の降ることもめったにない。

家は単に機能性だけでなく、細部にまで時間をかけ、純粋に美しいものに仕上げられている。窓や戸には特別の注意が払われる。村の大工の手によって彫られた、凝った彫刻の目草（窓の梁）がついている窓もある。もっとも人気のあるデザインは蓮の花である。煤と粘土を混ぜ合わせた幅二五センチの漆黒の縁は、白い壁と対照をなしている。小さなバルコニーにも素晴らしい彫刻が施されており、上の階の装飾になっている。

家の入口は東を向いている。縁起がよいとされているためである。石の階段は真っすぐ二階につながっており、一階は家畜小屋になっている。二階の入口を抜けると、かまでのある居間が広がっていて、隣接する貯蔵室とあわせてほとんどを占めている。三階の大きな中庭から頭上に光が射し込んでくる。

居間は家の中心である。家族はほとんどの時間をここで過ごす。居間はたいていとても広く、向こうの端にいる人と話すのが困難なくらいである。いくつかの低い机、敷物を除くと家具はほとんどない。床面積の三分の二ぐらいには何もない。一方の壁に沿って装飾された木製の棚が置かれ、磨かれてピカピカに光っているいろいろなサイズの深皿や鍋がたくさん並んでいる。大きくて黒光りのするかまどが、どの居間でも中心になっている。精錬された鉄のように見えるが、実は粘土でできている。その側面には、幸運のシンボルや仏教の主題の装飾がほどこされ、また、よくトルコ石や珊瑚がちりばめられている。かまどには乾燥させた畜糞がくべられ、山羊の革でできたふいごで火をおこす。

一年のうち六カ月は何も育たないため、家のかなりの部分が貯蔵のスペースにあてられている。居間を過ぎると、主となる貯蔵庫があり、夏の暑いさなかでもぶ厚い壁で冷たく保たれている。また、そこはチャンを作るための大きな木製の樽、乳やヨーグルトを入れる素焼きの鉢、大麦や小麦の粉が入った大きな箱などでいっぱいになっている。屋上には家畜の餌の牧草や、台所のかまどにくべる灌木や畜糞が積んである。夏のあいだ、ヤクの毛の毛布はいつも屋根の上に広げられ、野菜、アンズ、ときにチーズが太陽の下で干される。

最上階には、中庭を囲んでふつうは二つか三つの部屋がある。客間や夏の寝室、家族が祈りを捧げる仏間であることが多い。仏間は家の中でもっともお金をかけ、入念にしつらえられた場所となっている。客間は正式なもてなしが行なわれる場所で、贅沢に装飾され、床にはチベット絨毯が敷きつめられている。仏間は、何世代も受け継がれてきた教典やその他の宝物で占められている。アプリコット・オイル（注8）の強い香りが、この薄暗く静かな部屋に広がっている。古びた仏画、タンカ（注9）が壁を覆っている。天井からは大きな太鼓が吊り下げられている。細かな彫刻と絵が施された祭壇には、銀の鉢とバター・ランプが並べられている。仏教徒の暦で特別の日には、僧侶たちがここに集まり、宗教的な儀式を執り行なう。朝と晩、毎日、家族のだれかがここに供物を奉げ、油を満たしたランプに火を灯し、鉢に水を満たして真言を唱え、祈る。

＊

とても苛酷な気候と乏しい資源にもかかわらず、ラダックの人びとは単に生存するということ以上の暮らしを楽しんでいる。基本的な生活用具しか持っていないことを考えると、これは驚くべき成果といえる。鋤や機織りの機を除いて唯一「テクノロジー」と呼べる道具は、水車ぐらいである。摩擦力を利用して自動的に穀粒が挽かれて出てくる仕組みになっていて、巧みに工夫された簡単なデザインのもので、人がついている必要がない。ほかには、シャベル、鋸、鎌、金槌などが使われる程度である。さらに洗練されたものなど、何も必要としない。私たちが大型の機械に頼る作業の多くを、ラダックの人びとは家畜の力と、チームワークで行なっている。しかも、どの仕事にも歌がつきものである。

ラモ　キョン、ラモ　キョン
ヤレ　キョン、ラモレ
気楽にやろう、やろう気楽に

ヤク、ゾー、馬、ロバの隊列が、ほとんどの物資を運ぶ。日干し煉瓦や石は、よく人びとが列を作り次々に手渡しで運び、太い木の幹のような場合は、男たちがチームをつくる。

ラダックの人たちはそれぞれの仕事を成し遂げるのに、ほんの簡単な道具だけを使い、とても多くの時間をかける。服にするための毛織物を作るには、手間ひまのかかる作業がともなう。放牧中の羊を監視し、毛を刈り、それを洗い、紡ぎ、最後に織る。同じように、食べ物を作る仕事も、種播きからテーブルに料理が並べられるまで、労働が集約されている。にもかかわらず、ラダックの人たちは、あり余る時間のゆとりを持っている。彼らは穏やかなペースで働き、驚くほど余暇の時間を享受している。

時間はおおざっぱに計られ、分単位まで数える必要はまったくない。「昼ごろか、夕方近くに会いに行く」と、数時間の余裕を持って言う。ラダックの人たちは、時間を描写する多くの美しい言葉を持っていて、それらはすべて幅が広く、寛大なものである。「ゴンロット」は、「暗くなってから就寝まで」の時間を意味する。「ニーツェ」は、文字どおりには「山頂にかかる太陽」を意味する。「チペチリット」は「鳥の歌」を意味し、朝日が昇る前に鳥がさえずる時間を指している。

収穫の時期、作業が長くつづくときでも、のんびりとしたペースで行なわれ、八十歳の人でも小さな子どもでも参加し手伝うことができる。よく働くが、笑いと歌がともなったそれぞれのペースで働くのである。仕事と遊びとのあいだには、はっきりとした区別がない。

驚くことに、ラダックの人たちが一所懸命働くのは一年のうち四カ月ほどであり、このあいだは実によく働く。八カ月の冬のあいだは、食事を作り、家畜に餌をやり、水運びをしなければならないが、仕事はほんのわずかである。冬のあいだはほとんど祭りや宴で過ごす。夏のあいだでさえ、なんらかの祭りや祝い事がない一週間を過ごすことはなかったほどで、冬は祝い事がほとんど絶えることがない。

冬はまた、物語を語って聞かせるときでもある。実際、ラダックには次のような諺がある。「大地が緑のあいだは、物語は何も語らないほうがいい」。この夏のあいだの物語の禁止は、短い期間に農作業に集中する必要からきているのだろう。古くから伝わるケサル伝説・叙事詩では、神秘的な英雄が縦横に旅をし、多くの高い山を越え、神の助けを借りて悪魔と戦い、人びとの命を救うという物語である。人びとは火の周りに座り、語り手は親しまれた歌や繰り返しを交える。みんながその歌に加わる。

さあ、私の言うことを聞いてくれ
世界の諺にいう

若い女性は眠らず、起きているように
もし眠ると、糸繰りが止る

糸繰りが止ると、布が織れない
もしそうなると、噂が広がる

若い男は眠らず、起きているように
もし眠ると、弓矢も休む
弓矢が休むと、敵が顔を上げる
敵が顔を上げると、政治が乱れる

グンマ（注10）とケサルは、
空と太陽と月のようだ
彼らは慈悲と英知、弓と矢
彼らは仏陀の教えの伝道師

（注1）灌漑用水の日々の配分を監視する水の管理人。村によって事情が違うが、一年の任期で持ち回り制になっている。
（注2）ヒノキ科ビャクシン属の常緑樹。大きなものは高さ二〇メートルに達する。森林の少な

いラダックではとても目立つ樹木である。大きなシュクパには龍神（ルあるいはナーガ）が宿ると信じられており、聖木として崇められている。その葉は香（サン）として珍重される。
（注3）仏壇は木製で、銅または粘土でできた仏像、護法神の像を配置するとともに、高僧の写真などが置かれていることが多い。毎朝、水を鉢に注ぎ、バター・ランプを灯して礼拝する。日本と異なり、先祖を祀ることはない。
（注4）バクトゥクともいう。トゥクパ（汁料理）の一種で、水で練った小麦粉の小片（指で凹みをつける）、肉、ジャガイモ、豆、野菜などとともに煮込んだ料理。
（注5）テントゥクの一種。テントゥクは幅広の平麺を短く切ったものを使うが、チュー・タギはこの平麺を蝶ネクタイ状につまんだものを使う。スキュウ同様、肉、ジャガイモ、豆、野菜などとともに煮込んだ汁料理。
（注6）「タギ」は「パン」、「シャモ」は「薄く平ら」の意味。いわゆるインドのチャパティで、発酵はさせない。カンビットは発酵させたもの。
（注7）中指の先から肘までの長さを一トゥーとする。古代オリエントの「キュービット」と同じ。一トゥーは約四五センチ。
（注8）アプリコット（アンズ）の種の中身（仁＝ツィグー）から得られる香りのよい油。灯明、整髪剤、防寒用に顔や体に塗るなどの用途に使われる。
（注9）チベット仏教の神仏を布に描いた掛け軸。心棒に丸めて持ち運びができるようになっている。仏像、壁画、タンカなどすべての仏教美術品は仏の教えを象徴的に図像化したもので、鑑賞用の作品ではない。仏教への帰依を示す目的で日常的に礼拝の対象となるほか、一般大衆の教化、仏教の相承系譜解説の道具としても用いられる。僧の修行では、仏の教えと自己を同一化させ仏教思想を体得する「観想」の道具として、タンカは重要な役割を果たす。一般家庭で飾られ

るタンカの題材としては釈迦牟尼、観世音菩薩、多羅菩薩、パドマ・サムバヴァなど親しみやすい身近な尊格が多い。忿怒尊、守護尊、曼荼羅などを描いた密教タンカは主に寺院・僧院で見られる。『タンカ』（加藤敬写真　ツプテン・パルダン写真解説　一九九五年・平河出版社）には、ラダックに保存されている貴重なタンカの写真が多数紹介されている。なお写真解説をしているツプテン・パルダンは、ギェロン・パルダンとして本書にも登場している。

（注10）伝説上の英雄ケサル王の妃。ケサル王伝説に現われる固有名詞は地域ごとに微妙に異なっている。王妃の名はチベットでは「チュモ」「ショルモ」「ドゥクモ」、モンゴルでは「アルルン・ゴア」などとされているが、ラダックでの名は「グンマ」または「ドゥグマ」とされている。

医者とシャーマン

病は理解の欠如から起こる
——ラダックのあるアムチ（注1）

ラダックの人びとは、幸福感、生命力、精神力にあふれている。体つきはほとんどみんな均整がとれていて、健康的である。痩せている人はまれで、肥満はさらに少ない。肥満がとても珍しいため、ある女性が、お腹に出る「変な折れ目」がどういうことかわからず、医者に訴えたということを聞いたことがある。西洋の医者たちを困惑させたのだが、目立つほどの筋肉はないのに男性も女性もとても強靭である。ほかの山岳の民と同じように、彼らは限りないスタミナを持っているように見える。

老人は死ぬその日まで活動している。ある朝、私が住んでいた家の八十二歳になるおじいさんが屋上から梯子段を駆け下りてくるのが見えた。彼は生命力に満ちていて、私たちはお天気のことについて短い言葉を交わした。その日の午後三時、彼は息を引き取った。まるで眠るように、穏やかに座ったままであった。

もちろん、病気にかかることはある。特に呼吸器系の感染症、消化器系の機能障害はわりあい一般的で、皮膚病や目の疾患もそうである。もっと深刻なのは、冬の厳しい寒さのため、特に離乳期前後の乳幼児死亡率が高いことである。だが人生最初の危険な数年を過ぎれば、健康のレベルは一般的に高い。

伝統的な暮らしでは、ストレスを感じることがほとんどなく、心の平安を維持している。日々の暮らしにくつろぎがあり、穏やかである。澄んだ空気を吸い、規則的に長い時間、体を動かす毎日があり、精製していない丸ごとの食べ物を口にしている。彼らもその一部である自然界にとって異質なものに、身体を無理に適応させるようなことはしない。食べ物は地元で生産された有機食品であり、最近まで環境汚染などまったくなかったと言ってよい。

ラダックの人たちの典型的な食事は、果物や緑の野菜がとても少なく、西洋の理論からすればまったくバランスが取れていない。バターや塩の消費量は私たちの基準からすると危険なほど多い。だが、そのような食生活の結果として、西洋で見られるような健康障害はラダックではほとんど見られない。コレステロールの摂取量がとても多いにもかかわらず、たとえば心臓病はほとんどない。この理由はおそらくふたつある。ひとつは、私たちが考える栄養の絶対的な良しあしは実際にはそれほど絶対的なものではなく、私たちがようやく気づきはじめたように、たとえば運動やストレスといったほかのさまざまな要因が働いているということ。ふたつ目は、人間が必要とするほとんどの栄養は、その人間の住む自然環境に沿って進化してきた結果、身体が要求するものと土地自体が供給できるものとが一致するようになったと思われることである（注2）。イヌイットがほとんど穀物をとらず、魚と肉の食生活で健康でいられるように、ラダックの人びとは大麦と乳製品で豊かに暮らしてきた。

＊

病人への責任は基本的に伝統医のアムチが負っている。ほとんどの村には少なくともひとりのアムチがいるし、もっとたくさんいるところもある。彼らは村の中でもっとも尊敬される一員で、その技術はふつう父親や祖父から学ぶ。彼らは医者として専業で働くわけではなく、ほかの村人と同じように自分の畑を耕す。

最近、西洋でかなり注目されるようになってきたチベット医学の体系は、八世紀にまでさかのぼる。仏教と密接な関係を持ち、その体系はとても包括的に文書化されている。根本医典とされている四冊のギュシでは解剖学、生命の過程を記した生命論、診断、処方の詳細を扱い、ほかの医典には、特効薬の作り方やその効果について記されている。数ある医学書の中の一冊は医学用語の辞書である。さまざまな医学書の多くは、予防医学的な事柄について書かれている。自分の健康をどう守るか、妊娠中の食事、赤ん坊の世話などである。

ほかの伝統的な医療体系と同じように、診断には患者の全体的な検査がともなう。病気はここかあそこといった、身体の特定の部分の機能の問題とは見なされず、もっと全体的なバランスの崩れだとされる。不調はより広い視野から捉えられ、身体、心、霊性は統合された存在のそれぞれ一部だと考えられている。そのため、霊性に働きかける治療法もよく処方される。真言を唱えたり、伏し拝むこともある。チベット医学では、おそらく西洋医学の場合よりも、医師の経験が非常に重要となる（注3）。患者は同じ村人であり、医師は患者の習慣や人柄を熟知している。

診断法の第一は、脈をとることである。これは高度な熟練を要する技で、長年の修養を必要とする。脈は全部で十二あり、左右片側に六つずつある。これをはじめて聞いたとき、私は疑った。あるアムチが私にこう説明してくれた。単に物理的な動脈の動きだけではなく、さまざまな器官の機能に対応したエネルギーの流れも感じ取るのだ、と。アムチは舌や目のいろいろな部分の色や状態からも診断する。顔の表情、声の調子、怒りっぽいかどうかなどの振舞いも考慮される。

　近所の人の若い息子の膝が化膿したとき、私は一緒にアムチを訪ねたことがある。そのアムチはとても有能そうで、すぐにその男の子の手首を取り、舌と目を一瞥してから医療用具が置いてある部屋に行ってしまった。部屋には大量の本に加え、壷、小袋など、製剤に必要なさまざまなものが何列にも並んでいた。壁にはタンカが掛けてあり、儀式に使う鐘、聖水を入れる鉢、マニ車（注4）が、何かの粉末やエキス、鉱物、薬草などの中に埋もれていた。アムチは薬草の束を手に取り、いつものように真言を唱えながら、壷から取り出した黒い粉を水に混ぜてすり潰した。緑がかった黒色のペースト状の薬ができ上がり、彼はそれを腫れたところに均一に塗り、布で覆った。二、三日のうちに、膝は治ってしまった。

　ふつうアムチは自然のものを調合して使う。主要な医学書の中の一冊に、さまざまな薬用の鉱物および植物について、その採取地とその具体的な形状が記してある。これらの治療薬は、煎じ薬や粉薬、丸薬などの形で服用される。煎じ薬はおもな症状を抑えたり、即効薬として使われる。一方、粉薬と丸薬はもっと緩やかに、不調の潜在的な原因に効き目があるとされている。たとえば、長引く頭痛にはティッカ・ガッパと呼ぶ苦い粉薬が処方されるが、これは潰したリンドウの根を基本に、花、草、根、樹皮など八種類のものを調合したものである。さらにアムチは、必ずといってよいほど特別な食事を患者に勧める。私が知っている中で、もっとも変わった治療法は、ザンスカール（注5）のアムチが、西洋医なら肝炎と診断するような症状の女性に対して、「激しい性的交渉」を勧めたことがある。驚いたことに、その女性患者は二、三日後にはだいぶよくなっていた。もうひとつショッキングで変わった治療法は、熱い鉄の棒を肌にじかに当てるもので、わずかに火傷の跡が残る。この治療を受けたラダックの人は、これは効くし痛みもないと請け合った。

手術は行なわれていない。何世紀も前、ラダックの第三十八代目の女王が外科医のメスで不慮の死を遂げたときから、法律で禁止されているということを私は聞いた。縫合も、たとえ大きな傷であっても行なわれない。その代わり、傷口は薬草の粉末で消毒され、止血の丸薬が処方される。骨折は副木で固定する。緊急な処置が必要になることはめったにない。西洋でよく見られる虫垂炎や潰瘍、そのほかの急病にもほとんど出会うことがなかった。危険な機械類や高速で走る自動車がないので、事故はきわめてまれで、深刻なことにはならない。足の骨折などの比較的ささいなケガさえもごく少ない。

伝統の息づくラダックの社会では、神経症がとても少ない。それでもやはり、医学書にはそれらについて書き記されている。あるとき、ひとりのアムチが精神に問題を持つ患者、二例について話してくれた。一例は、いつもふさぎ込み、とても脅えている。もう一例の患者は、とてもよく口が回り、怒りっぽくて、突然飛び上がって部屋を出ていったりする。治療法は、患者を友人と一緒に家の中に閉じ込め、その友人が「物語を聞かせたり、優しい言葉をかける」というもので、このアムチは、このような症例に出会ったことはなく、ただ書物で読んで知っていただけであった。

アムチのほかに、村には病気に際して力になってくれる人が二種類いる。ひとつはラバ（注6）、つまりシャーマンで、もうひとつはオンポ（注7）、占星術師である。村人によって、あるいは相談の中身によってこれら三者のだれに相談を持ちかけるかが決められる。ふつうアムチが最初に相談を受けるが、たとえば不妊のような特定の問題については、ほかのふたつのうちのひとつに持ち込まれることもある。

オンポは占星図の書を拠りどころにしている。彼が受ける相談事は村人の生活のあらゆる面にわたっている。新しい建物の場所の選定、畑の種播きや収穫をはじめる日取り、結婚を申し込んできた相手との相性、葬儀の日取りなどがある。彼は基本となる八巻の書を持っていて、その中の一冊、ギェクツィスはもっぱら病気だけを扱っている。彼はロト（注8）という毎年改訂される星座の運行を記した本を頼りにして診断し、治療法を処方している。典型的な治療法は、聖なる書物を読むことや、祈祷を奉げることである。このほかにも、サイコロを投げたり、穀粒の模様を解釈する方法を使ったりする。

＊

ラダックで過ごしたはじめの数年間、私はいくつかの外国の撮影チームの手助けをしたことがあった。彼らは必ずといってよいほど仏教の儀式、できれば仮面や色とりどりの衣装にあふれた踊りを撮影したがった。王族を撮りたがり、シャーマンであるラバの仕事ぶりを見たがった。

ラバの行なう治療はラダックの治療者の中でもっとも壮観である。トランス状態にあるあいだ、乗り移った霊が彼の口を通して話し、さまざまな種類の治療を行なう。一九七五年、ドイツの映画製作者と一緒に仕事をしたとき、私たちのガイドが、撮影を承諾してくれたラバをレーの近くで手配してくれた。

私たちはある朝早く、ジープの後ろに機材を積み込み、クルーとともにレーを出発した。一時間後、私たちはティクセ村の簡素な家に到着した。ラバの名前はツェワンといい、屋上で奥さんと種を選り分けていた。彼は赤紫色に染められた伝統的な服を身につけ、白髪を弁髪にして後ろに垂らし、前髪を剃って額の広さを強調する伝統的な髪形をしていた。彼はおよそ七十歳ぐらいに見え、瞳が輝いている。最初に交わした短い会話で、彼はふつうのラダックの人以上の生命力とユーモアを見せてくれた。私たちはすぐに仲よくなった。

私たちが家の中に入ると、彼は儀礼の用意をはじめた。手と顔を洗い、祭壇に供物を並べた。そこにはほかに十人ないし十二人の人が治療のために来ていた。儀式がはじまろうとする部屋の中で私たちはみんな少し緊張していた。床に座って待った。しばらくしてラバが入ってきた。頭にかぶった五角形の冠から垂れ下がった布で顔が隠れていた。ダマルという、二個のビーズのついた紐がぶら下がっている、手持ちの小さな「でんでん太鼓」を持っている。その太鼓でゆっくりとしたリズムを刻み、それに合わせて経を唱え、体を前後に揺らした。私は壁に掛かったタンカに目をやりながら、その中のブッダとさまざまな菩薩の名前を思い出そうとしていた。そのとき、彼の唱える経の何かが私の心に影響を与えていることに気がついた。撮影クルーを見回すと、彼らにも影響がおよんでいるのがわかった。太鼓のリズムが速くなるにつれ、私たちはそれに引き込まれていった。プロデューサーは少し緊張しているように見えた。ラバの経がさらに速く、大きく、高い声になり、催眠術にかかったような、この世のものとも思われない感じになった。私は震えはじめたが、それは私だけではなかった。

突然、声が甲高い調子に変わった。「来なさい！」最初の患者で、病気の子どもを連れた女性を乱暴に彼は手招きした。彼女は近寄っていったが、彼女も震えているのに私は気づいた。ラバは彼女に金切り声で叫んだ。

「おまえは行ないが悪かった。精霊を敬うことをしなかった。霊のための儀礼を怠って怒らせた。それをやめなければ、子どもはよくならない」

ふたり目の患者は七十歳の女性で、曾孫の男の子の行く末に悩んでいた。曾孫に父親の跡を継がせてアムチにするべきか、それとも西洋医学を学ばせるために送り出すべきか。ラバは太鼓を机の上に置き、大麦の粒を空中に放り投げた。太鼓の上にのった穀粒のひとつをその老婆が指すと、残りは払い落とされた。みんなの視線が太鼓の上に注がれた。一メートルほど離れた所に立ったラバが、脳裏につきまとうような経を唱えはじめると、不思議なことに穀粒はゆっくりと回り出した。ラバが、曾孫は外に送り出すべし、と判断を告げると、老婆は静かにすすり泣いた。

私たちの運転手が神経を鎮めるため、ポケットからタバコをそっと取り出した。ラバはそれを見て、即座に彼のところに飛んでいって鞭を打ち、叫んだ。

「タバコがどれほど罪深いものか、もし吸えば、霊がおまえに敵対することを知らないのか」

恐れをなした運転手は、なんとかラバの手中から抜け出し外へ走り出た。撮影クルーは、ラバの力と行動の予測ができないことにおろおろしていた。もし、ラバかあるいは霊が、撮影することも不謹慎だと見なし、追い出されたらどうしようかと私は考えていた。ラバは大きい男ではなかったが、強大なエネルギーに憑かれていた。

やがて、ひざまずいた人の列がラバの足元にできた。次の患者は胸に感染症を患った男性であった。ラバは彼に突き進み、男の胸元を押し広げ、頭を埋めた。彼が頭を持ち上げると、男の妻が差し出した鉢の中に黒い液体を吐き出した。

「彼は何をしているんだ」と、プロデューサーはガイドに尋ねた。

「あれが病気ですよ。ラバが患者の体から病気を吸い出してるんですよ」

患者はひとりずつ順番にラバに近寄り、体を診せた。ラバは患者に向かって叫んだり、押したり、真言や霊力が込められた米の粒を授けたりした。患者の体を吸っては、何度も黒い液体を鉢に吐き出した。

撮影クルーは、目の前で起こっているこの強烈な出来事を、できるだけフィルムに収めていたが、それが困難になってきた。ラバのこの激しさに耐えるのは難しかった。最後の患者を押しやり、叫び声を上げると、ラバはぐるっと回って向きを変え、部屋の隅の祭壇に向かい、ふたたび甲高い声で経を唱えはじめた。祭壇にひれ伏すと、突然、押し黙って床に倒れ込んだ。儀式は終わった。ラバは疲れてはいたが、屋上で見たあのときの男にふたたび戻っていた。私はどうにか立ち上がり、彼に礼を述べ、外にいるクルーと合流した。

「ラバの言葉がわかりましたか」と、クルーのひとりが私に尋ねてきた。

「よくわからなかった。ほとんどがラダックの言葉ではなかったと思う」

「霊はチベットから来たと、この村の人が言っている」と、私たちのガイドが説明してくれた。

「だから、ラバに乗り移るとチベット語で話すんだ」

私たちは黙ったままジープに戻った。だれもが予期していなかった戸惑いとの出会いであった。私たちはこの戸惑いをどう扱ったらよいのか、よくわからなかった。

（注1）チベット伝統医学の医者。チベット語で医者を意味する一般名詞であるが、ラダックでは、西洋医学の医者をドクターと呼び、チベット伝統医をアムチと呼んでいる。衆生を救う菩薩行として、アムチになるための勉学・修行を積み、必要な薬草を自ら山で採取し、治療を行なっている。アムチになるためには、四部医典の精緻な理論体系を学ぶとともに、利他の倫理を高く保ち、自らの心を浄化しつづけなければならない。ラダックやネパールのアムチは、自らの伝統を継承発展させるべく、ラダック伝統医師協会、ヒマラヤ伝統医師協会をそれぞれ結成している。

監訳者は両組織のアドバイザーを務め、伝統医療の復興戦略づくりを参加型で行ない、その具体化を支援した。

（注2）日本ではこれを「身土不二（しんどふじ）」という。人間の身体と土地は切り離せない関係にあるということ。そしてその土地でその季節に採れたものを食べるのが健康によいという考え方。

（注3）医師の経験が重要であるのは、まずは診断の中核をなす脈診が、理論だけではまったく役に立たず、経験を積んで（少なくとも十年といわれる）はじめて体得できる身体知であることがひとつ。またその他の学習過程においても、密接な師弟関係の中で体験的に感得することが多いためである。さらに、チベット医学では習慣や人柄が病いに影響していると考えるので、村で生活をともにし、患者を取り巻く人間関係をよく理解していることは、患者の診断や治療方針を立てるのに役立つのである。

（注4）功徳を積むための道具である。真言を刷った紙を巻いたものを金属製の筒の中に入れ、それを時計回りに回すことでお経を唱えたことと同等とされる。

（注5）ラダック西部カルギル地区の南部に位置する地域。人口は約七〇〇〇人。民族はチベット系民族ザンスカーリ（ラダックの人とほぼ同じ）。大半が仏教徒で、僧院の数も多い。高山に囲まれた谷間の地方で、冬季は外界との交通は遮断され、急峻な谷間の凍った河が唯一の外界との歩行路となる。パドゥム王家とザンラ王家を首班とする村落国家群であったが、十七世紀にラダックに併合された。

（注6）ラバは男性のシャーマン（呪術師）で、女性はラモと呼ばれる。村だけでなく、レーの市街地にも何人ものラバ、ラモがいて、さまざまな悩み事の相談に応じている。『チベットのシャーマン探険』（永橋和雄著　一九九九年・河出書房新社）はおもにラダックのシャーマンについて書かれている。

（注7）正確には、占星術師のなかでも、オンポは密教行者としての力を持ち、さまざまな秘儀を執り行なう人を指し、天文学と占星術に基づく計算や判断を行なう人はツィスパと呼ばれている。また、病気に際して力になってくれる人として、僧侶（特に高僧）もときとして重要な役割を果たしている。これらに加えて、現在では都市部には政府が支援している西洋医学の病院がある。このようにラダックでは、複数の異なる医療システムが混在している。

（注8）暦。ラダックではチベット暦と同じものを使っている。太陰暦に太陽暦を加味したチベット独自の暦法で、密教経典『カーラチャクラ・タントラ』で説かれる体系に基づいている。閏月や余日（同じ日付が二日続く）、欠日などがあり、複雑な暦である。大筋ではダラムサラのチベット亡命政府の公式暦と同じだが、細かい日付などはツィスパ（占星術師）が天体観測をしながら独自に調整している。また、ラダックの正月はチベット暦よりも二カ月早く祝われる。

共生

百頭の馬主でも、鞭を借りねばならぬことがある
——ラダックの諺

「どうして私たちに部屋を貸してくれないんですか。きちんとお金はお支払いします」

アンチュックとドルマはうつむき、自分たちの気持ちを変える気がないことを示していた。

「ンガワンに話してください」と彼らは繰り返した。

「でも、私たちはンガワンから部屋をすでに借りているし、それにあそこはだんだん騒がしくなってきているんです。ンガワンからもうひとつ部屋を借りる理由なんかないんです」

「あなたがたは今、ンガワンのところに住んでいるのだから、もし私たちが部屋を貸したら、怒るかもしれません」

「ンガワンはそんな人じゃないと思いますよ。だからどうか、私たちに部屋を貸して

ください」

「とにかくまず、彼と話して下さい。——私たちは共に生きていかなければならないんですから」

一九八三年の夏、私はザンスカールのトンデ村で、社会生態学の調査をしている教授たちのチームと過ごしていた。ひと月ほどして、チームのうちの何人かが、静かに研究するためもうひと部屋必要だと感じていた。私たちが滞在していた家は、大勢の幼い子どもがいてうるさかった。そこで、私たちは近所の人に頼んでみることにした。はじめアンチュックとドルマの頑固な態度に私は閉口した。個人の権利を重んじる私には、これはとても不当に思えた。だが「私たちは共に生きていかなければならない」という彼らの反応に、私は考えさせられた。ラダックの人びとにとって優先すべき問題は、共存するということのようで、何がしかの金を稼ぐよりも、隣人とよい関係を保つことのほうが、より重要なのである。

また別のとき、ソナムと彼の隣人が大工に窓枠を作ってくれるように頼んだ。ふたりとも家の増築をしていた。窓枠を作り終えると、大工はそれをすべて隣人のほうに運んでしまった。二、三日して、私はソナムと一緒にそれを回収しに行ったが、いくつか不足していた。隣人が、注文した数よりも多く使ってしまったからであった。窓枠がはまるまでほかの作業をすることができないし、新しいものができるまで数週間かかってしまうので、これはソナムにとって無視できない迷惑であった。だが、彼は恨みごとを言ったり怒ったりという様子を見せなかった。隣人の振舞いはよくないと、それとなく忠告したとき、彼はただこう言った。

「たぶん私よりも窓枠を急いで必要としていたんだよ」

「わけを聞きに行ったらどう？」と私は尋ねた。

ソナムはただ微笑んで肩をすくめ、「チ　チョエン？」、「どうして？」と答え、こう言った。

「いずれにしろ、私たちは共に生きていかなければならないんだ」

お互いに怒ったり、気分を害したりしないようにすることへの配慮は、ラダックの社会に深く根づいており、摩擦や軋轢につながる状況を避けようとする。ソナムの隣人の場合のように、だれかがこの不文律を破ったときは寛容で応える。この共同体への配慮は、私たちが想像するような、個人に対しての圧力とはならない。逆に、緊密な関係の上に成り立っている共同体の一員であることが、深い安心感をもたらしていると、今では私は確信している。

伝統的に、ラダックでは人を攻撃することは、いかなる種類のものでもきわめてまれである。実質的に存在しないといってもよいほどまれなのである。もしラダックの人に、覚えているかぎり最近の喧嘩について尋ねると、こんないたずらっぽい答えが返ってくる。

「私はいつも隣の人を殴っている。つい昨日だって、彼を木に縛りつけ耳を削ぎ落としてやった」

まじめな答えを聞くことができたとしたら、覚えているかぎり村で喧嘩があったためしがないと言われるだろう。口論でさえまれである。村ではささいな意見の食い違い以上のものを私はほとんど見なかった。西洋とはまったく比較にならない。ラダックの人たちは感情を隠したり、押し殺したりしているのだろうか。

私はあるとき、ソナムに聞いたことがある。

「あなたたちは口論をしないの？　西洋では日常的にやっているわ」

彼はしばらく考えていた。

「この村にはない。うーん、ない。いや、少ない。ほんの少しだ」

「それはどうやって処理するの」と私は聞いてみた。

彼は笑った。

「なんておかしな質問なんだ。私たちはお互いに一緒に暮らしているんだ。それだけさ」

「それじゃあ、もし双方が同意しなかったら、たとえば、土地の境界線についてなんかで——」

「もちろん、彼らは話をするよ。よく話し合うさ。彼らにどうして欲しいんだい？」

私は返事をしなかった。

ラダックの伝統的社会で軋轢が起こらないようとられる手段は、私が「自然発生的な仲裁者」と呼んでいる存在にある。双方のあいだになんらかの食い違いが生じると、すばやく第三者が調停者として割って入る。どのような事態であろうと、またにだれが当事者であろうと、いつも身近に仲裁者が居合わせているとしか思えない。だれに促されることもなく、自動的に現われる。仲裁人を意識的に探すわけではなく、周りにたまたま居合わせただれかがなる。姉だったり、隣人だったり、ただの通りすがりの人だったりする。子どもたちのあいだでさえ、仲裁者が自然に現われるのを私は見たことがある。五歳の子どもが、彼の友だちふたりのあいだの口論を、大人がやるようなやり方で収めたのを覚えている。ふたりの友だちは仲裁人の言うことをよく聞いていた。争うことより平和でいることがよいという感覚が深く染み込んでいるので、自然と第三者の方を向くのである。

この仕組みは、問題が起きるその発端のところで防止している。争いにつながりそうな、どのような場合にでも自然発生的な仲裁役はいつも近くにいる。たとえば、二人の者が取引を行なう場合、取り決めを手助けしてくれる者がいることを、双方が確信できるのである。こうして当事者が直接、対峙する可能性を避けている。三者はすでに知り合いのことが多いが、仮に知らない人が仲裁に入ってもおせっかいだとは思われず、助けは歓迎される。

ある年の春、私はカルギル（注1）からザンスカールへトラックに乗って旅をした。まだ道路が雪で覆われていたので、ふだんより時間がかかった。道はでこぼこで楽ではなかったけれど、その経験は楽しいものであった。運転手を観察していたがとてもおもしろかった。彼はラダックの男にしては特に大柄でたくましく、この道路が建設されてから、瞬く間にちょっとした英雄になっていた。道路沿いのどこででも彼は知られていた。二、三週間ごとにその道路を行ったり来たりしながら、村人の言伝を伝え、荷物を届け、客を運び、なくてはならない人物になっていた。

クリームを多く含んでいるので有名なザンスカール・バターを手に入れたくて、彼は米を一袋積んでいた。彼がある老婆に近づいていくと、大勢の人が周りを取り囲んだ。出し抜けに十二歳にも満たないぐらいの少年が、その取引の仲介をすることになった。少年はこの道路の王者に相場を告げ、妥当な値を示した。交渉は十五分ほどつづき、運転手と老婆はお互いに直接かかわることなく、少年を介して物々交換を成立させた。この大きくて頑丈そうな男が、自分の半分くらいの体格の少年の助言におとなしく従うのは、不釣り合いのように見えるが、ごくふつうのことなのである。

＊

ラダックの村は民主的に運営されていて、わずかな例外を除いて、どの家族も自分たちの土地を所有している。貧富の格差はごく小さい。人口のおよそ九五パーセントが、いわゆる中流階級と呼んでもよい階層に属している。残りは、特権階級と下層階級におよそ半々に分かれる。後者のグループは、おもに早い時期にラダックに定住したモン族からなり、だいたいが大工や鍛冶屋である。彼らの地位が低い理由は、大地から金属などを採掘することで、精霊を怒らせると信じられていることからきている。これら三つの階級のあいだに違いは存在するが、社会的な緊張を引き起こすことはない。ヨーロッパの社会的な境界とは対照的に、それぞれの階級は日常的に関係を持っている。たとえば、モン族の人が王族の一人と冗談を言い合う姿を見かけることは、特別なことではない。

どの農民も完全に近い自給自足をしているため、自立性が高く、共同体としての意思を決定する必要はほとんどない。それぞれの世帯は、基本的に自分の土地を各自の手段で耕作している。村全体が集まって計画を作る必要のある活動、たとえば、村の僧院の壁塗りやロサル（新年）の準備などは、何世代も前からやり方が決まっており、今は輪番制で行なわれている。それでも、ときとして村レベルで物事を決めなくてはならないことがある。大きい村だと、十戸ずつの組、チュツォに分かれ、村会にはそれぞれのチュツォから少なくともひとりの代表を出すことになっている。この村会は、一年を通じてほぼ定期的に会合を開き、ゴバ、つまり村長が代表を務める。

ゴバは、ふつう持ち回りで任命される。もし村中が留任を望めば、長期間にわたってその任に就くこともあるが、そうでない場合は、一年ぐらいで別の世帯主に引き継がれる。ゴバの仕事のひとつに、裁定者としての役割がある。口論はまれだが、ときには考えの食い違いが生ずることもあり、仲裁が必要になることがある。

ゴバを訪問することは気の楽なことで、堅苦しさはない。当事者同士と居間に座り込み、よくお茶やチャンを飲みながら問題を話し合う。私はトンデ村のゴバ、パルジョーの家で多くの時間を過ごすうちに、彼が論争を収めるのを見たことがある。トンデ村での私の調査は育児行動が目的だったので、子どもを産んだばかりのパルジョーの妻ツェリンと、台所に座って話をしていることが多かった。ときどき人がやってきては、パルジョーと話をしていった。

あるとき、ふたりの村人、ナムギャルとチョスペルがもめごとを持ち込んできた。ナムギャルが、事の起こりを話しはじめた。

「私の馬、ロムポが今朝、逃げてしまったんです。ノルブのところへ彼の壊れた犂のことで話をしに行ったのだが、そのあいだ馬を大きな石につないでおいた。どうしてほどけたかわからないが、とにかくほどけてしまった」

「屋根から馬が見えたんです」とチョスペルがつづけた。

「私の大麦を食べていた。すでに畑の一角が全部やられた後でした。脅かしてやろうと石を投げただけなのに、馬が倒れてしまった。恐らく馬にケガをさせたに違いありません」

投石はラダックの人たちが家畜を管理するために使う一般的な方法で、ヤクの毛で作られた投石帯を使い、驚くほど正確に投げることができる。彼らが八〇〇メートル近く離れた所から、数個の石をうまく投げて、羊の群れ全体をコントロールするのを見たことがある。だがこのときは、チョスペルの狙いが外れ、馬のちょうど膝の下に石が当たり、ケガをさせてしまった。

だれがだれに弁償するのか。そして、それはいくらなのか。大麦の損害よりも、馬のケガの方が深刻だったが、ナムギャルは見逃すことのできないルール違反を犯していた。作物を守るため、ラダックの人たちは迷い出た家畜に対し、厳しい決まりを定めている。どの村でも、迷った家畜をつかまえ、その持ち主から罰金を徴収する「ロラパ」と呼ばれる役目が特別に決められている。よく話し合ったあと、三人はお互いに賠償の必要なしということで決着した。

「ロムポの足のケガは事故、ロムポを放したのはあなたの不注意だ」とパルジョーはナムギャルに言った。

＊

ラダックに来る前、私は、裁判官というのは裁判しようとする個人とまったく関係のない人が最良だと思っていた。この、距離と中立性を保つことが、本来の公正を執行する唯一の方法のように思っていた。それはたぶん、私たちが暮らしている規模の大きな社会について話をしているときには当てはまるのだろう。しかし何年もラダックに暮らしていて、私は考えを変えざるをえなくなった。いかなる裁判制度も完全ではありえないが、住民同士が話し合い、草の根レベルで問題解決を可能にするような、緊密な関係で結ばれた小規模の共同社会に基づくものほど効果的なものはない。口論を裁定する人が、被告・原告の双方と親密な知り合いであるとき、その判定は偏見のないものとなることを、私は教わった。その親しさがむしろ、より公平でより健全な決定を下す助けになっている。規模の小さい社会というのは、より人間的な形で公正さを保つことができるだけでなく、大規模な社会でよく見られる紛争を防ぐ助けにもなっている。

私はラダックで過ごすほどに、社会の規模の重要性を実感するようになった。はじめ、ラダックの人たちの笑いや怒り、ストレスの欠如を、価値観や宗教によって説明しようと考えていた。それらは間違いなく重要な役割を果たしている。だが、社会を形づくっている外側の構造、特に規模の問題が、価値観や宗教と同じくらい重要であることに私は気がつくようになった。こうした社会構造は個人に大きな影響をもたらし、その信念や価値観を補強している。

百戸を超えるような大きい村はまれなので、相互依存の関係を直接体験できる程度の規模の生活になっている。全体像がつかめ、自分自身がその一部である社会の構造やネットワークが理解でき、自分の行動がおよぼす影響が見えるので、責任を感じることができる。また、自分自身の行動がほかの人にもはっきり見えるので、責任の所在が明らかとなる。

経済的、政治的な関係は、ほとんどいつも顔と顔の見える間柄でやり取りされる。売り手と買い手は個人的なつながりがあり、それが不注意やごまかしを防止している。その結果、汚職や権力の乱用はとても少ない。小さな規模は、一個人に付与される権力の大きさも制限する。同じ長でも国家の大統領とラダックの村のゴバのなんと違うことか。大統領は顔を合わすことも、話をする機会もない何百万人の人びとに対する権力を保持している。他方ゴバは、自分が親しく知っていて、日常的に関係を保っている何百人かの人の問題を調整する人である。

ラダックの村では、人びとは自身の生活について大きな決定権を持っている。よそよそしく柔軟性に欠けた官僚制や変動する市場経済に振り回されることなく、とても広い範囲におよぶ決定権を彼ら自身が持っている。日常的に関係が持てる身の丈に合った規模なので、何か特殊な状況が起こっても、必要に応じて自発的な意思決定を行ない、行動をとることが可能である。融通のきかない法律の必要はまったくなく、その代わりに、それぞれの状況が新しい答えを引き出すのである。

＊

ラダックの人びとは幸運にも、個人の善が共同体全体の善と矛盾しない社会を受け継いできた。ある人の利益はほかの人の損失を意味しない。家族、隣人、ほかの村の人や見知らぬ人まで、ラダックの人びとは、他人を助けるのは自分たちのためだと考えている。ある農民の収穫が多いことは、ほかの農民の収穫が減るということにはならない。競争というよりは、相互の援助が経済を形作っている。別の言葉で言えば、相乗効果の社会である。

協力関係は、社会制度の中に多く見られる。その中でも、特に重要なものにパスプンがある。村のどの家族も、誕生や結婚、死を迎えたときなど、互いに助け合う世帯集団に加わっている。この集団は四世帯から十二世帯のあいだで、ときにはほかの村から加わることもある。彼らは一般に、家族を災厄や病気から守ってくれる共通の屋敷神を祀っている。新年には、それぞれの家の屋上の小さな祠に神への供物を奉げる。パスプンは葬式のときに大きな力を発揮する。死後、遺体は火葬までのあいだ、ふつう一週間かそれ以上、家族のもとに安置されるが、家族は何もしなくてよい。死の瞬間から火葬で燃え尽きるまで、パスプンの仲間が遺体を洗ったり整えたりする責任を持つ。家族や親族に余計な苦痛をかけないよう、仕事のほとんどを手配するのは彼らである。

葬儀まで、ひとりの僧侶が呼ばれバルド・トォドル『チベット死者の書』（注2）を読む。死者の意識に、死後の経験について語りかけ、魔を恐れず、純粋な白い霊光、「虚空に射す透明な光」に向かっていくようにと、激励する。

火葬の当日、何百人もの人が慣習となっている贈りもののパンや大麦の粉を持って故人の家を訪れる。故人の親族、特に女性は台所に座り、涙を流しながら哀悼の歌を何度も何度も歌う。「トゥシロマ　トゥシロマ　……」、「秋に落葉するように、ときの葉も……」。隣人や友人は並んでひとりずつお悔やみを言う。「ツェルカ　マチョ」、「悲しまないで」。僧侶たちの奏でる楽音と読経の声が家中を満たす。

私がはじめて葬儀に列席したのは、ストク村で友だちのおじいさんが死んだときであった。ちょうど正午すぎ、食事が提供された。パスプンの仲間はある意味で主催者の役を果たしていた。バター茶が一〇〇リットル以上も入った大きな壷をかき回していたかと思うと、全員に食事が行きわたるよう、食べ物を盛った皿を持って走り回っていた。午後の早いうち、僧侶たちの先導で葬列は火葬場へと向かい、女性たちは家にとどまる。明るい色の錦織りを身につけ、黒い厚手の生地でできた縁飾りを目の上に垂らし、背丈ほどもある頭飾りをつけ、僧侶たちが嵐のような太鼓と笛の音とともに遺体が祀ってあった部屋から出てくる。彼らはゆっくり畑を横切り、村外れへと向かった。パスプンの人たちがその後につづいた。四人の男たちが蓮台に載せて遺体を運び、ほかの人たちは薪を運んだ。その後ろから故人の友人や親族の男性の長い列がつづいた。僧侶が粘土でできた炉のそばで「供物の焼却」を行なうと、僧侶とパスプンだけが残り、火の守りをした。

パスプンはチュツォと同様、共通の目的で結ばれ、生涯変わらない集団への親密な帰属意識を育む。ラダックの伝統的な社会では、人びとは家族やすぐ近くの隣人だけでなく、地域全体に散らばっている世帯とも特別な絆で結ばれている。

繰り返すが、日常的に関係が持てる規模が柔軟性を許容している。たとえば、葬儀が執り行なわれるとき、あるパスプンの仲間がたまたま収穫の最中だったり、ほかの重要な用事があれば、それを休んでまで行かなければならないというような確固とした決まりはない。もし行けないのなら、パスプンの仲間と相談し、だれか代わりの人を立てることもできる。

＊

多くの農作業は共同で行なわれる。村全体のこともあるし、チュツォのような小さな集団で行なうこともある。たとえば収穫の期間中、収穫物を集めるのを互いに手伝う。同じ村の中であっても、畑の作物の成長する時期が違うので、共同で行なうのが都合がよい。みんなで一緒に働けば、作物が成熟したとき、すばやく収穫することができる。

このような種類の共同の作業は「べス」と呼ばれ、ひとつ以上の村が共同で行なうこともよくある。その理由は純粋に経済的なものばかりではない。同時にふたつの畑が成熟したときでさえ、一緒に働くことができるよう交互に収穫することもある。ひとりで収穫している姿を見かけることは、まずない。絶えることのない笑いと歌とともに、男たちや女たち、子どもたちが一緒になって畑で働くのが見られる。

「ラレス」は、文字どおりの意味は「山羊の順番」なのだが、共同で家畜の見張り番をすることである。世帯のだれかが、毎日家畜と一緒にプーに登る必要はない。代わりにひとりかふたりの人が数世帯分の羊と山羊を追い上げ、ほかの人たちが別の仕事を自由にできるようにしている。

私的な財産も共用される。プーに設けられた小さな石の家は、ある世帯が所有しているが、なんらかの労働、あるいはミルクやチーズとの交換で多くの人が使うことができる。同じように、穀物を粉に挽く水車はだれでもが使うことができる。もし自家用の水車を持っていなかったら、だれか別の人のが使えるよう手配することができる。秋も深まって水量がとても少なくなり、だれもが冬に備えてできるだけ多くの穀物を製粉するときだけ、挽いた粉のいくらかを所有者に代償として渡すことがある。

農事暦の中でもっとも忙しい時期には、農具や牽引の家畜が共用される。特に種播きのとき、長い冬が終わってようやく大地を耕すことができるようになり、農民たちが畑作業に精を出さなければならない場合、できるだけ迅速にすべての作業が終えられるよう、いくつかの家族はそれぞれの資源を共用する。この慣行は、「ランスデ」と呼ばれるくらい十分に制度化されているが、この制度の中にもかなりの柔軟性が見られる。

あるとき、私は種播きの時期にシャクティ村にいた。種播きがはじまるまでの二、三日、ふたつの家族が家畜、犂、労働力などを共用する算段をしていた。彼らの仲間ではなかったが、隣人のソナム・ツェリンが畑を耕しているとき、一頭のゾーが働くのを拒んで座り込んでしまった。はじめ、私は単に頑固なだけだと思っていたのだが、ツェリンはこのゾーは病気で、深刻なものではないか心配だと言った。私たちが、どうしたものかと畑の縁に腰を掛けていると、算段をしていた隣の農民がやって来て、ほとんどためらいなく彼自身と彼のランスデの仲間が手伝うことを申し出てきた。その日の夕方、彼らは自分たちの仕事を終えてから、ゾーを連れてツェリンの畑にやってきた。彼らはいつものように仕事をしながら歌を歌った。暗くなってからも長いあいだ、彼らの姿がもう見えなくなっても、まだ彼らの歌声が聞こえていた。

（注1）レーから西へ二三四キロ。ラダック西部カルギル地区の中心都市。人口は約六〇〇〇人。古くからカシミールやバルティスタンとの交易拠点だったが、印パ戦争でバルティスタンとの交易路が閉ざされてからはその役割も小さいものとなった。印パ管理ライン（実質的な国境）の南わずか四キロ。たびたびパキスタン軍から砲撃を受けている。

（注2）バルド、つまり人間の死から再生までの四十九日間の中間期間（中有）に、死者の意識を解脱あるいはよき転生へと導くことを目的として、死者に語りかける。自らの心の状態の現れである魔に飲み込まれることなく、心の本性である「純粋な光」と同一化することを説く。また、遺族に対しては、死者が明晰な意識を保ち、よき道を選び取れるよう、感情的な惑乱を鎮めることを促す。

振付けのない踊り

ラダックでは、女性は完璧な世帯主であり、男性は、上手に使われている
女性は自分だけの財布を持ち、自分だけの商いを行なう
女性の言葉は、法である
——L・A・ゴンペルツ大佐『夢の国ラダック』一九二八年

ドルマが二歳年下のアンチュックと結婚したのは二十五歳のときであった。ドルマは、トンデ村の上流の高い山々に抱かれた小さな村、シャディからやってきた。ふたつの村はお互いによく行き来をしている。トンデ村では、シャディ村から結婚相手を迎える率がとても高い。トンデ村は標高が低く穀物が豊富なのに対し、標高の高いシャディ村では家畜が多いので、これらもふたつの村のあいだで交換される。

ドルマの結婚はラダックのほかの人と同じように、一妻多夫婚である。ドルマは、アンチュックの弟、アンドゥスとも結婚している。だが、トンデ村の僧院で修行をしている三番目の弟とは結婚していない。三番目の弟とも結婚している例を耳にしたこと

はあるが、これはまれである。

アンチュックが長兄なので、世帯主となり、年長の夫ということになる。彼が「あるじ」だとはいえ、上下関係がとても緩やかなので、家長であると言いかねる場面も多い。いずれにしろ、ドルマはふたりの夫に同じように接している。彼女はふたりをともにアチョ、「お兄さん」と呼び、どちらか一方に肩入れしているようには見えない。

私がトンデ村に滞在していたとき、たびたび彼らを訪ね、ドルマをよく知るようになった。何時間も一緒に座り込んで、ザンスカールと西洋の暮らしの違いを話した。私は一妻多夫婚の感情面にとても興味を持った。複数の夫を持つとはどんな感じなのか。一方の夫を他方よりも愛しているのか尋ねてみた。夫婦間の愛情をあからさまに表現することがないので、はじめ彼女は当惑した。夫婦が手をつないでいるところを見かけることはまずないし、接吻においてはまったくない。

「アンドゥスのほうが優しいけど、私は両方とも仲よくしているわ」と、彼女は恥ずかしそうに言った。

「愛している」という言葉を彼女が使わなかったのは、私たち西洋人が夢中になり、独占的でかつ熱烈な愛情表現に相当するその言葉が、ラダックの言語にはないからである。

ドルマを巡っての関係をアンドゥス、アンチュックと話していたとき、話題が特にセックスにおよぶと、やはり少し困ったようであった。交互にドルマと同衾（どうきん）するが、アンドゥスは長い交易の旅に出るので、アンチュックの方が回数は多くなる、と彼らは話してくれた。私には信憑性のほどはわからないが、ときどきはドルマを真ん中に三人が川の字になって寝ることもある、と言って大笑いになった。

ラダックの人たちが人前での愛情表現を嫌がるといっても、セックスに消極的だということでは決してない。抑制されているようにも、また淫らなようにも見えない。婚外の性交渉はよくないこととされているが、「そういうことは起こるもの」という態度に近い。婚外の子を持つ母親が、村から除け者にされることはない。現実には、癇癪（かんしゃく）を起こすことの方が、不貞を働くことよりも軽蔑される。ラダックで、人をもっとも侮辱する言葉のひとつは「ション　チャン」、「怒りん坊」である。民話の翻訳を手伝ってくれた学生のアンチュック・ダワは、不貞を働いた妻の夫が大騒ぎすることはよくない、と説明してくれた。

「つまり、もし夫の方が激怒して騒動を起こすことがあれば、妻よりも夫の行為の方がより厳しく非難されるでしょう」

*

一妻多夫婚は、ラダックの人口の相対的な安定性を何世紀にもわたって維持させてきた中心的な要因である。この安定性は、環境とのバランスと、社会の調和を保つ上で役立ってきたと私は考えている。人口抑制が環境とのバランスを維持するための重要な因子であることははっきりしている。人口抑制と社会の調和との関連は、おそらくそれほど明白ではない。だが、それでもやはり決まった量の資源に依存する人口が、世代間で同じ水準に維持されていれば、社会的な軋轢（あつれき）は低下するように思われる。こうした条件の下では、生き残りをかけた争奪戦や争いの必要性は明らかに小さくなる。

ラダックの男女比はほぼ等しいので、ひとりの女性が複数の男性と結婚すると、女性で結婚しない者が出てくる。結婚する女性が少ないということは、生まれる子どもの数が少ないことを意味する。結婚しない女性は尼僧となる。また、ふつう年下の兄弟のひとりまたは複数は結婚せず、多くの男性が僧侶として生活している現実がある。このように、一妻多夫婚はチベット仏教の僧院制と相まって機能してきた。

一妻多夫婚は厳密には一九四二年以来違法とされており、私がここに来たころ（注1）は、昔よりもずっと少なくなっていた。どれほど減少したかという判定は難しい。ただ、人口全盛期にどれほど一般的であったのかがはっきりしていないからである。ただ、人口抑制にかなりの効果をもたらすほどに広まっていたことは確かである。

一妻多夫婚が望ましい結婚の形態であるとはいえ、おもしろいことにそれだけが唯一の形ではない。一夫多妻婚や単婚も見られる。こうした通常と違う形態は、おそらく少ない資源への慎重な適応の表われであろう。共同体の中の関係を柔軟に保つことによって、土地との関係を最適に維持することが可能になる。言い換えれば、ある世代から次の世代へと引き継がれる利用可能な土地の広さ、子どもの数、結婚相手になりうる人の数などに応じ、それぞれの家族は理想とする結婚の形態を選択する自由を持っているのである。

＊

一夫多妻婚は女性に子どもができないときによく行なわれる。その場合、二番目の妻として、ふつうは妻の妹が嫁として家族に入る。だがほかの理由も見られる。私がザンスカールで知り合ったデスキットとアンモの場合は、事情がかなり違っていた。このふたりの女性は他人同士であるばかりか、アンモが現われる以前、デスキットには夫のナムギャルとのあいだに子どもが何人かいた。ナムギャルはアンモとも関係を持っていた。アンモが妊娠したとき、ナムギャルはデスキットのところにアンモを呼び寄せ、彼女と赤ん坊を家に入れて二番目の妻にしたいと告げた。

私はデスキットに、アンモを家に入れるという考えを潔しとしたのか、そのときの気持ちを尋ねてみた。

「嫌だったわ」と彼女は答えた。

「はじめ、その考えがとても嫌だった。私は狼狽したわ。でも、ナムギャルとアンモはみんなで一緒に暮らすことを願ったから、それで『チ　チョエン？（何が肝心なことなのか）』を考え、みんなが幸せになるならその方がよいことだと思うようになったの」

そして十二年間、彼らは仲よく暮らしてきた。アンモによれば、デスキットははじめから優しかった。

「私たちは言い争いをしたことがないの」とアンモは話してくれた。

「私たちはナムギャルに少し腹が立つこともあるわ。ときどき怠けるので、仕事をさせなきゃならないのよ。でもね、私たちふたりは十二年間、喧嘩したことなんかないわ」

ラダックの社会では女性の立場がとても強いので、デスキットがアンモを受け入れたからといっても、彼女が虐待されるということはない。隣の家ではまさに、一妻多夫婚で事情が逆転していて、ノルブと弟のツェワンはひとりの妻パルモと結婚している。ツェワンはレーに店を構えており、トンデ村から離れたところで過ごすことが多い。だが、家に帰ってきたときは、ノルブはしばしば彼のために宴席を設け、パルモはツェワンと一緒に寝る。

どのような結婚の形態であれ、それぞれの家族の保有地はそのまま維持される。土地相続制度の背後にある原理は、土地を細分化するのではなく、分割せずに残すということである。何事が生じようとも、また、子どもの構成がどのようであれ、土地はただひとりの個人に引き継がれる。子どもがない場合ですらそうで、そのときは相続人として養子を迎える。

長男がその家の土地を正式に相続するのがふつうである。土地は売買されることがなく、西洋のように私的な土地所有制度が存在しないので、相続しても土地所有者ではなく、むしろ一種の管理人という方がふさわしい。息子がいない場合、あるいは何かほかの都合でそうするのが望ましいというときには、長女が一切を相続し、相続権のない婿、マグパを家に迎える。

*

アンチュックの場合が典型的な形である。財産は結婚のときに相続して、公的には彼のものとなっている。彼の両親は慣行に従い、母屋から隣の隠居小屋カングに移った。それで、彼は若くして世帯主、つまりその家の代表者となったのである。祖母と叔父さんのひとりが母屋にとどまり、両親は、祖父と尼僧であるふたりの姉妹とともにカングで暮らしている。カングには別に畑があり、大部分を自家用に耕し、自分たちの台所を構えて調理している。いつも協力し合い、多くの時間をともに過ごしているとはいえ、ふたつの世帯はお互いにかなり独立性を保っている。

＊

結婚式は、祝い事に多くの時間を割くことができる冬にだいたい行なわれる。似合いの相手を見つける役割は、両親、友人、そして親戚のすべてが引き受けている。候補の組み合せが決まるとオンポ（占星術師）に見てもらい、似合いの相手かどうかを判断してもらう。吉と出れば、新郎の家族は長々とつづく求婚の儀礼に取りかかる。贈りもの、瓶に入れたチャンが相手の家族に送られ、友人または親戚の者、母方の祖父のことが多いのだが、使者として差し向けられる。もし贈りものが受け入れられたら、それぞれの家族は親戚を何人か招いて、結婚式の詳細を整える。友人、家族、そしてパスプンの仲間がそれぞれの役割を分担する。最後に、オンポが結婚式の日取りを決定する。

結婚式の前日、新婦を実家から連れてくる役目の男たちが、新郎の家に集合する。彼らは歌と踊りが上手でないといけない。結婚式の当日、彼らは絹の長い外套を身につけ、頭にはとがった高い帽子をかぶる。それぞれに、ダダールと呼ばれる矢と、羊または山羊のくるぶしの骨片を持ち、その夜、新婦の家に行く。矢は新婦の屋敷神の象徴であり、骨片、ヤンモルは繁栄を表わしている。家の中は、お茶やチャンを飲む客たちでもう満員である。扉の外に立って大声で叫ぶ男たちによって、新婦は強引に連れ去られるようにしなければならない。やがて、新婦は慣例になっている涙を流しながら現われる。

*

私がこれまで見た中で、もっとも変わった結婚式は、レーから一日の所にある谷あいの村、マンギュ村での結婚式であった。三〇〇人を超すお客が結婚を祝い、三日三晩どんちゃん騒ぎに明け暮れた。そして四日目、新郎のツェリン・ワンギャルが、アムチとなる正式な試験を受けるのを見るため、みんなが集まった。アムチの技は、ほとんどの場合が父から息子へと伝授され、形式ばった試験は必要としない。だが、ワンギャルの父は三年前に亡くなり、またアムチでもなかった。

「お前さんは、とても幸運だ」

私がチベット語の手ほどきを受けた学者の、タシ・ラプギャスはこう言った。

「この儀式はとても珍しい。たぶん、今世紀中に行なわれるのは、八回からせいぜい十回ぐらいだろう」

新婦が緊張した面持ちで会場に到着した。彼女は生涯ではじめて、トルコ石がちりばめられた、肩の下あたりまで垂れ下がるペラックを頭に飾りつけている。母親は自分のペラックを、最年長の娘が結婚するときに譲り渡す慣行となっている。この家宝が、妻の所有のまま維持されてきたという事実は、ラダックの社会で女性が伝統的に保持してきた強い地位を示している。

ナティパという花婿の介添え人と先導役が彼女に付き添い、四〇〇メートル足らずの距離を家まで導く。途中、四回立ち止まり、儀礼の乾杯をし、チャンの瓶の周りで厳かに舞った。ワンギャルの弟、ドルジェが硬貨や紙幣を空に放り投げると、子どもたちが後を追い、取り合いに夢中になった。会場に近づくと、悪霊の侵入を防ぐため僧侶が素焼きの壷を割る。細かく割れるほど素晴らしい結婚になるという。

儀礼のほとんどは、刈り入れが済み、うっすらと霜の降りている畑で行なわれる。南の方角にそびえる高い山の端に陽が隠れてほどない午後三時ごろに祝宴がはじまり、夜の九時過ぎまでつづけられた。私たちは、チャンを満たした十二個の大きな瓶に面して二列に平行に敷きつめられた絨毯に座っていた。空いた椀に再びチャンを注いでもらうのに、長く待たされることは決してない。これがラダック式のもてなしである。だが、あまりの寒さに、お代わりを運んできてもらうあいだにチャンの表面に薄い氷が張った。

私の番が来て、新婦と新郎と家族にカタ（注2）をプレゼントした。カタは首の周りにかける白いスカーフで、幸運を祈る昔からのやり方である。百枚近くにもなると、重くなりすぎて危険なため、後ろに控えている介添え人が半分取り去る。新郎の介添え役がカタを客のひとりの首に掛けて踊りの口火を切った。やがて、ほとんどみんなが、緩やかで堂々としたラダックの踊りに加わった。常に輪になって踊るこの踊りは、しばらくすると眠くなってくる。

夜になると、お祭り騒ぎはさらに騒乱状態となった。列が通れるように空けた狭い通路を、踊りの列がゆっくりとふらつきながら近づき、先導者が、「こんなに酔ったぞ！」と叫んだ。夜中の一時、タシ・ラプギャスは人目につかないよう部屋に退き寝た。一時間半後、チャンで酔った連中がやって来て彼の静かな眠りを破り、「出て来い、タシ！　起きろ！　学者先生だって歌って踊れ」と叫んだ。私たち全員にとって幸いだったのは、チャンは二日酔いをしても軽いことであった。

私は、ワンギャル一家が三百人の来客の必要を満たすときに見せた気やすさと好意にびっくりさせられた。朝、みんなにお湯と石鹸とタオルが支給された。もちろん、家に水道は引かれていない。食事の前にも、毎回お湯が運ばれた。家族とパスプンの構成員は昼夜を通して、交代で食事の用意をした。朝食は簡単なもので、全粒粉のパン、カンビルとバター茶であった。到着時に台所でちらっと見たバターとカンビルの山は、四日目が終わりになるころにはほとんどなくなっていた。昼食と夕食は大鍋で炊かれたご飯と、野菜と肉がたっぷり振る舞われた。この周到に組み合されたもてなしを、だれかが指図しているようには見えなかった。だがロウソクが燃え尽きようとすると必ず、だれかがそこにいて交換した。

西洋の結婚式に比べ、堅苦しさはほとんどなく、形式張らないその式のあいだ、ワンギャルは落ち着き払っていた。私は、新郎と新婦が夫と妻になる瞬間にまったく気づかなかった。たぶん、古くからの幸運のシンボルである、大麦で形作られた「卍」がふたつ置かれた絨毯にふたりが並んで座り、一緒に同じ皿のものを食べたときだったのだろう。

ワンギャルは四日目も同じように平静を保ち、八人の威厳に満ちたアムチで構成された試験官と対していた。はじめに、彼はアムチの由緒ある原典（四部医典）から記憶を頼りに四十分ほど暗唱した。それにつづいて、黒と白の小石で絨毯の上に生命樹に似た図を描いた。それは身体の部位と、そこに取り付く病気との関係を線で結んだものであった。次に、試験官は集まった人の中から無作為にひとりの少年を選んだ。ワンギャルは、少年の両手首からそれぞれ六つの違った脈（注3）をとり体調を診断し、年長のアムチがそれを確認した。最後に、浴びせかけられるような質問にワンギャルが正しく答えたとき、アムチのひとりとして認められた。

＊

暖かい夏の数カ月には多くの出産がある。赤ん坊が生まれた後の丸一週間、父親は畑仕事を休む。不注意で、たとえ極小の虫であってもそれを踏みつけ、大地の精霊、ルを騒がすことを恐れるからである。母親と赤ん坊は外界から守られ、別の部屋で安静に過ごす。家族は母子を甘やかし、特に新鮮で栄養に富んだ乳と最上のヤクのバターを運んでくる。柳の枝で作られた幸運の矢が天井から吊るされている。

オンポが認めると七日目に近所の人や友人が招かれ、新生児の最初のお披露目が行なわれる。来客は小麦粉とバター、それに、神の乗りものとされている野生の山羊、アイベックスをかたどった、練った粉で作った小さな像をうず高く積み上げたお盆を持ってやってくる。

仏間では、僧侶が香を焚いている。単調で眠りを誘うような読経の声と、耳障りでかん高い楽器の音が、家の中にこだましている。子どもたちは追いかけっこをし、親たちはおしゃべりに興じ、このお祭り騒ぎに、儀礼のときに打つ太鼓の大きな音が混ざり合う。

生まれてひと月後、村中を巻き込んでのお祝いが行なわれる。共同体に子どもが生まれたのである。鍛冶屋がスプーンと腕輪の贈りものを持ってやってくる。楽師が寿（ことほ）ぎの歌、ラルンガを奏でる。カタと特別の料理が、母親と子どものもとに運ばれる。

オンポはまた、赤ん坊がはじめて家から出る日取りを選ぶ。偶然に任せるものは何もない。あらゆる前兆が吉でなければならず、特に、おのおのの構成要素（注4）がうまく合っていなければならない。

両親は、幸運を祈って赤ん坊の頭にバターを少しこすりつけ、悪霊から守るため額に煤と油で作った黒い印、ジュルをつける。赤ん坊は手織のおくるみに包まれ、銀のオーム（注5）で飾った毛の帽子をかぶせられる。

二、三カ月すると、赤ん坊は僧院に連れていかれて祝福を受け、紙に印刷した護符を授かる。このときに、高僧リンポチェに命名してもらう。名前は仏教の概念に由来する。たとえば、「アンチュック」、「ワンギャル」は、おのれに打ち克つという意味で「力強い」、「勝利を得る」ことを指している。われわれがいうところの姓はない。ラダックでは、家と土地についている名前で識別しており、これは、土地に対する深くて永続的な結びつきを明瞭に示している。

＊

ドルマの子どもはアンチュックとアンドゥスをともに「お父さん」、「アバ」と呼ぶが、どんな男性でも父親ぐらいの年齢の者はこう呼ばれる。ドルマはそれぞれの子の父親がだれかわかるという。一番年上の子はアンチュックの子で、もっとも年下の子はアンドゥスの子だという。

「どうしてわかるの？」

「ただわかるのよ」

アンドゥスもアンチュックも、どちらが自分の子であるかということには関心がなく、子どもたちは等しく育てられる。

ドルマの家族と過ごしているあいだ、どのように子育てをするのか見ていた。子どもたちは常にほかのだれかと体を接触させている。これは子どもの発達に重要な役割を果たしている要素である。ドルマは、ほかの子どもに比べ生後六カ月のアンチュック坊やと過ごすことが多い。いつでも授乳できるよう、ひと晩中母親の腕の中で寝かされる。昼間、彼女が畑仕事に出るときはたいてい連れていく。しかし、赤ん坊の世話は母親だけの仕事ではない。みんなで子どもの世話をする。だれかがいつもそばにいて、ほおずりをして抱きしめる。男も女も同じように小さな子どもが大好きで、近所の十代の少年ですら、アンチュック坊やをあやし、子守歌を歌って寝かしつけるところを見られても、恥ずかしいとは思わない。

アロ　ロ　ロ
アロ　ロ　ロ
かわいい坊や、ぐっすりおやすみ
アロ　ロ　ロ

母子は四六時中ずっと一緒に過ごす。村人が集まって重要な事柄を話し合うときとか、祭や宴席で村人が集まるときは、あらゆる年齢の子どもが同席することになる。社交行事で夜遅くまで酒、歌、踊り、騒々しい音楽がつづくときでも、小さな子どもらも参加し、遅くまではしゃぎ回っている。子どもたちに、「八時半よ、もう寝なさい」などとはだれも言わない。

私はドルマに、西洋ではいかに多くの時間を母親と子どもが別々に過ごし、夜は別々の部屋に寝て、お乳は欲しがるときよりも決まった間隔で、ミルクをプラスチックの哺乳ビンで飲ませる、という話をした。ぞっとしたという顔で彼女は言った。

「ヘレナ、あなたに子どもができたら、そんなことだけはともかくしないで。もし子どもの幸せを望むなら、私たちがやっているようにしてちょうだい」

小さい子どもが駄々をこねた場合でも、みんな子どもに対して冷静である。以前、伝統医のイエシェと、彼の持っている古い医学書の一冊から、出産に関する部分の翻訳をしていたとき、昼間、彼は近所の人の孫をかたわらに置いて子守りをしていた。その男の子は終始ページを引っ張り、ときには本当に破いてしまい、「チ イノッ？ チイノッ？（これなに？ これなに？）」とひっきりなしに聞いてきた。子どもは休むことなく、何度も何度も同じ問いを繰り返した。作業に集中することはほとんど不可能だったが、イエシェは根気強く耐えた。子どもが本を奪い取るたびに、その手を優しく払い除けて、「これは本、……これは本、……これは本」と答えた。おそらく百回は言ったに違いないが、いつも穏やかで同じ調子であった。しかも私と違い、彼はなんの苦もなく仕事に集中した。

ドルマは一度だけ、三歳の息子が熱いティーポットをつかもうとしたとき、叩いたことがある。と同時に、ほとんど即座に子どもをぎゅっと抱きしめた。そのようなはっきりしない信号は子どもを混乱させるだろうと思った。だが、同じような光景を数多く見ていると、「大好きよ、でも、もうあんなことはしないで」ということが真意だとわかってきた。ドルマは自分の不満を、子どもに対してではなく、その子の行為に対して示していたのであった。

子どもは周りのだれからも、惜しみなく無条件で可愛がられる。西洋流に言えば、「甘やかしている」ということになるのだろうが、実際には、五歳ぐらいになるまでにほかの人のために責任を果たすことを学び、赤ん坊を背負えるほど大きくなると子守りをする。子どもは決して同年代の仲間の集団に閉じこもってしまうことはない。小さな赤ん坊から曾祖父母まで、あらゆる年齢層に囲まれて育つ。子どもは、助けたり助けられたりという交換の連鎖の大きな関係の中で、ひとつの役割を担って大きくなる。

小さな子どもは自分のお菓子を自ら進んで割り、そのかけらを兄弟や姉妹、友だちと分け合う。これは自然で自発的な行動であり、気前のよさを表わす意識的な行為ではない。べたべたの小さな手から、私は数え切れないほどアンズや豆、パンのかけらを手の中に押し込まれてきた。スカンソルの祭を祝う宴席で、私はわずか十歳ほどの小さなふたりの少年が「ハレ」のご馳走をもらうところを見ていた。ふたりが分け合って食べる皿には、山盛りのご飯、ひと盛りの野菜、肉がひと切れ載っていた。ふたりは黙々と食べ出し、すばやい指の動きでご飯を口に運び、すぐになくなった。少年たちは手を休め、口を拭いた。皿には大事にとっておいた肉がひと切れ残っている。私は興味を覚えた。ふたりはどちらも典型的なラダックの作法にのっとり、食べたくない素振りで皿を押しやり、相手に食べるように言って譲らなかった。

人間が成長する過程で、ほかの子どもに責任を負うことは、その人間の成長にとって大きな影響を与えるに違いない。特に少年にとって重要である。扶助と養育の能力を培うからである。伝統的なラダックでは、こうした能力は男性のアイデンティティを損なうものではなく、逆に一部分としてその中に含まれることなのである。

*

役割分担は、一般には西洋ほどはっきり決まっていない。大多数の人たちは専門家ではない。その代わり、必要を満たすためにあらゆる分野の技術を身につけている。女性のみ、あるいは男性だけの領域に属するごくわずかな仕事、たとえば、男性だけが行なう犂(す)き起こしのような例外はあるものの、ほとんどの仕事は決まった役割によって行なわれているわけではない。家族や村の中の仕事の大部分は、男女のどちらかが気軽に、そして自発的に行なっている。

トンデ村に滞在していたとき、私は長い時間をかけて仕事の調整の仕組みを理解することに努めた。物事は話し合いの必要もなく行なわれているようだし、決まった型はなにもないように見えた。アンチュックとドルマの居間に座っていると、振付けのない踊りを見ている思いがした。「これをやれ」とか、「あれをやろうか」などとはだれも言わない。しかし、やるべきことはすべて円滑に、しかも優雅になされた。あるとき、ダワ叔父さんが赤ん坊を抱いて可愛がっていた。次の瞬間には、かまどの上の深鍋をかき混ぜた。それから、食料庫から粉を取ってきた。ドルマにアンチュック坊やを渡すと、彼女は赤ん坊をひざの上に置いて野菜を刻んだ。アンチュックはふいごで風を送って火をおこしつづけ、粉を入れるよう深鍋をダワ叔父さんの方に差し出した。祖母、アビレはかまどの番をし、アンドゥスは粉を練ってパンの形に丸めはじめた。ドルマは家のそばを流れる小川へ水を汲みに行った。そのとき、ダワ叔父さんは、かまどのそばに腰を下ろした。彼は静かに、神聖なお経をつぶやきながら、銅と真鍮でできた輝くマニ車をくるくると回している。それはあたかも、彼の周りの仕事に伴奏を奏でているように見えた。

＊

老人は生活のあらゆる面に参加している。ラダックの老人は、いくつになっても引きこもったり、用なし、ひとりっきりになることはない。死のその日まで、村の社会の重要な一員なのである。高齢とは、永年の貴重な経験や知恵を意味している。祖父母にはそれほどの力の強さはないが、役に立つほかの能力がある。生活は急ぐ必要はなく、ゆっくり働いたところでいっこうに構わない。彼らが家族と村の一員であることにかわりなく、とても活動的で、八十を超してもたいてい元気で、健康であり、記憶力もはっきりしている。

老人たちがとても生き生きとして社会生活に参加しているおもな理由のひとつは、常に若い人たちと接触を持っていることである。祖父母と孫の関係は、両親と子どもの関係とは異なる。一番の年寄りと、一番若い子どもは特別の絆を結ぶ。彼らはよく親友のことがある。

ドルマの家族では、子どもが感情を害されたり叱られたりすると、慰めてもらうため必ずといっていいほど祖母に泣きつく。アビレ（祖母）は子どもがすっかり機嫌を直すまで、あやしたり遊んでやったりする。子どもたちの特別な頼み事を聞いてくれるのはアビレである。チーズでアイベックスの小さな像を作り、少しずつ食べられるよう紐を通し、首環にしてやるのも彼女である。

これを書いている最中、同じような光景が私の目の前でふたたび繰り広げられようとしている。窓の外に目をやると、えんじ色の衣を着たふたつの人影が大麦畑のあいだを縫ってこちらの方にゆっくり向かっている。石ころだらけの急坂の道である。小さな少年僧が年輩の僧を助けながら近づいてくるのが目に入った。腰が曲がり、少し震えがきている年輩の僧は、大きな石や曲がり角ごとに歩みをためらっている。たぶん八十歳ぐらいだろう。手助けするのに一番よい位置を探しながら、小さな人影は前や後ろをジグザグに進んでいる。

＊

ラダックに来て、最初に印象に残ったことのひとつは、おおらかで伸び伸びとした女性の微笑みであった。女性は自由に動き回り、開放的で、人目を気にせず男性と冗談を言ったりおしゃべりをしていた。若い女性はときに恥じらいを見せることもあるが、一般に女性は自信に満ち、しっかりした性格で威厳を漂わせていた。ラダックの初期に訪れた旅行者のほとんどが、女性の社会的地位がとても高いことを指摘している。

形式、あるいは外見的な構造を、西洋的な視点から捉えようとする人類学者は間違った印象を受けるかもしれない。公的な役職には男性が就く傾向があり、社会的な会合では、女性は男性と分かれて座ることが多いからである。だが、いくつかの工業化された社会での経験からすれば、ラダックの女性は、私が知っているどの文化よりも、実際に強い社会的な立場にあるといえる。ラダックの社会を内側からいったん理解すると、役割の違いは必ずしも不平等を意味しないことがわかってくる。それは可変性を備えたバランスにある。男女のどちらが実際の力を持っているかを判定するのは難しい。ドルマが宴席で女友だちと一緒に座り、おしゃべりをしていても、性差別にはまったく当たらない。性の差はラダックでも否定されることはないが、その差を強調する度合いは西洋よりも小さい。たとえば、男女の名前が同じこともよくあるし、「コ」という代名詞は、「彼」と「彼女」の両方を指す。

「結婚もしたくないし、子どもも欲しくない。むしろ尼僧のほうがいいわ」と、ラダックの友だちがあるとき私に言った。場合によっては、子どものいる女性が家族と離れて尼僧になることもあるし、結婚を決めた尼僧もいる。また、「婚外」の子どもを持つ尼僧もいる。尼僧の役割は驚くほど柔軟性があり、かなり変則的である。尼僧はほとんどが在家である。髪が短いので外見から見分けがつくし、ほかの家族よりも仏間で長い時間を過ごす。家族や村との密接なかかわりによる恩恵を受けている。たとえ独身のままであっても、幼年者の世話をし、子どもと親密な関係も持っている。

僧は、尼僧よりも公式の序列ではたしかに地位は高いが、男女間のバランスこそが仏教の中心的な教えである。ある僧はこう説明した。

「鳥の二枚の翼のごとく、バランスが取れていなければ飛ぶことができない。だから、知恵に慈悲がともなうまで開眼を達成することはできない」

女性は知恵の象徴であり、男性は慈悲の象徴である。両者が一体となって、まさに宗教の本質をなしている。

ラダックの女性の地位について、なによりも重要なことは、女性が中心になって行なわれるインフォーマル・セクター（注6）が、フォーマル・セクターよりもはるかに大きな役割を果たしている事実である。経済の中心は家族にある。日常生活に必要なことについての重要な意思決定は、ほとんどすべてこのレベルで行なわれる。だから、女性が子どもの養育と、社会・経済生活のどちらで積極的な役割を果たすかという選択を迫られることはない。先に述べたように、共同体で意思決定をする必要性はほとんどない。そのため、男性がリードすることの多い公的な領域は、工業化された社会よりもはるかに重要性が低い。

女性は全体的に見て男性よりもよく働くが、その差はわずかである。だが西洋と違って、女性のやることすべてに対し十分な評価を得ている。この農業社会にあっては、家族や村との良好な関係を維持することは不可欠である。土地や家畜についての知識も同様である。これらの領域では、女性が秀でている。

私は兄弟が数カ月前に結婚したという女性と交わした会話を覚えている。

「お見合い結婚よね」、私は尋ねた。

「そう。兄がそうするよう望んだので……。お互いの家族が一緒になることがとても大事なんです。経験と知識を持ち寄って、こういう大事なことが決められるようになるの」

「妻を選ぶとき、何か特別な資質が求められるの？」

「えーと、まず最初に、人とうまくやっていけること。公平で、寛大なことかしら」

「ほかに大切なことは？」

「何事も上手にできる人は大切にされるわ。そして怠け者じゃないこと」

「美人かどうかは関係ある？」

「いいえ。大切なのは心がどうかということ、その人の性格の方が大切よ。ここラダックの諺では、『虎の縞模様は外に、人間の縞模様は内に』って言うわ」

（注１）一九七五年。
（注２）チベット文化圏で礼拝に用いられる白い布。仏像や高僧に供物としてささげられる。また、高僧からの祝福や、俗人同士の祝福、別れと出会いの挨拶にも用いられる。
（注３）医師はそれぞれ三本の指先で異なった脈を取り、五臓六腑の状態を診断する。たとえば、医師の左手中指の人差し指側は肝臓を、薬指側は胆嚢を感じ取る。

（注4）世界を構成する五大元素（地・水・火・風・空）や十二支は、それぞれ相性があり、月、日、時間などの組み合わせも重要であると考えられている。したがって、占星術師は、これらの関係する要素がうまく調和が取れているかを確認する必要がある。

（注5）聖なる言葉オームの文字を刻印した銀製のバッジ。

（注6）インフォーマル・セクターとは、家庭内の労働や自給的農業、露天商など、政府の監督や統計の対象となっていない経済部門のことで、フォーマル・セクターは、政府が掌握している経済部門をいう。

仏教——ひとつの生活様式

万物かくの如きものと知れ——
幻　空中楼閣　夢　幽霊　実体なく　されど外見あり
万物かくの如きものと知れ——
晴れた空の月の如く　澄んだ湖に映るも　月は湖に転ずるにあらず
万物かくの如きものと知れ——
響くこだまの如く　音楽　物音　泣き声より出るも　こだまに旋律なし
万物かくの如きものと知れ——
魔法使いのつくる幻覚　馬　雄牛　荷車などの如く　現わるるもの何物にもあらず
——サマディラジャ・スートラ（注1）

ラダックでは、宗教的な伝統があらゆるものに見られる。祈りを刻んだマニ石（注2）の壁面、祈りを風にささやいている祈願の旗やチョルテンが、景観を点々と飾っている。それらのさらに上には、決まって僧院の巨大な白壁がそびえ立っている。仏教はおよそ紀元前二百年ごろにインドから伝わり、それ以来、ラダックの大多数の人の伝統宗教となっている（注3）。現在では、チベット大乗仏教の全宗派は全面的にダライ・ラマの精神的指導の下にある。

私が住んでいた村は仏教徒の村であったが、ラダックの中心地であるレーでは、ほぼ半数がイスラム教徒である。さらに、少数だがキリスト教徒も二、三百人いる。この三者の関係は、近年変わってきたが、私が最初に来たころは、互いに心から尊重し合い、気さくで寛容に満ちていた。通婚もよく見られ、関係を強化する役目を果たしていた。それぞれの宗教のおもだった祭礼日には、すべての宗教の人たちがお互いに訪問し合い、カタを交換していた。ラダックに着いた最初の数カ月のあいだに、私はイスラム教徒の断食明けのお祭に招待された。仏教徒とイスラム教徒が座を一緒にし、ほのぼのと機嫌よく時を過ごしたことを、私は忘れることができない。

＊

仏教の中心的原理のひとつはシャンニャタ（注4）、「空」の哲学にある。私には最初この概念の意味がわからなかったが、タシ・ラプギャスと何年も対話するうちに、だんだんとわかるようになった。あるとき、彼は私にこう語った。

「いわく言い難く、言葉だけでは理解できない。熟考と経験が結びついてはじめて十分に理解できるものだ。だが、簡単に説明してみよう。どんなものでもよい、たとえば木を取り上げてみよう。木のことを考えるとき、ほかのものと明確に区別して木を考えがちだ。あるレベルではそのとおりだ。だが、もっと重要なレベルでは、木は独立した存在ではなく、むしろ関係の網の目のなかに溶け込んでしまう。木の葉に降り注ぐ雨、木立を揺らす風、支える土、これらすべてのものが木のある部分を形作っている。結局、木を考えると、宇宙のあらゆるものが木を木として存在させている。木を他と切り離して考えることはできない。木の性質はその時どきによって変化し、決して同じではない。これが、物事について『空』というときの意味であり、何物も独立した存在ではないということだ」

シャンニャタの概念を説明するのに「空」や「無」という言葉を用いるので、西洋人の多くが仏教は虚無主義だと考えてきた。仏教徒は、生きていようが死のうが気にかけない無関心な信者であるとよく見なされている。皮肉なことに、かつてタシはキリスト教について同様の意見を述べた。

「すべては神が完全に支配していて」、「すべては神によって定められ、神によって支配されている。これは人を無関心にしてしまう。キリスト教には、仏教に見られるような人格的な成長の余地がないように思える。われわれには精神的修養によって自己成長する機会がある」

仏教は存在を否定したり、いかなる意味においても厭世主義を勧めたりするものではない。逆に、ひとたび宇宙の本質を理解するなら、現象界の移ろいゆく流れに動じない永遠の幸福を得るであろう、と教えている。私たちの「無知」、つまり感覚や概念を通して世界を知覚することが、目の前にあるなんでもない「日常」世界の姿を超えて物事を見ることを妨げている。こうした「無知」なものの見方で物事を捉えつづけるかぎり、私たちはサムサーラ（注5）、存在の流転の罠にはまってしまう。

世界の「存在」を否定するのではなく、世界の認識の仕方を改めるよう私たちは求められているのである。私たちが感覚によって物事を認識するかぎり、物事は存在している。私たちは肉体を有し、呼吸するために空気を必要とする。要は何を強調するかということである。感覚によって認識した世界を放棄するのではなく、別の観点から捉えることを私たちは要求されているのである。仏陀は、私たちの感覚と能力によって創り上げた世界を超越したところで、現象が動的過程に解消することを教えている。現実の本質は、言語や分析の範囲を超えたところにある。

タシは、高名な学者であるナーガルジュナ（注6）の言葉を引用し、「存在を信ずる者は牛のごとく愚かである。だが、存在しないことを信ずる者はさらに愚かである。

『物事』は存在するのでもなく、存在しないのでもなく、その両方でもなく、両方でないのでもない」と語った。

宇宙は果てのない川のようなものといわれる。宇宙の全体性、統一性は変化しないが、同時に、常に動いてとどまることがない。川は川全体としては存在しているが、川のなんたるかはわからない。川の流れを止めて確かめることはできない。すべてのものは移り変わり、分かちがたく結びついている。

タシはこうも語った。

「あらゆるものは、相互に依存する関係から起こるという法則にしたがって存在している。ナーガルジュナが、『関係による生起が、仏陀の豊かで深い教えである』と述べているように、この域に達すると、われわれが抱いている『あなた』と『私』、『心』と『もの』という分類や区別、名目はひとつに溶け合い、消失する。形があり、実体があると考えているものでも、実際は刻々と変化している。木が『空』であるのとまったく同じく、『自己』も『空』である。このことをよく考えれば、自分自身も周囲のあらゆるものの一部として溶けてしまう。『自己』、あるいは『我』というものは、結局、宇宙のいかなるものとなんら変わることなく、分離されて存在しているのではない」

自己が独立して存在するという錯覚が、悟りに通ずる道のおそらく最大の障害になっている。絶対かつ永遠の存在を信ずる限り、果てしない欲望の循環に行き着き、欲望は苦難をもたらす。自己や物事が独立して存在するという考え方に執着するため、懸命になって常に何か新しいものを求めあぐねることになる。求めていたものをいったん手にするや、その輝きは失せ、次の違ったものを求めはじめる。満たされることはほとんどなく、また束の間のことにすぎない。満足は永遠に得られない。

仏陀に喜んでいただくには
生きとし生けるものを喜ばす
このほかになし

タシはよく、知識や理解だけでは十分でないことを思い出させてくれた。思いやる心がなければ、それらは実際に危険なことがある、と彼はよく語った。
「ダライ・ラマは、自分の真の宗教は思いやりだとおっしゃられた。祈りを捧げる者たちを見なさい。彼らは他者への思いやりを常に大切にしている」

気高く、徳に満ちた、かくなる業の力によりて
われを優しく育んでくれた両親よ
われにボディー・チッタの儀礼（注7）を施してくれた師たちよ
われのもっとも大切なすべての友人たちよ
われと物質的、財産的な結びつきを持つすべての者よ
願わくば、ただちに仏陀の境地に達し給え

仏教の教えでは、慈悲の心がいわゆる悟りへ導く道とされる。詩人のミラレパ（注8）は、「空の概念が慈悲の心を育む」と語った。個々の存在の境界がなくなるとき、あなたと私はまったく分離した存在ではなく、同じ個のそれぞれの側面となる。

＊

宗教はラダックの人たちの美術から音楽、文化から農業まで生活のすべての面に浸透している。住民はとても信仰心が篤い。だが西洋人の目から見ると、宗教に対して不思議なくらい気軽に見える。この矛盾して見えることにとりわけ驚かされたのは、ダライ・ラマがはじめてラダックを来訪した一九七六年のことであった。来訪の何カ月も前から、待ちこがれて期待が膨らんでいた。人びとは家を塗り替え、祈願旗を刷り、

新しい衣服を縫った。さらに、丹精こめて作られた頭飾りからトルコ石や珊瑚を取り外してきれいにし、フェルトの裏地を鮮紅色のものに取り替えた。レー郊外のインダス川の堤で、大宝輪、カーラ・チャクラ（注9）の儀礼が執り行なわれるのである。儀礼がはじまるずっと前から、ラダック中の村から人びとが、あとからあとから詰めかけてきた。ある者はバスやトラックに乗り、また何千人もの人たちは何日も歩き、あるいは馬にまたがって、レーにたどり着いた。

一週間にわたる説教の中日には、四万人に膨れ上がった。信心深い空気に満ちあふれると同時に、驚いたことにお祭り騒ぎに近い雰囲気が漂っていた。私の前にいた男性はダライ・ラマに目が釘付けになり、しばらくのあいだ、崇敬の念に心を奪われていた。次の瞬間、隣に居合わせた者の冗談に笑っている。また少しすると、どこかほかの場所にいるかのように、ほとんど放心状態に近い様子でマニ車を回していた。集まった人たちの多くにとって、一生のうちでもっとも大切な出来事であるこの説教のあいだ、人びとは来ては帰り、笑い、そして噂話にふけった。戸外で宴会が行なわれ、どこにでも子どもの姿があり、遊び、走り、互いに大声で叫び合っていた。

儀礼式典の参加者の中に、若いフランス人が混じっていた。彼はダライ・ラマの亡命先の居住地ダラムサラで仏教を学んだことがあった。彼は自分にとって新しいこの宗教をとてもまじめに受けとめており、ラダックの人びとの態度にショックを受けていた。「ここの連中はまじめにやっていない。仏教徒だと思っていたのに」と軽蔑して言った。彼のこうした反応は少し間違っていることに気づいていたが、だからといってどう答えてよいのか私はわからなかった。私自身、宗教と日常の生活とが分離した文化の中で育った。宗教とは、少数の人たちが日曜日の朝、ものものしくかつ真剣に行なうものにすぎなかった。

日々の祈りから年に一度の祭りにいたるまで、暦はすべて宗教的信念と実践とに彩られている。満月の日は常にチベット陰暦月の十五日とされており、釈尊が悟りを開き、入滅した日でもある。月のうち一週間おきに宗教的に意味のある日がある。たとえば、十日はインドからチベットへ仏教を伝えたグル・リンポチェ（注10）の誕生日である。この日、人は互いの家を訪れ、お経を読むかたわら、食べたり飲んだりする。チベット暦の第一月、ニェネスのあいだ、人は僧院であるゴンパに集まり、断食して瞑想する。聖なる日には、家族でよく新しい祈願の旗を刷る。五色の聖なる色、赤、青、緑、黄、白のそれぞれの布に、真言を彫った版木にインクをつけて刷る。新しい旗は、古い旗に重ねて飾られる。古い旗は決して外さないが、やがて朽ち果て、祈りを風に乗せて播き、広げていく。

どこの家もその地域の仏教的伝統を思わせるものであふれている。台所のかまどにはスパルビ（注11）、はじまりも終わりもない縄結びの飾り付けが施されている。これは、チベット仏教でいう八つの吉兆の紋のひとつで、よく客間のフレスコ画などに描かれている。どの家も、屋上の端から端へ祈願旗をつけた綱が渡してある。さらに、家の前にはしばしば大きな旗竿が立てられている。この旗竿のタルチョは、その家の仏間に全十六巻の大乗仏教の経典ブラジュナ・パラミタ（注12）、『完全なる智慧』を持っていることを示している。外壁に橙、青、白の三色の祈願旗（注13）を掛けた小さな出窓を目にすることがあるかもしれない。これらは、智恵と力と慈悲を象徴している。

このほかにも、もっと古い時代から受け継がれてきたシンボルが、今日の仏教に取り入れられている。屋根の上にはラトという泥で作った小さな煙突状の祭壇があり、その先端には柳の枝ひと束と木製の矢があしらわれている。これは家の守り神に奉げられている。また、穀物、水、高価な金属を入れた舟型の容器も置かれ、繁栄がつづくよう、新年には中のものを新しく取り替える。外壁の一部には「サゴナムゴ」――文字どおりの意味は「地下口あるいは天井口」、がしつらえられていることがある。木と羊毛でこしらえた菱形の網の中に、家主と妻の名前と写真を入れ、羊もしくは犬の頭蓋骨が添えられる。それに、「これら、地下と天井の口が悪魔から護られますように」

と書かれている。ときには白馬にまたがった霊、ツァンを慰めるため、家に赤色で小さな模様と点線と卍（注14）を描くこともある。この霊は正面から見ると美しいが、怒らせると後ろ向きになり、その恐ろしいほど赤むけた背中を見た者はとても不幸になるという。

ラダックの人たちはこれらの霊に対して気楽に構えている。霊を鎮める儀礼は行なわれるが、暮らしの中で霊を恐れていないことは確かである。事実、霊の存在を確信しているようには思えない。「霊は本当に存在すると思うか」と、あるときソナムに聞いてみた。彼はしばらく考えて、「うーん、いると言われている。まだ一度も見たことはないが、どうかな」と答えた。

＊

チベット文化において僧院の果たしている役割が、この社会をよく封建的な社会と見なす原因となってきた。当初、僧院と一般の人とのあいだには、搾取し、搾取される関係があると私も思っていた。僧院が広大な土地を所有していることもあり、その土地は村全体で耕作されている。自作地に加え、収穫の幾らかを得る見返りに僧院の畑を耕している農民もいる。

だが、もっと広く社会全体のレベルから見ると、僧院は真に経済的な利益をもたら

ザンスカールの大僧院リンシェ・ゴンパ

砂絵曼荼羅の制作（レー郊外のスピトク・ゴンパ）

している。現実に、だれも飢えさせないということによって、地域社会の全体に対し「社会保障」を提供している。もし、ある家族で口減らしが必要になった場合、ふつうは歳の若い息子たちだが、何人でも僧侶になることがある。僧院の宗教的な貢献と引き換えに、地域社会が僧侶を養っている。僧院と村とのあいだの相互の交換関係には、文化的、宗教的伝統が豊かに保たれており、社会のすべての人がこれにかかわり、すべての人が利益にあずかっている。さらに男であれ女であれ、若かろうが老いていようが、結婚して世帯を持つ生活の代わりに、独身と信仰の生活をだれもが選ぶことができる。

修行を積んで特別な力があったり、智恵のために敬われている高位の僧侶や、転生したラマほどではないが、アンチュックの弟リンチェンは僧侶として尊敬されている。リンチェンは、一定の決まった義務を持っているが、とても自由な生活を送っている。僧院に自分の部屋を持っていて、トンデ村ばかりでなく、シャディ村やクミク村といった近くの村の個人の家で執り行なう仏事に多くの時間を割いている。一年を通じて個々の家では、仏間で重要な儀礼を行なっているが、特に種播きと収穫の時期に多く、そのため彼はとても忙しくなる。彼はおもな生活の糧をこれで得ている。それぞれの家では彼に対し支払いをするのだが、近ごろますます現金で済ますことが多くなった。

彼は実家にまだ自分の部屋も持っており、ときにはそこで寝泊まりをしている。実家に戻っているときは、家事を分担している。彼の特技は裁縫である。

僧院は一年のうち何度も大きな儀礼や祭りの場となり、数日間、あるいは数週間のあいだ儀式と祈りがつづく。夏に行なわれるヤルネー（注15）のあいだ、不本意に虫を踏みつけたり、殺したりするのを避けるため、僧侶は長ければひと月のあいだ外に出ない。一年のうちで最大の行事にチャム踊り（注16）があり、この期間は金剛乗仏教（注17）の根本の教えを説く劇が演じられ、すべての人にとっての敵である自我の像が儀礼的に退治される。チベットのさまざまな神を表現した極彩色の、そのひとつひとつに深い意味が込められている仮面をつけた僧侶が踊るのを、何百、ときには何千という村人が、周辺のあらゆる村から見物にやってくる。角笛や太鼓の音が、読経や笑い声と混じり合う。

「無知がつづく限り、儀礼が必要である」と、あるとき、スタクナ寺の僧侶の長が私に言ったことがある。「それは、あるレベルまで精神の発達が確かなものになれば、要らなくなる梯子だ」と言う。ラダックでは、儀式や儀礼が豊かに組立てられており、宗教的な実践の重要な部分をなしているが、思ったほど仏教の教えの中心とはなっていない。私にとって、ラダックの仏教がもっとも深遠に映るのは、素朴な農民から深く学を積んだ僧までが、日常の端ばしで見せる彼らの価値観と態度である。

ラダックの人たちの生、そして死に対する姿勢は、無常に対する直感的な理解と、その結果として執着心のなさとに基づいているように思われる。ラダックの友人のこうした態度に、私は何度も驚いた。彼らは、物事はこうでなければならないという考え方に固執するより、むしろ物事をあるがままに積極的に受け入れる能力が身についている。たとえば、何カ月も手塩にかけて育ててきた大麦や小麦が、収穫の途中で雪や雨のために駄目になってしまうことがある。だが、まったく平静を保ち、よく冗談を言って苦境を笑い飛ばす。

死でさえも、私たちよりたやすく受け入れてしまう。ラダックに来て二年目、親しくしていた友だちが生後二カ月の子どもを亡くした。彼女は取り乱しているだろうと思った。その後、はじめて会ったとき、彼女はたしかにショックを受けていた。だが私が思っていたのとは少し違っていた。彼女は私に語ったようにとても悲しんではいたが、輪廻転生を信じている彼女にとって、死は、私たち西洋人にとっての終末という感覚とは違う意味を持っていた。

ラダックの人びとの実際に存在するものに対する捉え方は循環的であり、常に回帰するものと考える。生を唯一の機会と捉える感覚はない。死は終わりであるのと同様に、はじまりでもある。それはひとつの誕生から次の誕生へと通過していくものであり、究極の消滅なのではない。

ラダックの人びとの態度は、瞑想からの影響を受けているような気がする。深い瞑想が僧侶の社会以外で実践されることは滅多にないとしても、人びとは半ば瞑想の状態で相当なときを過ごす。特に老人たちは歩いているときや仕事をしているあいだ中、真言を唱えている。しばしば会話が祈りの言葉にさえぎられることがある。少し会話したその呼吸で聖なる真言「オム　マニ　パドメ　フム、オム　マニ　パドメ　フム」が繰り返される。西洋の最近の研究では、瞑想のあいだは物事を全体、あるいはパターンとして捉える知覚の働きに優れていることを示している。これがラダックの人びとの全体的あるいはその時その場の状況に即した世界観を形成する役割を果たしている。こうした世界の捉え方は、仏教の修養のほとんどない人でさえ持っている特徴である。

ラダックでは、言葉さえも仏教の影響を受けていると言える。私が知っている西洋の言語と比べ、ラダックの言語は関係に大きな重要性をおいているように思える。ラダックの言葉は話そうとする文脈について、より多くのことを表現する。もっとも著しいのは、be動詞が状況に応じて二十以上にも変化することである。それはとりわけ、話題に関する話し手と聞き手の相対的な親密さによる。西洋人とは異なり、ラダックの人びとは経験したことのない事柄に対しては決して確信的な言い方をしない。自ら体験したことのない事柄には、知識が限られていることを示す言い回しをする。「……といわれている」、「……のように見える」、「おそらく……だろう」と表現するだろう。もし、だれかに「それは大きな家か」と尋ねられたら、おそらく「大きい」とは断定せず「自分は大きいと思う」と、答えるだろう。

自ら体験したことであっても、細かに分類したり、評価することを私たちよりも嫌う。善し悪し、速い遅い、こちらとあちら、といった事柄は、はっきり区別できる性質のものではない。たとえば、精神と肉体、あるいは思考と直感を基本的に対立する関係で捉えていない。ラダックの人びとは、センバと呼ぶものを通じて世界を経験する。これは「心」と「精神」とのあいだ、と訳すのがもっともふさわしい。これは知恵と慈悲とが不可分という仏教の教えの表われである。

（注1）月燈三昧経。初期大乗仏教の経典・三昧経のひとつ。紀元二世紀ごろに編纂されたといわれている。

（注2）真言を彫った石。観音への真言「オム　マニ　パドメ　フム」や、パドマ・サムヴァバに対する「オム　ア　フム　ヴァジュラ　グル　パドマ　シッディ　フム」などが一般的である。

（注3）この年代についての根拠は不明。紀元後二〜三世紀という説もあるが、こちらも確実な証拠はない。八世紀から九世紀にカシミールから仏教が伝わり、盛んに磨崖仏が造られたことは確かである。本格的に仏教が広まるのは、十世紀から十一世紀、グゲ王国による布教活動まで待たなくてはならない。

（注4）実在するものは、すべて因縁によって生じたものであるから、独立して存在するような実体や「自我」はないとする中観派の主要な思想。

（注5）輪廻のこと。生命体が死後も生まれ変わるというインド古来の思想。仏教徒は、六道輪廻（地獄、餓鬼、畜生、人間、阿修羅、天上）の中で生死を繰り返していると考える。

（注6）中国での呼び名は龍樹。インド仏教の思想家。南インド出身で、大乗仏教思想を宣揚し、中観思想を興す。

（注7）発菩提心のこと。菩提心とは、悟りを求めて仏道を行じようとする心。

（注8）チベットの著名な密教行者・詩人（一〇四〇―一一二三）。カギュー派の開祖マルパの弟子。ミラレパが詠んだ密教詩『グルブム（十万歌）』は民衆に愛されてきた。彼の弟子ガンボパからカギュー派が組織化される。

（注9）伝説の仏教王国シャンバラから伝わったとされる後期密教の教え。チベット仏教の最奥義のひとつであるが、世界平和の祈りが込められているため、広く一般の人びとにも教えの門が開かれている。

（注10）パドマ・サムヴァバ（蓮華生）のことで、ウディヤナ国出身の密教行者。七世紀にインドとチベットで活躍した。チベットのティソン・デツェン王に招聘されて、インドのナーランダにある仏教の大学から来た学僧シャンタラクシタとともにサムイェ寺を建立する。

（注11）吉祥結の紋。長寿と永遠の愛情を表わしている。

（注12）般若波羅密多経。この経典のエッセンスが般若心経である。

（注13）橙色は文殊菩薩（知恵の象徴）、青色は金剛手菩薩（力の象徴）、白色は観世音菩薩（慈悲の象徴）をそれぞれ表わす。

（注14）スワスティカと言い、まんじである。仏教と、チベット古来の宗教であるボン教の両方で使われる。仏教では形が時計まわり、ボン教はその逆。

（注15）夏安吾（げあんご）のこと。出家僧の年中行事のひとつ。インドの夏（雨期三カ月間）の間は外出せず研究修養に努める。雨期は遊行に不便であり、また虫を踏み殺すことを避けるためにはじめられたといわれる。雨期のないチベットにも導入されている。このほか仏教伝承の諸地域でもこの行事が取り入れられているが、現在はかなり形式化している。

（注16）チベット仏教の仮面舞踏。各宗派によって異なる祭日に、僧侶が、仏や神々を表わす仮面と独特な衣装を着けて踊る。

（注17）バジュラヤナ仏教。金剛は破壊されない宝石の意味。金剛乗仏教は、日本では密教に対応する。チベット仏教では、仏教を小乗、菩薩乗（大乗）、金剛乗（真言乗）に分類する。

生の喜び

だれもが私たちのように幸せじゃないって?
——ツェリン・ドルマ

ある夏の終わり、六十歳のタンカ絵師、ンガワン・パルジョーと一緒に、私はカシミールのシュリーナガルへ行った。彼は昔ながらの毛のゴンチャを着て、帽子とヤクの毛の長靴を身につけており、カシミールの人の目には彼が「遅れた」地域、ラダックから来たことは明らかであった。どこへ行っても人びとは彼をおもしろがった。彼はひっきりなしにからかわれ、挑発された。タクシーの運転手から店の主人、通りがかりの人まで、あらゆる人が彼を笑いの種にした。「あのおかしな帽子を見ろよ!」、「見て、あの変な長靴!」、「知ってる? ああいう原始人たちってまったく体を洗わないんだよ」

ンガワンはこうした言葉にまったく動じなかったが、私にはこれが理解できなかった。彼は旅行を心から楽しんでおり、目から輝きが消えることはなかった。周りの出来事に十分気づいていたにもかかわらず、彼にはまるで関係ないようであった。彼はニコニコしてだれにでも丁寧で、ラダックの伝統的な挨拶の言葉「ジュレー、ジュレー」と野次る(やじ)ように人が叫んでも、ただ単に「ジュレー、ジュレー」と答え返していた。私が「なんで怒らないの？」と聞くと、「チ　チョエン？」、「それがなんになる？」というのが彼の答えであった。

ンガワンの落着きはらった様子は珍しいものではなかった。ラダックの人には、抑えきれない生きる喜びがある。喜びの感覚は彼らの内部にとても深く根づいているため、周りの状況によって揺らぐようなことはないようである。ラダックに住んでいると、周りにつられて笑わされることがよくある。

ラダックの人が見かけどおりに幸せだとは、最初、私は信じられなかった。私が目にした笑顔が心の底からのものだということを受け入れるまで、かなりの時間がかかった。ラダックでの二年目、ある結婚式に参列し、お客が楽しんでいるのを一歩下がって観察していた。そのとき唐突に、「ああそうか、彼らはあんなに幸せなんだ」と口をついて言葉が出た。そのときになってやっと、私はそれまで色眼鏡でラダックの人を見て、彼らが見かけどおりに幸せなわけはないと信じ込んでいたことに気がついた。冗談や笑いの裏には、私たち西洋人の社会と同じように苛立ち、嫉妬、不満感があるに違いないと思っていた。人間が幸福になる可能性に、さほど大きな文化的な違いはないだろうと無意識に思い込んでいた。このように意識せずに憶測していたことに気づくことは、私にとって驚きであった。それ以来、そこにあるものを感じ取り、経験することに抵抗がなくなったと思う。

もちろん、ラダックの人にも嘆きや悩みはあるし、病気や死に直面したときは彼らも悲しくなる。私が見たのは絶対的な差ではない。程度の違いである。だが、ここでいう程度の違いには大きな意味がある。毎年、産業化された社会に戻るたびに、この違いがはっきりしてくるようになった。私たちの生活は、あまりにも不安感と恐れに彩られているため、何もかも忘れて自分や周りのものとの一体感を経験することが難しい。一方、ラダックの人たちは広い寛容な自我を持っているようである。彼らは私たちがするように、恐れや自己防衛の囲いに逃げ込むということをしない。彼らは私たちのいうプライドというものを、まったく持っていないように見える。これは、彼らが自尊心を持っていないということではない。その反対に、彼らの自尊心が深いところに根ざしていることは、疑う余地はない。

*

私は十五人ほどのラダックの人と、カルカッタから来た学生二人と一緒に、ほこりっぽいでこぼこ道を走るザンスカールからのトラックの荷台に乗っていた。途中、学生たちは落ち着かず、不快感をあらわにするようになり、野菜の入った袋を座席代わりにしていた中年のラダックの人に当たりはじめた。間もなくして、その中年の人は、自分より二十歳以上も若い学生たちが座れるように立ち上がった。二時間ほどして休憩のために停車したとき、学生たちは彼に水を汲んでくるよう指示した。彼は言われたとおり水を汲んできた。学生たちは今度は、彼に火をおこしてお茶を沸かすよう、ほとんど命令口調で言った。

おそらく彼の人生ではじめて使用人として扱われただろう。だが、彼の行動にはいささかのへつらいもなかった。ただ単に、頼まれたことを友だちのためにするのと同じように、媚びることもなく、また尊厳を失うこともなく行動した。私は腹を立てていたが、彼とほかのラダックの人たちは怒ったり、恥ずかしく思ったりすることなどなく、彼が受けた扱いをただ単におもしろがっていただけであった。そのラダックの人は、心にゆとりのある自己を十分わきまえた人格者であった。

ラダックの人ほど落ち着いていて感情的に健康な人たちを、今まで私は見たことがなかった。そうである理由はもちろん複雑で、彼らの生き方そのものや世界観というものに基づいている。だが私は次のように信じて疑わない。いちばん大きな要因は、自分自身がより大きな何かの一部であり、自分はほかの人や周りの環境と分かちがたく結びついているという感覚である。

　ラダックの人たちは、この地球上に彼らの居場所をしっかりと持っている。その場所との毎日の親密な接触、季節の移ろいであるとか、必要性、制約など、身近な環境についての知識を通して、そこにしっかりとつながっている。星や太陽、月の動きは、日々の活動を左右するなじみ深い生活のリズムになっており、彼らは自分が存在しているこの居場所を巡る生き生きとした関係に気づいている。

　同じくらい大切なことは、ラダックの人の開かれた自我の感覚が、人と人との親密な結びつきと関係していることである。先に話した結婚式で、私はパスプンの仲間を見ていたが、彼らは笑い、冗談を言い合った後お茶を飲みながら静かに座って、長いあいだ言葉を交わすことも忘れ、物思いにふけっていた。彼らは喜びも悲しみも、多くの体験を共有してきた。人生の節目節目に行なう儀式をともに務めあげ、お互いに支え合ってきた。彼らの人間関係の深さに、私はこのとき気づいた。

　ラダックの社会では、叔父や叔母、僧侶や尼僧を含むすべての者が、持ちつ持たれつの社会の一員である。母親が子どもから切り離され、ひとり取り残されるということは決してない。母親はいつまでも子どもの人生の一部だし、そのまた子どもの人生の一部でありつづける。

　ラダックの文化をよく知るまでは、自分が育った家を離れることは成長過程の一部で、大人になるために必要なステップのひとつだと思っていた。だが、親戚を含めた大きな家族と、こぢんまりとした緊密な社会が、成熟し均整のとれた個人をつくるのだと、今では信じている。健全な社会とは、緊密な人間関係と相互依存を促し、各個人に無条件で感情的な支えを提供できる社会である。このような養育環境の中で、個人は安心して自由になり、自立する。矛盾して聞こえるかもしれないが、ラダックの人の方が産業社会で生活する私たちよりも感情に依存する傾向が少ないと思う。愛情や友情は存在するが、その人を独占するようなものではない。あるとき、母親が十八歳の息子を一年ぶりに迎えるところを見たが、まるで今まで寂しくなかったかのように、彼女は驚くほど冷静であった。このような行動を理解するのに長い時間がかかった。私が冬のあいだ留守にして再び戻ったとき、ラダックの友人たちの反応を不思議に思った。彼らが喜びそうなお土産を持って帰ったこともあって、てっきり彼らは私との再会を喜び、贈りものをうれしがると思っていた。だが彼らは、まるで私が留守などしていなかったかのように振る舞った。贈りものを受け取って感謝はしたが、私が思っていたようには反応してくれなかった。私たちの特別な友情を確認するように、私彼らに興奮して欲しかった。私はがっかりした。私が六カ月留守にしていようが、一日留守にしようが彼らにとっては同じことで、どちらにしろ私を同じように扱った。

だが、どんな状況にも適応できる能力、どんな状況であっても幸福を感じることができる能力は、とても強い力だと私は認識するようになった。ラダックの人の人生に対する気楽な姿勢をよいものだと思うようになったし、たとえ留守をしていても、何事もなかったかのように振る舞われるのが好きになってきた。ラダックの人は、私たちのようには物事に執着しないようである。もちろん、多くのラダックの人たちは、自分の生活にかかわることに関してまったく無関心ではない。繰り返すようだが、そこには程度の違いがある。友だちが去っていくのを見て、あるいは価値のあるものを失って、悲しくはなるだろうが、それほど不幸とは感じない。

もし私がラダックの人に、「レーへ行くのは楽しい？　それともこの村にいる方がいいですか？」と尋ねたら、恐らくこういう返事をするだろう。「もし、レーへ行けば楽しいだろう。だが、行かなくてもここは楽しい」

どちらがよいかはあまり問題にならない。ラダックの人はふだんの食事よりご馳走の方が好きだし、不便よりは快適な方を、病気よりは健康でいることを好む。だが結局は、彼らの満足感と心の平穏は周りの状況とあまり関係がない。こういうものは、内面から得られるものだからである。人間関係と周囲の環境とのかかわりが、ラダックの人の心の平穏と満足感を育むのに役立ってきた。また彼らの宗教は、いくら健康で食べ物にも困らず、暖かく快適に暮らしていても、「無知」でいては決して幸福になれないことを思い起こさせる。

満足は、自分が大いなる命の流れの一部であることを感じ、理解し、気を楽にしてその流れと一緒に動いていくことから来る。もし長旅に出ようとしていた矢先、大雨が降ってきたとしても、なぜ惨めになる必要があるのか。そうなって欲しくなかったかもしれないけれども、ラダックの人は「なんで悲しむことがあるの」という心の姿勢でいる。

第二章　変化

Change

西洋の到来

堂々とした馬にまたがり
王のごとく空を飛び
自分はなんでもわかっていると思っている
鳥でも空を飛ぶということを彼らは知らないのだろうか
――観光客に怒るタシ・ラプギャス（一九八〇年）

これまで述べてきた私の体験は、ラダックがあらゆる面で西洋世界の影響をほとんど受けていなかったころのものであった。一九七五年にはじめて訪れたころ、村の生活はまだ昔と変わらない基盤の上に営まれていた。自らの環境のもとで彼ら自身の原則に従い、何世紀もかかって発達してきたものである。この地域は乏しい資源や厳しい気候、不便な交通のお陰で、開発と植民地主義のどちらからも免れてきた。

もちろんラダックの文化は時代を追って、世代ごとに変化を遂げてきた。ラダックはまた、アジアの主要な貿易ルート上に位置しており、外来の文化の影響を受けてきた（注1）。だがかつての変化は緩慢であり適応していくことができた。外来の影響は、ラダックの文化に徐々に取り込まれていった。

しかし近年は、外部の影響が雪崩を打ってラダックに押し寄せ、急激で大規模な混乱を引き起こしている。パキスタンや中国の侵略から守るため、一九六二年以来この地に駐留していたインド軍の存在は、すでにラダックの文化に影響を与えてきた。だが変化のプロセス、進行がはじまったのは、一九七四年のはじめ、インド政府がこの地域を観光を目的に開放したときである。これはおそらく、ラダックをインドの領土として明確にする意図があったのだろう。同時に、この地域に対する集中的な開発がはじまった。これまでのところ、開発はレーとその周辺地域に集中している。人口のおよそ七割の人びとは今でも程度の差はあるが伝統的な生活を送っている。しかし近代化による心理的な影響は、地域全体から感じ取ることができる。

ラダックの開発政策を立案しているのは、カシミール州政府およびデリーの中央政府である。ラダックから下院に一議席、州政府にひとりの代表を送っている。ラダックで政府の事業計画を監督している役人は、ラダック出身者でもなければ、地元の言葉も話すこともできないのがふつうである。地方行政の長官、あるいは開発長官には、インドの行政機構の役人が就き、平均して二、三年のあいだの職務である。私がラダックに滞在していた十六年のあいだ、開発長官は少なくとも七人交代した。

世界中どこでもそうだが、ラダックでの開発とは西洋式の開発を指していう。いわゆる「インフラストラクチャー（社会基盤）」、特に道路と発電施設の建設が柱になっている。二十年の歳月と何百万ドルもの予算を注ぎ込んで完成したインダス河の四メガワットの水力発電所が示すように、発電が政府予算の中で最大の支出を占めている。西洋式の医療と教育が、これにつぐ大きな柱になっている。今ではかなり辺鄙（へんぴ）な村にも保健所と学校がある。このほかの大きな変化として、肥大化しつつある警察権力、レーの裁判所、銀行、ラジオ、テレビがある——テレビはまだレーとその周辺地域に限られているが。

開発によって拍車がかかり、フォーマル・セクターが急速に成長してきた。貨幣経済があらゆる所で促進され、政府の補助金で輸入が増えている。一九八五年から八六年に、レー地区だけで小麦と米、合わせて六〇〇〇トン、毎年コークス四〇万トンと薪六〇〇万立方メートルが輸入されている。そのほとんどに補助金が出ている。インド平原から商品を積んだ何百台ものトラックが毎日やって来るため、交通量も急上昇し、何千人という旅行者の足である四輪駆動車やバスが、道路の渋滞やレーの混雑を引き起こし、大気汚染に輪をかけている。

近代世界との接触の結果、近年、人口はインドの平均を上回る率で増加している。一九七一年に五万一八九一人だった人口が、八一年、六万七七三三人へと三一パーセント増加した(注2)。これは、一九〇一年(三万二六一四人)から一九一一年(三万三四三四人)までのわずか三パーセントの増加と対照的である。人口の流入とあいまって、レーおよびその周辺地域に住宅の建設ブームが起こり、都市のスプロール化現象(注3)は、第三世界の都市の特徴であるスラムの様相を見せはじめている。

観光は外貨獲得が確実なため、開発計画の不可欠な部分となっている。一九七四年秋のひと握りの観光客からはじまり、一九八四年には年間およそ一万五〇〇〇人に膨れ上がった。その大部分は六月から九月までの四カ月のあいだにこの地を訪れ、ほとんどが例外なく人口約一万人のレーに足を運ぶ。観光は関連したビジネスのブームを創り出し、レーには一軒もなかったホテルやゲストハウスが百軒以上も建ち並ぶようになった。

観光がラダックの物質的な文化におよぼす影響は、広範囲に混乱をもたらしている。より重要なのは、人びとの心に与える影響である。

(注1)ラダックはシルクロードの分枝であった。

（注2）ラダックのうち、西部のカルギル地区を除いた東部レー地区の人口。その後も人口は、一九九一年八万九四七四人（推定）、二〇〇一年一一万七六三七人、十年ごとに三〇から四〇パーセント増えている。一九九一年はカシミール紛争のあおりで人口調査は行なわれなかった。ラダック全体の人口は、一九七一年一〇万五二九一人だったのが、二〇〇一年には二三万二八六四人になっている。

（注3）都市近郊が無秩序で無計画に開発されていくこと。スプロール（sprawl）はむやみに広がるの意味。

火星からの人びと

ある村で、カメラ、ボンボン、ペンを手にしたトレッキングの一団が、村人を襲わんばかりのところを目撃した。緑、赤、青の派手な色の服で着飾り、ひと言の断りもなしに、平気でカメラを突き出し、また次の獲物に移っていった

――怒れる観光客　一九九〇年

ごくふつうに日々を暮らしていて、ある日眼を覚ますと、突然、自分の町に異星人が侵略してきた光景を想像していただきたい。奇妙な言葉を話し、姿形はさらに変わったこの宇宙人たちは、尋常ではない生活を送っている。彼らはどうやら労働というものを知らず、余暇を楽しむだけの様子で、その上、特殊な力と尽きることのない富を手にしている。

さらに、彼らのこの様子を見て自分の子どもがどのように反応するか、またどれほど魅せられるかを考えていただきたい。子どもにこの異星人を後追いするのを止めさせ、家族とともに家に留まるほうがよい暮らしだと納得させるのが、どれほど難しい

ことか。十代の感じやすい若者が、アイデンティティを模索する中で足元をすくわれるのを、どうすれば防ぐことができるだろうか。

観光開発がはじまったときから、私はラダックに滞在しており、変化のプロセスをはじめから見ることができた。現地の言葉を自由にしゃべることができたので、近代化がもたらす心理的な強い圧力を知ることができた。ラダックの人の視線で近代世界を見ると、外から見るわれわれの文化は、内側にいて体験するよりずっと素晴らしく映ることにも気づいた。

なんの前触れもなく、別世界から来た人たちがラダックの地に降り立ち、毎日大勢の人が一〇〇ドル、もしラダックの貨幣価値であれば五万ドルに相当する大金を散財する。伝統的な自給自足の経済では、お金はおもに宝石類、金、銀の購入のために使われ、比較的小さな役割を果たしているにすぎなかった。生活に欠かせない食料、衣類、住居などの必需品はお金を支払わなくとも手に入れられた。労働力が必要なら、網の目をなす人間関係の一部分として無償で提供された。

ひとりの観光客が一日に使うお金の額は、ラダックの一家が年間に使うお金の額に等しい。外国人にとってお金がまったく違う役割を果たしていることを、ラダックの人びとはわからない。彼らが国へ帰れば生きていくのにお金が必要であるということ、衣食住のすべてにお金がかかること、それも多額のお金がかかるということを知らない。これら異邦人と比べ、彼らは急に貧しさを感じたのである。私がラダックに滞在しはじめたころ、見知らぬ子どもが走り寄ってきて、手にアンズを押しつけてくれた。今ではディケンズの小説に出てくるような、擦り切れた服を着たみすぼらしい姿の子どもたちが、空っぽの手を差し出して外国人に挨拶をする。「ペン、ペンをちょうだい」とせがむ言葉が、今やラダックの子どもたちの新しい真言になっている。

観光客は、ラダックの人びとを遅れていると見なしている。村の家庭で心からもてなしを受けた数少ない観光客は、決まってこの経験を休暇中の最大の出来事として話す。だが、ほとんどの人は、ラダックの文化を外側から見ているに過ぎないし、自分たちの文化や経済の経験に照らしてラダックの文化を見ている。彼らはラダックでもお金は自国と同じ役割を果たすものと考え、もし、一日にわずか二ドルしか稼ぐことができないラダックの人に出会ったなら、驚きを隠さず、それとなく、あるいはあからさまに言うだろう。「おお、なんと気の毒な。もっとチップをはずまなくては」

西洋人の目にはラダックの人びとが貧しく映る。擦り切れた毛織の服、犂を引くゾー、不毛の大地など観光客は文化の物質的な面を見ているに過ぎない。心の平安であるとか、家族や村の人間関係のありようなどは見ることができない。ラダックの人びとの心理的、社会的、精神的な豊かさを見ることができないのである。

観光客である西洋人は、みんな億万長者だという錯覚だけでなく、西洋人は決して働かないという現代生活の誤った姿をラダックの人びとに定着させている。まるでテクノロジーが人間に代わって仕事をしてくれるように見えるが、実際のところ今日の工業社会では、農村で農業経済に依存する人びとより長い時間働いている。だが、ラダックの人びとの目にはそうは映らない。労働といえば肉体労働であり、歩くことであり、物を運んだりすることなのである。車のハンドルを握っている人や、タイプライターを打っている人は、労働をしているようには見えないのである。

ある日、私は手紙を書くのに十時間もかかり、疲れとストレスで頭が痛くなった。その夜、かなり頑張って仕事をしたので疲れたと愚痴をこぼすと、私が間借りしている家の家族が笑った。私が冗談を言っていると思ったのである。彼らの目からすれば、私は働いているようには見えなかった。立派できれいな机に向かい、額に汗することもなく、紙にペンを走らせていただけなのである。それは仕事ではない。西洋人の生活の一部ともいうべきストレス、退屈、苛立ちをまだラダックの人びとは経験したことがない。いちど、私は村人にストレスというものを説明しようとしたことがある。「つまり、働かなくてはいけないから、怒っているという意味か?」という意見が返ってきた。
別々の文化に属する人びとが、それぞれの世界を、表面上のひとつの次元だけのイメージで互いを見ているのを、私は毎日見てきた。ラダックの人たちが荷物を背負い、高所の長い道のりを歩いていく姿を見た観光客は、「あれはひどい。なんて厳しい生活なんだ」と言う。自分たちは重いバックパックを背負い、その同じ山を歩く楽しみのために何千ドルもかけ、何千キロも旅して来たことを忘れている。それに、自国での運動不足からくる悪影響も彼らは忘れている。勤務中は運動ができないので、自分の自由な時間に埋め合わせをしようとする。どこにも連れていってくれない自転車のペダルを漕ぐため、ラッシュアワーの中、汚れた街を車で地下のヘルスクラブに通う人もいる。その特権のために彼らは実際お金を払っている。

*

開発は観光だけにとどまらず、西洋の映画やインド映画、最近ではテレビをもたらした。これらが一緒になり、贅沢、力について圧倒的なイメージを見る者に与える。そこには数え切れないほど多くの現代生活の道具立てや魔法の仕掛けがある。機器も登場する。写真を撮ったり、時を知らせたり、火をおこしたり、ある場所から別の場所へ移動したり、遠方のだれかと話すための機器などである。すべて機械がやってくれる。観光客が身ぎれいで、柔らかな白い手をしていてもなんの不思議もない。映画では金持ち、美人、勇者が波乱と魅惑にあふれた人生を送っている。ラダックの若者にすれば、映画が映し出す光景は抗しがたい魅力である。それに引き換え、自分たちの生活は原始的で、愚かで、いかにも効率が悪く見えてしまう。現代生活の一面だけを見せつけられて平手打ちをくらったようなもので、自分たちは愚かでみっともないと感じてしまう。まったくお金にもならない、汚れる畑仕事の生活を継げと親たちは言う。観光客や映画に出てくるヒーローの世界と比べ、自分たちの文化が馬鹿らしく見える。

辺境地域に住む世界中の何百万という若者にとって、現代の西洋文化は自分たちの文化よりもはるかに優れているように見える。彼らは現代の世界を外側から見ているため、その物質的な面、西洋文化の優れている側面しか見ていないのだから無理もない。ストレスや孤独、老いへの恐れなどの社会的あるいは心理的な視点からはまだ見ることができないし、環境破壊、インフレ、失業の問題などもまた見えていない。一方、自分たちの文化は内側から見ているので、その限界や欠点もすべてわかっている。

西洋の文化が突然押し寄せてきた影響として、ラダックの人びと、特に若者たちが劣等感を持つようになった。彼らは自分たちの文化を全面的に拒否すると同時に、新

ラダックの中心となる町レー

しい文化を熱心に取り込もうとしている。若者はサングラスや「ウォークマン」、窮屈なジーンズなど、現代のシンボルを追い求める。ジーンズが魅力的とか着心地がよいから着るのではなく、現代的な生活のシンボルになっているからである。

現代の象徴は、ラダックでの暴力の増加も招いている。今では少年たちは、映画の中で格好よく映し出される暴力シーンに触れる。西洋やインドの映画から、タバコをスパスパふかし、速く走る車を手に入れ左右の人を銃撃しながら田園を走り抜ける競争をすれば、格好よくなれるという感覚を簡単に持ってしまう。

ラダックの若い友人たちが変わっていく姿を見ることは、私には辛いことであった。もちろん、皆がみんな暴力的になるわけではないが、やはり以前よりも怒りっぽく不安定になっている。男性が、青年でさえも喜んで赤ん坊をあやし、祖母を敬愛し、いたわる寛容な文化が変わっていくのを、私は経験してきた。

＊

私が出会ったとき、ダワは十五歳ぐらいでまだ自分の村に住んでいた。観光客が訪れるようになって彼はガイドになった。彼は荷物の輸送用にロバとラバを使ってトレッキングの仕事をしていた。数年のあいだ会わなかったが、自分の旅行代理店を開き、ラダックで最初の旅行業者のひとりになったことは耳にしていた。ある日、バザールで私はメタリックのサングラス、アメリカのロックバンドの宣伝用のTシャツ、タイトなジーンズ、バスケットシューズという最新ファッションを身につけた青年に出くわした。それがダワであった。

「あなただってほとんどわからなかったわ」と、私はラダックの言葉で言った。

「ちょっと変わっただろう」と、彼は誇らしげに英語で答えた。

私たちは、世界各地から来た観光客で込み合ったレストランに入った。ダワは英語で話そうと言い張った。

「今、自分で仕事をしているんだ。知っていた？　ビジネスは最高だよ、ヘレナ。お客はたくさん来るし、稼ぎはいいし。今ではレーに部屋もあるし」

「しばらく顔を見なかったから、驚いたわ」と、私は言った。

「まあね、ほとんどここにはいない。シュリーナガルで団体客を集め、トレッキングや僧院巡りに明け暮れているから」

「新しい生活が気に入ってるようね」

「ああ、気に入ってる。観光客の多くは本物のＶＩＰだし。一日中だらだらしているラダックのここらの連中とは違うよ」と、私を見てにやにや笑った。「ニューヨークの外科医がこいつをくれたんだ」と、ブランド品の新型バックパックを指さした。

「村にはよく帰るの？」

「数カ月に一度かな、米や砂糖を持ってね。収穫のときは村に戻って手伝ってくれといつも言われるけどね」

「家に帰るのはどんな気持ち？」

「退屈だね。あまりにも遅れている。まだ電気もないし、アビレはそんなもの要らないなんて言うし」

「たぶん、昔からのやり方の方が彼女はいいんでしょう」

「さあね。昔のままがいいなら、古くさいやり方にこだわっていればいい。でも、ラダックは変わっていく。気が遠くなるほど長いあいだ畑を耕してきたんだよ、ヘレナ。もうそんなに苦労したくないんだよ」

「ラダックの連中は一日中なまけてばかりいる、と言ったくせに」

「僕が言いたいのは、どうやって進歩するかということを、村の人たちが知らないことなんだ」

ダワはもったいぶって、マールボロのタバコの箱をポケットから取り出した。私が断わると、彼は一本くわえて火をつけ、心配そうな顔を寄せてきた。

「今朝、ガールフレンドと喧嘩したんだ。ヘレナに会ったとき、実は彼女を捜していたんだ」

「あら、ガールフレンドってだれ？」

「まだガールフレンドと言えるかどうかわからないけど、オランダ人なんだ。ツアー客のひとりで、僕といるためにずっと滞在していたんだ。けど、彼女はもうここが好きじゃないって言うんだ。彼女は家に帰りたがっている。オランダで一緒に暮らすために、僕に一緒に来て欲しいって言うんだ」

「あなたはそうしたいの」と、私は尋ねた。

「家族を放っては行けないよ。僕の稼ぐお金を当てにしているんだから。でも、それが彼女にはわからないんだ」

この世はお金で回る

ここには貧困などない
——ツェワン・パルジョー　一九七五年

ラダックの人を助けてください。こんなに貧しい私たちを
——ツェワン・パルジョー　一九八三年

伝統的な暮らしでは、村人は生活に必要なものを貨幣を使うことなく得てきた。標高三六〇〇メートルの土地で大麦を栽培し、さらに標高の高いところでヤクやその他の家畜を飼育する技術を発達させてきた。人びとはごく身の周りにある材料を使い、自分たちで家を建てる方法を知っていた。唯一、外部から必要としていたのはおもに塩だけで、それは交易で手に入れていた。貨幣は限られた範囲で、おもに贅沢品に使われていた。

気がつけば、突然、世界的な貨幣経済の一部として、生活必需品にいたるまで遠方からの力が支配するシステムにラダックの人びとは依存していた。ラダックの人の存在さえ知らない人たちの下す決定が、彼らに影響をおよぼすようになっている。もし

ドルが変動すると、やがてインド・ルピーに影響する。これは、生きていくためにお金が必要になったラダックの人びとが、国際金融市場のエリートの支配下に置かれているということである。土地に頼っていたころは、自分たち自身が支配者であった。

はじめ人びとは、新しい経済が依存を生み出すということに気づいていなかった。お金は便利なものとしか映らなかった。お金は遠方の贅沢品をもたらし、昔からよいものとされてきたため、増えることは無条件で進歩だと思われた。昔なら買えなかったような、たとえばインスタント麺やデジタル時計など、今ではあらゆる輸入品を買うことができる。

今までとかなり違う経済システムに、必要なものすべてを依存するようになり、インフレ動向の影響を受けるようになった。そのため、人びとの頭の中はしだいにお金でいっぱいになったとしても、不思議ではない。二〇〇〇年ものあいだ、ラダックでは大麦一キロは大麦一キロであった。だが、今はその価値がはっきりしない。今日、もし一〇ルピーで大麦二キロが買えたとしても、明日、どれだけ買うことができるか。

「まったくひどいもんだ」とラダックの友人が私に言ったことがある。

「みんなとても貪欲になった。昔はお金は重要じゃなかったが、今じゃ考えることといったらお金ばかりだ」

もともと人びとは、使える資源の限界、個人の責任をわきまえていた。年寄りたちが、「土地の分割をはじめたり、人口が増えたりしたら、いったいどうなるんだ。うまくいくはずがない」と言うのをよく聞いた。賃金労働が都市にあるといっても、そこには自分の命を支える水や大地は見えない。村でなら、その土地で何人の生活が支えられるか、目で見て確かめることができた。与えられた土地の生産量が決まっているので、村の人口を一定に保つことが重要だとわかる。だが、都市ではそうはいかない。都市ではどれだけお金を持っているかが問題なので、もはや出生率は重要ではない。お金があるほど多くの食料が買える。限界のある自然の法則やリズムに従う小麦や大麦よりも、お金はずっと速く成長する。お金にはどんな限界もないように見える。地方銀行のジャンムー・カシミール・バンクの広告にこうある。「あなたのお金は、私どもとともに速く成長します」

何世紀ものあいだ、人びとは対等の友人としてお互いに助け合いながら働いてきたが、今では収穫期になると賃金労働者を雇うようになった。お金を払う方はできるだけ低く抑えたがり、雇われる側はできるだけ高い賃金を望む。人間関係が変わってきている。お金が人のあいだに楔(くさび)を打ち込み、さらに溝を押し広げている。

ツェリン・ドルマ、ソナム・ドルマ夫婦の友だちが、伝統的なランスデの慣習にならって手伝いに来てくれたころは、家中がいつもお祭り気分になった。ソナムはこのときのために特別の料理を作った。だがここ数年は、その習慣もだんだん薄れてきて、レーの近郊にある彼らの畑では、賃金労働者に頼るようになってきた。ソナムは物価の上昇をこぼし、高い賃金を払わなければならないと憤っている。友だちと一緒に仕事をするときの、祭りの雰囲気はもうなくなった。賃金労働者は見知らぬ土地の人たちで、ときには平原部からやってきた言葉も通じないインド人やネパール人のこともある。

経済変化のため、農民でありつづけることが困難になった。共同作業でやっていたころは、お金は必要なかった。だが今では、農作業の労賃が上昇しつづけて支払いができなくなり、しかたなく村を捨てて街で賃金稼ぎをする農民もいる。村にとどまる農民には、自給のための食料の代わりに、収益を得るための作物を生産するよう圧力がかかるようになった。開発が進み、市場経済に依存するようになるにつれ、換金作物の生産が当たり前になってしまった。

新しい経済はまた、貧富の差を拡大した。伝統的な経済でも富に差はあったが、その蓄積にはおのずと限界があった。ヤクを飼育できる頭数や大麦を貯蔵できる量には限りがあった。一方、お金は簡単に銀行に預けることができ、富める者はさらに富み、貧しい者はさらに貧しくなっていく。

＊

レーでアンティーク・ショップを開くロブサンという男性を私は知っていた。ラダックの多くの店主と同じように、彼は農業に見切りをつけてレーに出稼ぎに来ていたが、妻子は村に残している。彼は子どもたちのためにできるだけのことをしてやりたいと思っており、家を持つことができたら一家を呼んで、子どもたちに教育、とりわけ英語教育を受けさせるつもりでいた。

私が挨拶がてらに立ち寄ったとき、ロブサンの出身の村から、ひとりの老人がバターを入れる壷を売りに入ってきた。村からはバスと徒歩で丸一日の旅である。おそらくその老人は、レーに住む親戚の家で数日を過ごし、バター入れの壷を売ったお金で必要なものを村に買って帰るつもりだったのだろう。彼は昔ながらのえんじ色のウールの服を身につけ堂々として見えた。彼は壷をふたつ、カウンターに置いた。何代にもわたって使われてきたため、壷には温かみのある艶があった。木目の細かなアンズの木で作られていて、間違いなく観光客を惹きつける素朴な優雅さがあった。

「素敵ね」と私は言った。

「その壷がなくなったら、どこにバターを入れておくの？」

「ミルク缶の古いやつさ」と彼は答えた。

ロブサンと老人は、値段のことでもめた。数週間前までは、ロブサンは今交渉しているよりもかなり高い値段を約束していたようであった。彼は壷のひび割れを指して、元の付け値を断わった。ロブサンが観光客に売るとき、その壷に十倍もの値段を付けることは私にはわかっていた。老人は哀願するような顔を私に向けたが、どうすることもできなかった。老人は肩を落とし、二、三キロの砂糖が買えるだけのお金を持って店を出ていった。

「素敵ね、なんて言わないでもらいたかったね」とロブサンは私を叱った。「もっと出さなくてはいけないじゃないか」

「でも、あのお年寄りはあなたと同じ村から来たんでしょう。それでも安く買いたたくの」

「嫌だが仕方ないんだ。それに、見ず知らずの連中ならもっと安く買ってるだろうよ」

ラマからエンジニアへ

僧侶なんて、だれが必要としてるんだ
——ラダックの青年　一九八四年

ラダックの「開発」が進むのを見ていると、お金とテクノロジーのどちらが変化の根本要因として重要なのかを判断するのは難しいが、両者が固く結びついて社会の構造変化の基礎をなしていることは明らかである。

ラダックでは、テクノロジーの変化はまだ全面的に起こっていないが、今の状況がつづけばいずれきっとやって来るだろう。すでに起きている変化によって、西洋流の技術開発の「副作用」がもう現われている。一例をあげると、レーにディーゼルエンジン稼動の新しい製粉工場がある。昔からある水車よりも何倍ものスピードで製粉することができるが、村人は小麦や大麦を村から遠く離れた製粉所まで運び、製粉料をお金で払わなければならない。製粉の速度が増すと粉は熱を持つため、栄養価が下がる。さらに、製粉所は有害な煙を大気中に排出している。

村では、生産技術は昔ながらの知識に頼って地域の資源を使ってきた。犂には地元の木材が使われ、鉄製の刃先は村の鍛冶屋で作られ、その犂を引くヤクあるいはゾーは高地の野草で飼育されてきた。このように、畑の犂起こしに要する技術と材料はほとんどすべてが再生可能なもので、簡単に手に入れることのできるものであった。

伝統的な技術を理想化して考えることはたやすいが、それらが生む利益を無視することも西洋では一般的である。古いものが新しいものよりも優れていることを、特に機械を使うよりも家畜とともに働くことの利点について、タシ・ラプギャスは話してくれたことがある。

「家畜は自分の友だちになり、関係が深まる。もし家畜が仕事をよくこなしてくれたり、特によく働いてくれたりすれば、何か褒美の餌をやることもある。だが、機械は死んでいるので、なんの関係も生まれてこない。機械と働いていると、自分が機械のようになり、自分自身も死んだようになってしまう」

もちろん、昔ながらの耕作方法では時間がかかる。四〇アール（四〇〇〇平方メートル）ほどの面積を耕すのに半日はかかるだろう。タシとは違ってラダックから一歩も外へ出たことのない農民は、時間が節約できる技術を歓迎するだろう。トラクターなら同じ仕事を三十分でできるのに、なぜ半日も費やすことがあるだろうか。だが実際には、新しい高速の機械は結果的に時間の節約にはならないのである。

伝統的な経済では時間はあり余るほどあり、季節による制約しかなかった。どんなに仕事が多くても、生活は人間らしいペースで行なわれ、だれもがそれに合わせて働くことができた。対照的に現代の経済は、時間というものを何か売買できるような商品に変えてしまい、突如として計ったり、最小単位にまで分割されるものにしてしまった。時間は高価なものとなり、人びとが「時間節約」の新しい技術を手に入れれば、それだけ生活のペースも速くなっていくだけなのである。

今ではラダックの人は、昔ほどお互いのため、あるいは自分のための時間が少なくなっている。そのせいか、自分を取り巻く世界に対する繊細な感覚、たとえば、天気や星の動きのわずかな違いを見分ける能力などを失いつつある。マルカ谷の友人は、そのへんのことを、私にこう要約してくれた。「――私にはわからないね。レーにいる妹は、仕事を早く片付けるためになんでも持っているよ。服は店で買うだけだし、ジープ、電話、ガスコンロも持っている。これらはみんな時間を節約してくれるというのに、訪ねても、私としゃべる時間もないいんだ」

変わりゆくラダックが教えてくれた大切な教訓のひとつは、近代世界の道具や機械が時間を節約する一方、全体的に見ると新しい生活様式は時間を奪い去ってしまう、ということである。開発の結果、近代的な分野で働くラダックの人たちは、今あるテクノロジーのスピードで競争せざるをえないような経済システムの一部に組み込まれてしまっている。このことが、私にはとりわけ重要なことのように思える。自分たちの社会で電話が普及すれば、もしそれを持っていなければ、経済的にも心理的にも大きな不利となる。直接にメッセージを伝えるということは、現実的な選択肢にはならない。同様に、いったん自動車やバスが出現すると、もはや徒歩や家畜に乗るという選択はできなくなる。たとえば、朝起きて「さて、今日は仕事に車で行くか、それとも歩きにするか」ということにはならない。生活のペースが決められているからである。

ソナムと一緒に、ヘミス・シュクパチャン村の彼の家をはじめて訪れたときのことであった。私たちがかまどの周りに座ると、彼はレーで見かけた観光客のことを話しはじめた。

「なんとも忙しそうなんだ」、「じっとしてることがまったくないようだ。ただパチリ、パチリ、パチリとね」。彼は、周りの人にわかるように写真を撮る格好をした。観光客をまねて幼い妹の頭を軽くなでて「はい、ボールペンをあげましょう」、「そしていつもこんな風にせわしなく走り回っているんだ」と言い、台所をドタバタ走り回ったり、跳んだりして見せた。

「なんでいったい、あんなに急ぐ必要があるんだい」

＊

技術変化は貧富の差も大きくした。自動車に乗って走り抜けるラダックの人は、歩いている人を心理的にも物理的にも砂塵の中に取り残していく。暮らしている所とは別の場所で働くようになると、新たな社会問題が起きる。女性が取り残され、村の社会は分断されてしまう。

ロブサンは役所に勤める運転手であった。その仕事を辞めた後、彼はジープを買って村に帰ってきた。夏のあいだ、彼は観光客を僧院へ運び、ほかの季節にはレーとのあいだを往復して隣人を運び、お金を稼いでいた。そのせいで、彼とほかの村人との関係が変化しはじめた。今や彼はほかの人が持っていないものを持ったため、もう村人の一員らしくなくなってしまった。

＊

「いつかきっと近い将来、ボタンを押せばプラスチックのバケツからリンゴまで、なんでも欲しいものが出てくる機械を作ることができるようになるだろうね」と、ツェリン・ドルジェは私にそう言った。彼はカシミールの大学で学び、そこで物理にとても興味を持つようになって帰ってきたところであった。私が驚いた様子だったので、彼は説明した。「あらゆるものは、究極的にはみな同じ原子でできているんだから、何か欲しいものを作り出すのに、原子同士をくっつけられない理由はないだろう」

ツェリンのこの考えは、価値観や行動の根本的な変化、人間にはほかの生物を超えたはるかに大きな力があるとする新しい世界観の誕生が反映されている。この社会では、もっとも尊敬される人は僧侶であったのだが、現代の社会ではエンジニアなのである。

ストク村のスマンラの家に滞在していたとき、父親と祖母が末息子の将来について話し合っているのを耳にした。ふたりの会話はよくある話で、アビレは、少年に僧侶になって欲しいと願っていた。彼女が言うには、どの家でもだれかひとりは僧院に入るべきだというのである。だが、父親は息子が役所の仕事に就けるよう、現代教育を受けさせようと熱心であった。父親は信心深かったが、息子には新しい道を進ませたかった。兄のニンマはすでにカシミールの農業大学で学んでいた。アビレは、「ニンマが高校を卒業してからどうなったか見てごらん。あの子は今じゃ仏の教えなんてどうでもいいと思ってるよ」と言う。「そのとおりだ」と父親が答えた。「だが、そのうちあの子はお金を稼ぐようになる。今の時代、それが必要なことなんだ。何がいちばんかなんてわからないだろう？　この村にいたんじゃ、新しいやり方なんかわかりっこないさ」

ラマ僧に代表される世界観と、エンジニアに代表される世界観は大きく異なっている。昔ながらの考えは、あらゆる生命の調和と依存関係を強調するという世界観を基本にしている。新しい科学的な世界観は、それらの分離を強調しており、われわれ人間はほかの生物の輪の外側に立ち、離れて存在すると語っているかのようである。自然の仕組みをさらに理解するためには、ものをどんどん細かく分割し、孤立した断片を調べさえすればよい、とする考えである。

ラマ僧からエンジニアへという世界観の変化は、すべての生き物に対して共感と憐れみを持って接するという倫理観から、倫理基盤を持たない「客観性」へと移りゆくさまを表わしている。

西洋式の教育

知っていても、だれかに聞くべし
――ラダックの諺

知識を広げ、それを深める、この本来の教育の価値を認めない人はいないだろう。だが今日では、教育はまったく別のものになってしまった。教育は、西洋化、都市化された環境に適した視野の狭い特殊な子どもにしつけ、自分の文化や自然から隔離してしまう。ラダックでは、この過程に特に目を見張らせるものがある。子どもたちが自分の居場所を見極められないようにしている近代教育は、ほとんど目隠しのような働きをしている。子どもたちが学校を卒業するときには、自らの持てる資源の活用はできなくなっているし、自分が社会で果たすべき役割を果たせなくなっている。

ラダックの伝統的な文化には、僧院での宗教的な訓練のほかには「教育」という特別な過程がなかった。教育とは、村落やその自然環境との緊密な関係から生まれるものであった。祖父母、家族、友だちから学んだ。たとえば、種播きを手伝いながら村のこちら側は少し暖かく、向こう側は少し寒い、というようなことを学んだ。経験を通して子どもたちはさまざまな大麦の種類を見分け、それぞれの品種に適した生育条件を識別できるようになる。子どもたちは、どんなささいな野生植物でも見分けてその利用法を学び、遠くの山肌に群れる家畜の中から特定のものを見つけ出すことを覚えた。網目のように複雑で、変動していく身の周りの自然界で起こるさまざまなものの結びつきや過程、変化を、子どもたちは学んできた。

ヤクの皮から靴を作り、羊の毛から上着に仕上げ、石と泥で家を建てる方法など、何世代にもわたってラダックの人びとは、自分たちの生活に必要な衣服や住居をこしらえる方法を学びながら育ってきた。教育は地域に密着し、生きている世界との密接な関係を育むものであった。子どもたちがやがて大きくなったとき、こういう教育を通じて資源を有効に、かつ持続的に使うことができるような、直感的な判断力を養うことができた。

こういった知識は現代の学校では学べない。自然環境よりも、科学技術を重んじる社会で専門家になるように訓練されるからである。学校は、昔から伝えられてきた技能を忘れさせ、さらに悪いことに、それを見下す場となっている。

西洋式の教育は、一九七〇年代、ラダックの農村にはじめて導入された。一九九一年には二百ほどの学校ができた。基礎的な教育課程は、インドのほかの地域のものと同じく質の悪い複製である。インドの教育課程そのものが、イギリスの真似である。ラダックらしいところがほとんど何もないのである。レーで、ある教室を訪ねたとき、教科書に載っている子ども部屋を見たが、その部屋はどう見てもロンドンかニューヨークにありそうな部屋であった。その絵の中のベッドには、きちんと折り畳んだハンカチの山が描いてあり、タンスのどの引き出しにしまうか指示してあった。同じくらい馬鹿ばかしく不適切な例が、ソナムの妹の教科書にあった。彼女は、ピサの斜塔の傾きを計算する宿題をやらされたことがある。またあるときは、英訳の『イリアッド』と格闘していた。

ラダックの子どもたちが学校で教わる教育のほとんどは、役に立っていない。ニューヨークの子どもが相手なら当てはまる教育だが、その不適切な複製が教育されている。ラダックに足を踏み入れたこともなければ、標高三六〇〇メートルの土地で大麦を栽培することも、日干しレンガで家を建てることも知らない人が書いた教科書で、子どもたちは教育されているのである。

今では、世界のどこへ行っても西欧中心のモデルを前提とした「教育」が行なわれている。身近ではない事実や数字などの一般的な知識に教育の焦点がおかれている。教科書には、この地球という惑星全体に適合する情報であふれている。子どもたちが習うものは、特定の自然環境や文化からかけ離れた一般的な知識であるため、身近な場面や状況から断ち切られたものになっている。子どもが、あるいは高等教育へ進み、家の建て方を学ぶこともあるだろう。ただしその家とは、コンクリートと鉄筋を使った世界共通の箱を指す。同じように、農業を勉強することになれば、化学肥料、農薬、大型機械、改良品種に依存した工業化された農業について学ぶことになる。西洋の教育システムは、世界中の人びとに地域の環境を無視し、同じ資源を使うことを教えることによって人類全体を貧しくしている。こうして教育は架空の資源不足を作り出し、競争を作り出している。

ラダックの特にはっきりとした例のひとつとして、ヤクとその交配種が、ジャージー種の牛に取って代わっていることがあげられる。ヤクは伝統的な社会の経済では、重要な役割を果たしてきた。ヤクはラダックの自然環境に完璧なまでに適合した家畜で、四八〇〇メートルを超える氷河地帯に好んで生息する。長距離を移動し、垂直な崖を登り降りして草を食み、この決して肥沃とはいえない土地に生えるわずかな植物を糧にたくましく成長する。体を覆う長い毛で寒さから身を守り、巨体にもかかわらずゴツゴツした岩肌でも見事にバランスを保つことができる。燃料、肉、労働力、そして毛布を作るための毛を提供してくれる。雌のヤクは、日に三リットルほどの少ない量ではあるが、とても栄養に富んだ乳を出す。

近代的なものの見方からすれば、ヤクは「非効率的」なのである。西洋式の教育を受けた農業専門家は、ヤクを見下す傾向がある。「ドリモ（雌のヤク）は、日に三リットルしか乳を出さない」と彼らは言う。「われわれに必要なのはジャージー牛である。ジャージー牛なら、日に三〇リットルの乳を出す」と言う。専門家たちが受けた教育では、彼らの勧める技術が与える影響を、文化、経済、環境といった、より広い視野から捉えることをしない。ヤクは放牧によって広範囲におよぶ土地からエネルギーを集約する。そのエネルギーは、最終的には燃料のほか、食料、衣類、労働力として人間の役に立ってきた。ジャージー牛はこれと対照的で、四八〇〇メートルの標高で生息することはおろか、その高さまで歩いていくことすらできない。ジャージー牛は人が住む標高三〇〇〇から三三〇〇メートルの所で飼育せざるをえず、飼料を別に生産し、専用の家畜小屋を造り、舎飼いしなければならない。

近代的な教育は、それぞれの地域にある資源を無視することを教えるばかりでなく、さらにラダックの子どもたちに自分自身や自分たちの文化が劣ったものだと思わせてしまう。学校では何もかも西洋モデルを奨励するため、子どもたちは自分の文化の伝統を恥ずかしく思ってしまう。

一九八六年に、ある学校で、西暦二〇〇〇年のラダックを想像するよう生徒に問いが出された。「一九七四年より前は、ラダックは世界に知られていませんでした。人びとは文明を知りませんでした。だれもが笑顔でした。お金は要りませんでした。自分が持っていたものだけで十分でした」とある女の子は書いた。別の子どもはこう書いた。「ここの人たちは自分たちの歌を歌うとき、まるで悪いことでもしているみたいに歌う。でも、英語やヒンディー語の歌を歌うときは、喜んで歌う。――最近は、恥ずかしく思って私たちの服を着ない人が増えている」

教育は人びとを農業から遠ざけ、貨幣経済に頼らざるをえない都市へと引き込んでいく。ラダックには失業などというものは存在しなかったが、近代化された部門、おもに政府関連の給料のよいごくわずかの職を巡って、激しい競争が生じている。その結果、失業がすでに深刻な問題になっている。

近代的な教育は、読み書きや基礎的な計算能力の向上といった、明らかな利益ももたらしている。しかも、教育は外の世界で働いているさまざまな力について、ラダックの人たちが知ることを可能にした。だが、近代教育はラダックの人びと同士を分断し、土地から切り離し、地球規模の経済システムの最下層に位置づけてしまった。

中心地の引力

ラダックの文化を証明できるものは、何も残らないと思います
——ラダックの変化についての作文より（ドルマ　八歳）

私はレーからシャクティ村へバスで旅行をした。よくあることだが、バスの中である女の人が私の国の生活について尋ねてきた。「素敵ですね」と彼女は言った。「とっても暮らしが楽に違いないわ」

「いいえ、あなたが想像するとおりではありません」と答えた。「きっと驚くわよ。悪いところもたくさんあるんですよ」。私は彼女にさまざまな問題を話して聞かせた。大都市では、たくさんの人間が寄り集まって住んでいるにもかかわらず、近所の人の名前も知らないこと。親は子どもと過ごす時間がないこと。空気は汚れ、通りは騒がしいこと。私が話し終えたとき、バスの後部にいた男が女の人に呼びかけ、私がなんと言ったのか聞いた。「あっちの暮らしは、最近のレーと同じだって」と、彼女は大声で答えた。

私がレーに来たころは、レーは綺麗な町であった。舗装された道路は二本しかなく、エンジンの付いた乗りものは滅多に見なかった。渋滞の原因は牛ぐらいであった。空気は澄み切っていた。空気があまりにも綺麗なので、盆地の向こう三〇キロほど隔てた雪をかぶった頂が、手に取るほど近くに見えた。町の中心から五分も歩けばどの方角にも大きな農家が点在し、大麦畑が広がっていた。レーには村の雰囲気があった。人びとはみんなお互いに知っていて、挨拶を交わし合っていた。

過去十六年間にわたり、私はこの村がゴミゴミした都市に変わっていくのを見てきた。なんの面白味もない、殺風景な「住宅地」が緑地に食い込み、ほこりっぽい砂漠へと広がっていった。そこここにあった樹木は電柱に変わった。剥げて落ちかけたペンキ、錆びた金属、壊れた窓ガラス、捨てられたプラスチックのゴミなどが今は風景の一部になってしまった。大きな街頭看板には、タバコと粉ミルクの宣伝が描かれている。

何世紀ものあいだ、レーは持続可能な経済に根ざしてきた。町と農村とのあいだには自在なバランスがあり、互いに補ってきた。ごくひと握りの人たちは外の世界との商売で暮らしを立てていたが、ほとんどの経済活動は地元の資源に基づいて営まれていた。今では経済開発によって、レーはまったく違った経済基盤に立つ中心地に変身してしまった。レーと外の世界とを結ぶ道路の建設は、ラダックの人びとを地球規模の巨大経済に組み込み、地域の経済活動はレーに集中した。レーには近代的な生活の要素のすべてが流入してきた。電気、唯一のガソリンスタンド、政府機関、現金収入のある働き口、たったひとつの病院と映画館、レベルの高い学校、ふたつの銀行、さらにサッカー場まである。ラダックでの経済開発はほかのどの地域でもそうであるように、人びとを中心へ引き込む渦巻きのように作用した。過去十六年間でラダックの人口は二倍近くになり、若者が職と教育を求めて都市に移動するにつれ、農村人口は減ってしまった。

たくさんの人が狭い場所に集まりつづけると、多くの問題が発生する。夏になるとレーの通りはのろのろ運転の車でいっぱいになり、ディーゼルエンジンから出る真っ黒な煙が立ちこめる。昔の礼儀正しさは、他人を押しのけ、かき分ける近代的な都会生活に変わり、近くに住むようになったが、人と人との距離は遠くなった。相互扶助、相互依存を当然のように行なってきた村固有の政治、経済構造は崩壊してしまった。病気や、あるいは何か援助が必要になったとき、レーに住む人は壁一枚向こうのアパートの見知らぬ隣人より、村にいる自分の親戚に助けを求めるだろう。レーの住宅事情は劣悪で、八人家族が住むのはたいていが台所、トイレなしの二間である。

ノルブはストク村で家族とともに育った。家は三階建てで、漆喰の白壁、彫刻を施したバルコニーがあり、表に面した居間の壁にはフレスコ画が描かれている。その居間から、ポプラで縁取られた野原、氷河の雪解け水が流れる小川を望むことができた。家のそばには村の僧院、反対側には王宮がある。

ノルブは今、ひとりでレーの小さな部屋に住んでいる。たったひとつの窓からは、ほこりっぽいサッカー場の一角、鉄条網、電柱、切れた鉄線の塊が見える。公衆便所として使われている近くの崩れかけた壁には、家畜の侵入を防ぐためガラスの破片が刺してある。

ノルブが村を離れ、レーへ出てきたのは必ずしも彼の選択ではなかった。だれかが彼にそうすることを強いたわけでもない。抗しがたい近代化の圧力が、それぞれの個人を都市という中心へ引き込んでいる。彼の受けた教育は、近代化した分野の仕事に就くのにふさわしいものだったし、そういった仕事はすべてレーにあった。彼は現実的にも、気持ちの上からも農民にはなれなかった。

＊

現代の中央集中型経済は、大量のエネルギーを使用することによって成り立ち、資源消費の増加を促している。莫大な投資で造られた道路網は、遠方の商品への依存を助長した。近頃のレーではほとんど自給の生活をしなくなった。食べ物、衣類、そして建築資材のすべてを、大気を汚しながら、列をなして途絶えることなく走るトラックで運ばなければならない。こういった生活物資は、ときにははるか遠く南インドから運ばれてくることもある。水までが「輸入」されなければならない。レー周辺の農村では大切な灌漑用水が減っている。そのため、交互に灌漑する古来からのシステムが崩れてきている。

新しい輸入製品の害について、人びとはほとんど何も知らされていない。ラダックの多くの人びとは、現にアスベスト（注1）の板切れの上でパンを焼くし、殺虫剤の缶が塩入れとして使われているのを見たこともある。インドで使われている殺虫剤の七〇パーセントは、西洋では禁止されているか使用を厳重に制限されているにもかかわらず、ここでは使用されている。ラダックには害虫がほとんどいないのだが、農民はDDTよりも強力なBHC（注2）を使うことを奨励されている。ラダックの友だち数人に、彼らが使っているバターにはホルムアルデヒド（注3）が含まれていて、体に悪いと私は説明したことがあるが、彼らはとても驚いていた。そんなに有害なものが店で売られ、それをたくさんの人びとが食べているとは信じられなかったのである。

ゴミはその種類を問わず、昔の村でならその存在は忘れられていた。だがレーでは、リサイクルの手段が何もない。食べ残しから、遠距離輸送に必要なプラスチックやガラス、紙、金属の包装用品にいたるまで、ゴミの山は積もる一方である。伝統的な経済においては貴重だった資源が、今では徐々に無視されてきている。

たとえば、人の排泄物はもう土地の肥料として使われなくなっている。量としては多くはないが、その排泄物のために新たな処理方法が必要となり、問題になりつつある。それを処理するため、少ない資源を振り分けなければならないからである。水洗トイレが造られると、貴重な水を屋根まで汲み上げるためのエネルギーが必要となり、そうして汲み上げられた何十リットルという水は、数キロものパイプを流れ、浄化槽にたどり着く。人口が集中したレーでは、水漏れするタンクは汚染の大きな原因であり、肝炎やそのほか、水を媒介とする病気の発生件数の上昇につながっている。

レーで近代化された生活をしている人に、今までほとんど知られていなかった「文明の病気」がしだいに一般化している。これらの病気には癌、脳卒中、そして糖尿病も含まれている。運動不足、ストレスの増加、さらに脂質と糖分を多く含む加工食品ばかりの食生活がおもな原因である。ここ数年、ラダックの友人の多くが太り、不健康になっているのを私は知っている。

何千、何万というラダックの人のための医療は、現在レーにあるたったひとつの病院に集中している。発展途上の多くの国がそうであるように、このような医療システムから生まれるのは、西洋医学のできの悪い真似でしかない。なかには優秀な医者もいるのだが、近代西洋医学特有のシステムのため、彼らが本領を発揮できる見込みはほとんどない。近代のシステムは極度に資本集約型であり、エネルギー集約型だからである。レーのこの病院を西洋の水準に近づけるためには、ラダック全体の開発予算、あるいはそれ以上の資金を注ぎ込まれなければならない。今の状態では、医者に診察してもらうために長時間待たねばならないし、病棟は患者でいっぱいの上、人手は足りなく医薬品や器具も欠乏している。水の供給は、うまくいったとしても不規則だし、衛生設備は目も当てられない。

このようなレベルの西洋式の集中医療であっても、伝統的な医療システムを衰えさせるのに十分なのである。医者になるための近代的な教育と訓練は、伝統的な医療の手法を無視するため、自分たちの文化と資源から遠ざけてしまう。アムチのやり方は、時間がたっぷりあることを前提としている。技術を学ぶにしても、弟子を一人前にするにも、患者を診るにも、薬を用意するにも……。山でたったひとりで薬草を集め、乾燥させ、粉末にし、調合しなければならないアムチが、どうして政府が助成しているシステムの一部である大きな製薬会社と競争できるだろうか。昔はほとんどの村にひとりはアムチがいた。今彼らの数はずっと少ないし、若い弟子の数はさらに少ない。農業も衰えてきている。運び込まれる穀物に補助金が出るため、レーではパンジャブ地方の小麦粉を買う方が、近くの村でできた小麦粉を買うより安い。米、砂糖、そのほかの食品にも補助金が出ている。そのため、自分で作物を作るのは「不経済」になってしまう。かつての経済においては想像もできなかった概念である。

近代経済はこれまでの常識を覆してしまう。たとえば、こういうことがある——。最近のレーでは、土で家を建てるのはけた外れに高いのに、セメントの相対的な値段は下がってきている。これは西洋式の経済発展が、地元の経済体系をいかに害するかを示すよい例である。加工された重い建築材料はヒマラヤの山々を越えて運び込まれるので、無料で豊富な取り放題の土と価格競争をするのは不可能に思える。だが、こういうことが、まさしく現実に起こっていることなのである。

近代化されたことにより、土地は金銭的価値のある商品となった。人が集中するにつれ、それぞれに与えられるスペースは狭くなり、以前ならお金のかかることのなかった土地が、どんどん高騰していく。土から煉瓦を作るには、単に家の周りの土を掘り返すだけでなく、拡大しつつある都市部を離れ、遠くへ遠くへと出かけていかなければならない。さらに、土そのものにも、煉瓦を作る労働に対しても、できた煉瓦を町まで運ぶためのトラックにも、現金を支払わなければならない。時間は今ではお金を意味し、これが土を使うもうひとつの不利な点となっている。土で家を建てるには時間がかかるからである。さらに、前にも触れたように「教育のある」人びとの大多数は家の建て方など勉強していないため、エンジニアはセメントと鉄を使うことになる。その結果、土で家を建てる技術はどんどん希少なもの、高いものになっていく。土の家に関しては、心理的な側面もある。人は遅れて見えることを恐れているのである。伝統的なものは、すべて後進的に見えるようになってきている。土の家はイメージが悪いので、近代的な家に住みたがる。

食べ物と建築材料のほか、三番目の必需品である衣料も新しい経済システムの影響を受けている。羊毛の衣類は、化学繊維に、さらに移入された毛織物に取って代わっている。以前はお金のかからなかった手織りの羊毛の上着は、高すぎて着ることができないものになってしまった。

あらゆる領域に同時に作用しているさまざまな圧力が、ラダックの人を、彼らの固有の資源から遠ざけるのを見てきた。その原因はとても複雑で、生活様式全般の組織的な変化と関係している。だが明白なのは、中心地へのこの引力は、かなり意図的な計画の直接の結果である。西洋が経済発展に固執することによって、ほかの国にも「発展」するよう圧力がかかることになる。その経済発展に必要な条件を整えるため、各国政府は巨額な資金を社会を再構築するために投じる。集中的な電力生産から、都市化を促す西洋式の教育まで、発展途上のどこの国もその根底にある社会の構造は同じである。その結果として生じる問題も、また同じということなのである。

(注1)アスベスト(石綿)は天然の鉱物繊維。絶縁、断熱に優れ、その耐久性ゆえに、いったん吸い込んで肺の中に入ると、組織に突き刺さり、長い間とどまって、何十年か経ってから肺癌、悪性中皮腫などの病気を引き起こす。欧米では一九八〇年代に禁止処置が取られている。日本では、政府が二〇〇三年五月になってようやく全面禁止の手続きに入ったと厚生労働省が発表した。アスベストを含む建物の取り壊しのピークはこれからであり、飛散による被害が懸念されている。

(注2)いずれも塩素系農薬で毒性が強く、高い残留性を持つ。日本では一九七〇年代前半に使用禁止となったが、インドなどの開発途上国では、現在でも多量に使用されており、環境汚染、特に生物濃縮や、微量であっても環境ホルモンとしての影響が懸念されている。

(注3)これを四〇パーセント程度水に溶かし込んだものがホルマリンと呼ばれる水溶液で、防腐・殺菌剤などに、安価なこともあり広く使われている。高濃度では人体にいろいろな急性の障害を引き起こすが、低濃度でも人によってはシックハウス症候群のような障害を起こすことがある。

引き裂かれた人びと

流行を追うことでプライドを生み、仲間意識を弱める
――ラダックの変化についての作文より（ノルブ　十歳）

ラダックに来てはじめての年、私はチリン村からマルカ谷まで友だちとトレッキングをした。数十メートルも真っ逆さまに川に落ち込む険しい崖の、とても細い道に私たちはさしかかった。道の向こうから、杖を持った老人がしっかりした足取りでやってきた。私たちはお互いに挨拶を交わし、立ち止まっているのが不可能だったので、そのまま歩きつづけた。私の歩み具合は気が遠くなるほど遅かった。十分ほどして、先の老人が呼んでいる。彼はすでに道の険しい箇所の終わりにたどり着いており、私が苦労しているのに気づいたようであった。彼は私に杖を渡すため、自分が来た道を、私がいるところまで戻ってきた。「わしなんかより、あんたのほうが、ずっとこの杖が要るんじゃないかね」と言って、彼は笑った。

だが今では、レーの混雑したバス停からバスに乗るとき、老人でさえも私を押し退

けて先に乗ろうとするので、私も人をかき分けて乗らなければならない。

かつての経済においては、他人に頼らなければならないことがみんなわかっていたので、お互いに気遣った。だが、新しい経済秩序になってからは、人と人との距離が空いてしまい、まるでお互いが必要ないかのように見えてしまう。もちろん、結局はお互いを必要とするのだが、今までのような家族や友だち、隣人としての直接的な関係ではなくなってしまった。現在では政治的、経済的な関係は、顔の見えない官僚制という回り道を通して結ばれる。地域の相互依存の関係が崩壊しかけており、他人に対するかつてのような寛容さや、協力の度合いも低下している。これは、レーの近くの村々について、特に言えることである。親密だった共同体の中や家族のあいだでさえ、数年前から言い争いや他人に対する厳しさが目に見えて増えてきた。灌漑用水の分配のことで白熱した議論が繰り広げられるのをスカラ村で目にしたことがある。昔ならこうした問題は、「お互いさま」という関係の中で、円滑に処理されていたことである。

相互扶助が消え、それに代わって自分たちとは疎遠だった権力への依存が進むにつれ、人びとは自分たちの生活に係わる決断に無力感を抱きはじめている。あらゆる面に消極性、無関心が浸透しはじめている。人びとが個人の責任を放棄しているのである。かつての村では、灌漑水路を修理するのは村人みんなの責任であった。水路の水漏れを見つけると人びとはすぐに集まり、シャベルで漏れをふさいだ。今では、村人は水路の修理は政府の仕事だと見なしており、修理が行なわれるまで水路は放置され、水は漏れっぱなしである。政府が村人に何かをすればするほど、彼らはますます自分たちでなんとかしようという気を起こさなくなる。

ヌルラ村に設置された簡便な水力発電所について政府の役人と話したことがあった。「私にはさっぱりわかりません」と彼は言った。「村人たちはいつだって古い水車をよく手入れしていたのに、この新しいものには関心がないようです。夏のはじめ、タービンに石が入ってしまったことがあるんですが、だれもそれをなんとかしようとはしませんでした。だから今、電気が停まっているんですよ」

現在、「開発」によって人びとはどんどんより大きな政治的、経済的集団へと結びつけられている。以前は集団の規模が小さく、共同体のメンバー同士が直接係わることができたので、それぞれの個人が実際の力を持っていた。政治的に見れば、ラダックの人びとは、二〇〇〇年五月に十億人を突破したインドの人口の中のひとりにしかすぎず、地球規模の経済の一部としては、何十億人の中のひとりにしかすぎない。

メディアによってもたらされる文化の一極集中化も、自信喪失と消極性をますます深めている。伝統的に踊りや歌、劇が盛んに行なわれてきた。子どもから年寄りまで、あらゆる年齢の人が参加した。火を囲んで座っている人たちのあいだで、よちよち歩きの幼児までもが兄や姉、友だちの助けを借りて踊り出した。だれもが歌い、演技し、音楽を奏でることができた。ラダックにラジオが入った今、もう自分で歌を歌ったり、自分の物語を聞かせたりする必要もなくなった。座ってラジオをつければ、最高の歌手、最高の語り手を聞くことができる。そのせいで人びとは自意識過剰になり、自分を抑制するようになった。ラジオのスターたちには決してかなわない。今や自分と比較するのは、歌うのは自分より上手かもしれないが、踊るのはそれほどでもない実在の隣人や友人ではなくなってしまった。一緒に曲を作ったり踊ったりする代わりに、最高のものを受け身になって聞くことによって、共同体としての結びつきも薄れてしまう。

*

レーの空港で到着便を待っているあいだ、私はダワと彼の友だちふたりと出会った。ダワはドイツからの団体客を待っていて、彼の友だちは仕事を期待していた。友だちのひとりはゲストハウスを経営しており、もうひとりはトレッキングのガイドであった。彼らはそのとき、ラダックで撮影中だったヒンディー語の映画のことを私に話しはじめた。彼らは俳優のサインをもらうため、明らかに映画セットの周りで何時間も過ごしたらしく、ようやくサインしてもらい、それを私に誇らしげに見せてくれた。ヒロインの甲高い声をダワが真似したのは、おかしかった。彼らはどんな小さな特徴も、細部も見落さなかった。ヒーローのしぐさ、煙草のふかし方、煙草とウィスキーはどの銘柄を好んだか。スターの眩しさは彼らの心に深く印象づけられた。ダワと彼の友だちとの会話を、私は悲しい思いで聞いた。

同じ日に、パルジョーとの一週間に一度のミーティングがあった。彼は歌謡を書き写すのを手伝ってくれていた。私はダワと彼の友だちに空港で会ったことを話した。

「パルジョー、若い人たちの変わりようを見て嘆かわしくならない？　ダワは自分がだれだかわからなくて混乱しているみたい。荒っぽい映画の登場人物のように振る舞っているわ」

「わかるよ」と彼は言った。

「私の下の息子もそうなりはじめているから」

＊

人と人との深く息の長い結びつきから生まれる安心感とアイデンティティを失うにつれ、ラダックの人たちは自分が何者なのかあやふやになりはじめている。同時に、観光産業と映画や広告看板などのメディアが、彼らにかくあるべしという新しい理想像を提示している。ラダックの人たちに夕食はテーブルで食べ、車を運転し、洗濯機を使うという、基本的に西洋式の生活をすべきだということなのである。文明化した社会に必要不可欠なものとして、あらゆる種類の製品があげられている。現代的なキッチンやトイレが大事なステータス・シンボルとなる。新しい理想像は、ラダックの人たちに進歩して違う人間になれ、と言っている。

意外にも、おそらく近代化は個性の喪失へと導いている。人びとが人目を気にし、自信を失うにつれ、理想化されたイメージに見合うよう順応せざるをえないと感じる。対照的に、同じ服を着、部外者にはみな同じように見える昔からの村では、もっと寛い(くつろい)で、自分らしくしていられる自由があったように思う。共同体の一員として、人びとは十分に安心して、あるがままでいられた。

地域の経済的、政治的なつながりが壊れると、周りの人はますます大勢の中のひとりになっていく。同時に生活のペースが速まり、生活の範囲が広がり、親しい関係までもが表面的で希薄なものになってしまう。人と人のつながりが、形式的なものに衰退してしまう。その人がどういう人間かよりも、何を持っているかで判断されるようになり、人間性が、洋服やほかの持ち物の陰に消えてしまう。

私がラダックで見た悪循環の中でも、おそらくもっとも悲劇的なのは、個人の自信喪失が、家族や共同体の結びつきを弱くすることにつながり、それがさらに個人の自尊心を脅かすということだろう。この悪循環全体の中で、消費主義が重要な役割を果たしている。情緒の不安定さが、物質的なステータス・シンボルへの欲求を強めるからである。自分を認めてもらいたい、受け入れてもらいたいという理由で、持ち物を増やそうとする衝動を強める。持ち物によって自分の存在を認めてもらいたという表われである。これは結局、物そのものに魅了されることよりも、はるかに重要な動機になっている。賞賛されるため、尊敬されるため、そして愛されるために人びとが物を買うのを見るのは心が痛む。実際にはそのほとんどが、避けがたく反対の結果を招くからである。ピカピカの新しい車を持っている者は、特別扱いをされる。これがさらに受け入れられようとする要求を高める。自分らしさを失い、ほかの人と離ればなれになる連鎖が動きはじめることになる。

私は人びとがいろいろな意味で分断されていくのを見てきた。老人と若者が、男性と女性が、金持ちと貧乏人が、そして仏教徒とイスラム教徒とのあいだに、隔たりができつつあるのを見てきた。なかでも、近代的な教育を受けた専門家と、読み書きが不自由で、遅れていると見なされる農民との隔たりがいちばん大きいだろう。近代化されたレーの住民は、地元に残っている親戚よりも、デリーやカルカッタの人たちのほうに共通点をたくさん見出し、自分たちより遅れた土地の人たちを軽蔑する傾向がある。近代化された生活をする子どもたちの中には、自分の両親や曾祖母とあまりにもかけ離れてしまったため、同じ言葉で話すことさえなくなってしまう子もいる。ウルドゥー語と英語で教育を受けるため、子どもたちはラダックの言葉をうまく話せなくなっているのである。

大きな分断を引き起こす要因のひとつに、男性と女性のそれぞれの仕事が以前よりも区別されてきて、両者の役割が両極に分化したことがあげられる。産業化の結果、世界中で見られることのひとつに、男性が近代的な経済システムの中でお金を稼ぐため、村に住んでいる家族のもとを離れるということがある。ラダックも例外ではない。男性は、家庭の外の近代化された部分に基盤をおいた生活の一部にすぎず、社会の単なる生産要員と見なされる。

私の友人、ソナムが典型的な例である。未亡人である彼の母親と妹たちはまだヘミス村にいる。数年前、彼は結婚したが、妻を村に残し、年に四回ほど会いに行く。たとえ妻と子どもたちを呼び寄せたとしても、彼は自宅から遠い所で何時間も働くため、ほんの少ししか家族と顔を会わせることができない。

女性に関していうと、彼女たちは見えない影のような存在となっている。自分たちのした仕事に対して賃金を貰わないため、今では「生産的」とは見なされていない。彼女たちの仕事は、国民総生産の一部として認識されていないことになる。政府の統計では、近代化された部門で働いている一〇パーセント程度のラダックの人たちは、その職業ごとにリスト・アップされている。主婦と昔からの農民からなる残りの九〇パーセントは、まとめて「非労働者」とされている。これは彼ら自身にも他人に対する態度にも現われ、世間から認められていないことが、明らかに心理的な影響を与えている。昔からの農民は、女性たちとともに劣っていると見なされ、彼らも自信をなくし、自分たちは世の中の役に立っていないと思いはじめている。

社交的でたくましかったラダックの女性たちが、自己を確立することもなく、容姿にとてもこだわる新しい世代の女性に変わっていくのを、過去何年にもわたって私は見てきた。前から女性の姿かたちは大事だったが、それよりも、寛容さや社交性を備えた才能のほうがはるかに重要視された。

デスキットを訪ねたある日、彼女が朝の十時に、たったひとりでテレビの前に座っているのを見つけた。彼女は新しい大きなビニール張りのソファと肘掛け椅子のある素敵な部屋にいたが、床に座っていた。子どもたちは学校へ、夫は仕事に出かけていた。私は村での彼女を知っていた。そのころは少しはにかみ屋だったが、かわいらしく、輝いていた。今のデスキットはまだかわいらしかったが、輝きは消えていた。幸せでないことは明らかで、とても内向的になってしまっていた。

伯母のひとりがデスキットの具合がよくないと言うので、私は彼女を訪ねたのであった。伯母にも、デスキット自身も、なぜそれほど幸せでないのか判然としなかった。彼女は欲しいものはすべて持っているように見えたからである。夫は医者というよい職に就いていたし、子どもたちはラダックで最高の学校に通い、家は近代的で清潔で、快適であった。だがこのような事態の展開が、デスキットを孤独にしていた。大きな共同体から引き離され、核家族に拘束された彼女にはやり甲斐のある仕事もなく、取り残されたのである。開発のプロセスが彼女を子どもからも引き離した。

新しい恵まれた立場になったにもかかわらず、明らかに家族や共同体の絆が壊れ、苦しんでいた。男たちもまた、子どもと接する機会がない。新しく作られた男らしさのイメージのせいで、若いころは子どもたちに愛情を示すことを妨げられ、後に父親になったときには、仕事が彼らを家庭から遠ざけた。

伝統文化においては、父親、母親両方との不断の接触だけでなく、異なった年齢集団と常に交流する生活のあり方も、子どもたちのためになった。年長の子どもたちにとって、自分たちより下の子どもたちに対して責任を感じることは、きわめて自然なことであった。成長することは競争ではなく、自然な学びの過程であった。学校では現在、子どもたちは年齢ごとに違うグループに分けられている。こういった一種の平等化は、とても有害な結果を生む。人工的に同じ年齢集団を作ることによって、お互いに助け合い、お互いに学び合う能力が大きく損なわれている。競争のための条件が自動的に作られ、どの子どもも、隣の子どもと同じぐらいできるように精神的な圧力がかかるからである。年齢のまったく違う子どもが十人いるグループでは、十歳の子どもが十人いるグループより、協力する場が自然に多くなる。

子どもたちがそれぞれの年齢集団に分けられるのは、学校だけではない。最近は、自分と同年代の者とだけで過ごす傾向がある。そのため、若者と年寄りのあいだでお互いに対する寛容さが失われてきている。このごろは、祖父母はたいてい村に残ったままなので、幼い子どもたちとその祖父母との接触は少なくなる一方である。何年にもわたってたくさんの大家族と暮らしてきた私は、子どもたちと祖父母とのつながりの深さを身をもって学んできた。子どもと祖父母との関係は、親との関係とはまったく違った面を持ち、とても自然な関係である。この関係を危うくすることは本当に悲劇である。

これらの圧力は、伝統的な家族の崩壊に一役買っている。西洋の基本的な型である核家族が模範とみなされ、ラダックの人びとは伝統的な一妻多夫婚の慣行も恥じるようになっている。若い世代が古い家族構成を拒否し、一夫一婦制を選ぶにつれ、人口が大幅に増えはじめている。同時に、僧侶として生きることに対する社会的な評価が下がってきているために、僧や尼僧の数が減っている。これも人口増加の一因になっている。

何人かのラダックの人が、興味深いことに出生率の増加を近代民主主義の到来と関連づけている。先日、ソナム・リンチェンが「権力とは票数の問題である」と言った。それは、近代化された部門では、自分のグループが大きければ大きいほど、権力を握る機会が多いということを意味していた。中央集権化された新しい枠組みの中での地位獲得競争と、自分たちの代表者である政治家を送り込むための競争とが、ラダックの人びとをますます分断している。民族、宗教的な違いは政治的に重要性を持つようになり、前代未聞の規模で、敵意と苛立ちを生み出している。

この新しい対抗意識が、私がラダックで見てきたものの中で、心の痛む分断のひとつである。この対抗意識は皮肉にも、つづいてきた宗教的信仰心の衰えに比例するように高まってきた。はじめてラダックに来たころ、仏教徒とイスラム教徒が相互に尊敬し協力する様子を見て、私がいかに驚いたかはすでに述べたとおりである。だがここ数年のあいだ、激しさを増す競争は現実に暴力にまで発展してしまった。それ以前にも個々の衝突の事例はいくつかあったが、集団レベルでの緊迫感をはじめて感じたのは、一九八六年、友だちであるラダックの人たちが他人の話をするとき、その人が仏教徒かイスラム教徒かを問題にしはじめたときであった。その後の数年間、いたるところで芳しくない兆候が現われたが、一九八九年の夏、あんな事件が起ころうとはだれも予想しなかった。イスラム教徒と仏教徒のあいだで突然、喧嘩がはじまった。レーの市場では大きな騒動が起き、四人が警官に撃ち殺され、ラダックの大部分で外出禁止令が出された。

この事件以来、あからさまな抗争は下火になったが、双方にある不信感と偏見が、関係を悪化させつづけている。暴力と不和には無縁だったラダックの人たちにとって、この事件は衝撃的な経験となった。あるイスラム教徒の女性が涙ながらに、「一連の事件は、私の家族を引き裂いてしまいました。ある者は仏教徒、ある者はキリスト教徒なので、今ではお互いに口もきかないんです」と私に言った。このときの彼女は、ラダックの人すべてを代弁していたのかもしれない。

騒動の直接の原因は、イスラム教徒に支配されていた州政府が、地元のイスラム教徒に味方して仏教徒を差別しているという、仏教徒の認識であった。イスラム教徒はイスラム教徒で、多数派である仏教徒の政治的な主張に対抗し、少数派である自分たちの利益を守ろうと躍起になっていた。だが、根本的な原因は、もっと広範囲におよぶものである。ラダックで生じていることは、孤立した現象ではない。カシミール州のイスラム教徒と、ヒンドゥー教徒が勢力を持っているデリーの中央政府との対立、ブータン王国でのヒンドゥー教徒と仏教徒政府とのにらみ合い、ネパールでの仏教徒とヒンドゥー教徒政府との軋轢、そしてさらに世界中で起きている数え切れないほどの衝突、これらはすべて根本的には同じ原因でつながっていると私は信じている。現在の経済発展のモデルはとても中央集権的で、農村地域から多種多様な人びとを都会という中心に引き寄せ、権力と意思決定をごく少数の手に委ねる。中心の都市では、雇用の機会は少なく、共同体としてのつながりも壊れ、競争は激烈となる。特に、近代化された部門で職に就くための教育を受けた若い男性は、生存競争の真っただ中に身を投じることになる。このような状況下では、どんな宗教的、民族的な差異も誇張され、歪められる。さらに、権力を持った集団はどうしても自分たちと同じグループの人間に味方する傾向があり、残りの人びとは差別的な待遇に苦しめられる。

発展途上国では、近代化によって民族間の対抗意識が険悪なものになったり、作り出されたりするということを人びとは認識している。だがこれは、「進歩」に必要な代償だと思われがちである。こうした対抗意識は、非宗教的な社会を作ることではじめて克服することが可能になると信じられている。一方、西洋人は、近代の民主主義が人びとを解放し、古い偏見や憎悪を表面化させるため、民族的、または宗教的な紛争が増加すると考えている。仮に、以前は平和が保たれていたとしても、それは単に抑圧の結果にすぎないと憶測している。

文化的、宗教的な違いが暴力を生むとなぜ人は信じるのか。なぜ人は近代化ではなく、古い慣習を非難するのかは、たやすく理解できる。たしかに民族的対立は、植民地主義や近代化に先行している。だが、インド亜大陸で十六年間にわたりじかに体験したことを振り返ると、「経済発展」は現存する対立を悪化させるばかりでなく、多くの場合、実は対立を作り出していると断言できる。経済発展は人工的な欠乏を生み出し、必然的にさらなる競争へと導き、どのようにしても真似のできない、西洋の標準モデルに合わせるよう人びとに圧力をかける。人びとの大多数は、金髪にも青い目にもなれないし、一家に二台の車など持つことはできない。だがこれが、「地球村」に掲げられた理想像なのである。

このような理想に向かって努力することは、自分自身の文化やルーツを否定し、結果として自分のアイデンティティを否定することになる。そのあげくに生じる疎外は、恨みや怒りを呼び起こし、これが今日の世界で起きている暴力や排他的な原理主義の裏に潜んでいる。産業社会においてさえ、われわれは型にはまったメディアによるイメージに悩まされているが、西洋に関する理想と現実とのギャップがもっとも激しい第三世界では、それだけ絶望感も大きいといえる。

第三章　ラダックに学ぶ

Learning from Ladakh

物事に白黒はつけられない

ガンジーはなぜラダックまで足を延ばさなかったのだろうか
彼が心から欲するすべてをそこに見い出せたであろうに
――『不思議の国ラダック』1928年　M・L・A・ゴンパーツ少佐

これまで、ラダックの伝統的な生活、また近代化された部分での変化のうねりについて、おおまかに描き出そうと試みてきた。かつてのラダックにおける幸福、お互いの協力、自然とのバランスといったものについて述べた。それらと対比して近代化された領域においての疎外、社会崩壊や公害について述べる私の描写は、あたかも現代の生活を黒く塗りつぶし、昔の暮らしぶりは、バラ色のレンズを通したように誇張したものに見えるかもしれない。明らかに、かつてのラダックを描写したものの多くは肯定的で、新しいものについての描写の大部分は否定的な目で変化を捉えたものとなっている。だがこれは基本的に、視点を物事の関係や関連性において論じたことから起きたことである。なんの関連も持たない孤立した要因に的を絞るよりも、ふたつの対照的な生活を私は描き出そうとしてきた。

伝統的な文化のひとつひとつの様相は、たしかに理想からかけ離れたものであった。そこには生活を楽にしてくれる最低限のものと私たちが考える、たとえば、冬の凍るような寒さの中での暖房などが不足していた。外の世界との通信手段も限られていた。識字率は低く、乳幼児死亡率も西洋と比べて高く、平均寿命は短い。こうしたことはすべて深刻な問題であり、それを私は否定しようという気はない。だがこれらの問題は、外界の視点から見たとおりというわけではない。西洋の物差しで測ると大きな誤解を招くこともありうる。長年、ラダックの社会と親密な付き合いをしてきて、ラダックの伝統的な生活の限界というものを、私は違った目で見るようになった。

かつてのラダックの村人たちは、小川に毎日水を汲みに行かなければならないことや、家畜の糞を燃料にして調理しなければならないことを、私たちと違い、大変なことだとは考えていなかった。同じように、私たちが感じる寒さを、彼らは感じることもなかった。秋も深まったころ、私はヘミス村の尼僧とハイキングをして小川を渡ったとき、痛みを感じるほどの冷たさに思わず悲鳴を上げてしまった。私の足は真っ赤になり、元に戻るのに十五分もかかった。ところが、彼女は平気な顔でじゃぶじゃぶ川を渡り、川上に何かを見つけ、冷たい流れの中で一分ほど立ち止まった。私が冷たくないかと聞くと、彼女はとても驚いた顔をした。

　ラダックの限られた通信手段というのも、私にとって違った意味を持つようになった。あちこちの村で感じた信じられないほどの活力と生活の喜びは、人生の面白味は今ここに、自分たちとともに、自分たちの中にある、という気持ちからきていたに違いない。彼らは、自分たちが世界の外れにいるとは感じていなかった。世界の中心は、自分たちのいるところにあった。居間にあるテレビの中にほかの国々の様子が映し出されるということは、私たちが考えているほど、生活に豊かさをもたらしてはいないのかもしれない。それどころか反対の効果をもたらしているのかもしれない。理想化されたテレビのスターたちは、劣等感を抱かせることで人びとを受身にさせてしまい、今、ここで起きている身近な出来事が、遠い場所での華やかな出来事に比べると色あせてしまうのである。

　私は決して読み書きができないことを正当化する立場に立とうとは思わない。ラダックの人びとに今、識字能力が必要なのは明らかである。私たち西洋の社会では、読み書きができないことは、無力であることと結果的に同じ意味を持っている。どんどん大きくなる政治機構のせいで、私たちは文字に頼るようになってしまった。だが、伝統的な文化においては政治機構の規模が小さかったので、話す能力があれば政治的な決断を左右することができた。だから、たとえ読み書きができなくても、自分の生活にかかわることを決める力は、実際に西洋の平均的な市民よりも大きかった。かつての社会の中では、読み書きができないということは、近代社会でそれが意味するものとは違っていた。

近代社会と伝統社会との対比について、人びとの考え方に影響を与える要素の中で、もっとも重要なのが健康と寿命である。かつてのラダックでは、西洋医学で治るような病気で人びとは死亡したし、乳幼児の死亡率は一五パーセントにまで達していただろうと推測されている。病気を減らし、健康状態をよくしていくことは疑いもなく大きな目標である。

第三世界の西洋式医療の現実を検証すると、事はそう単純ではない。局地的な病気やそれに対する治療法について、一〇〇〇年以上にわたって培われてきた伝統的な知識が捨て去られてよいはずはない。西洋の下手な真似事が導入されても、それが多くの人にとって不十分な医療しか提供できず、維持していくのが経済的に不可能だったら、まったく意味がない。この場合も、そこにある問題を単独の問題として捉え、広い範囲における影響を考慮しないという習慣を問いただすことが大事である。たとえば、人口の増加に目を向けずに乳幼児死亡率を下げることは、長期的には住民の利益にならない。現代医学は長生きさせてくれるだろうが、晩年に自分の子どもや孫から引き離され、あるいは不自由な体になり、自分では何もできなくなるというのであれば、長寿というのは、私たちが考えているほど大事なことではないのかもしれない。

同時に、年をとることと、死に対する態度は特に大切である。ラダックでは、年をとること、そして死は、自然の周期のひとつだと考えられている。長いあいだ離れていて、久しぶりにラダックの友人に会うと、よく彼らは「前に会ったときよりずいぶん年をとったね」と言う。まるで、冬が春に変わったと言っているように、当たり前のことのように言う。相手は「年をとった」と言われるのが嫌かもしれない、などということには考えがおよばない。ラダックの人は年を重ねることを恐れながら生きる必要はない。人生のそれぞれの段階に、それぞれのよいところがあるのだから。

ラダックの人は人生が一回限りだとは信じていない。生と死は、永遠に巡る過程の中のふたつの局面と彼らは見ている。彼らの文化は死を受け入れた文化であり、その態度は、避けようのない変化を深いところで受け入れたものである。赤ん坊の死という、精神的な外傷を与えうる出来事でさえも、彼らにとっては違った意味を持つこともある。

かつての生活には大きな困難がともなった。そして、開発は恩恵ももたらした。貨幣と近代技術の導入、現代医学の到来は、もちろん大きな利益をもたらした。ラダックの多くの人は、昔よりもずっと楽な暮らしをしている。人びとは旅行を楽しみ、たくさんの種類の外来品が買えることを喜んでいる。たとえば、米や砂糖など以前はぜいたく品だったものが、今では日常の食品になっている。

教育は、ある人には胸がわくわくするような新しい機会を与えてくれるし、伝統ゆえに社会的に恵まれなかった人たち、たとえば鍛冶屋などは、近代化された新しい階級制度の中で、より高い社会的地位につくことができる可能性も生まれた。近代化された世界が提供しているように見える自由と、気軽に移動ができる便利さは、特に若い人にとっては魅力的である。新しい理想は彼らを、周りの人や生まれ育った場所の束縛から解き放つ。彼らはもう、近所の人や両親、祖父母の言うとおりに従う必要はない。実際、近代化された社会の理想像は、自立した強い男である。

＊

かつての社会にはたしかに問題があり、開発は現実に大きな改善をもたらしたが、人と自然、人と人、そして人と自己などの大切な関係について見ると、物事は異なった様相を見せる。この広い視野から見ると、古いものと新しいものとの違いは、とてもはっきりしている。もちろん、そう簡単ではないが、ほとんど白と黒といってもよいぐらいはっきりしている。昔ながらの自然に寄り添った社会のほうが、欠点や限界があるにせよ、環境の面からも社会的にも、近代社会よりも持続可能だということは明らかである。伝統的な社会というのは、人と自然の交流の中から生まれたものであり、その交流は二〇〇〇年にわたる試行錯誤を経てきたものである。そのあいだ、その文化自体も変化しつづけてきた。伝統的な仏教の世界観は変化を強調しているが、その変化とは、すべての現象の縁起に対する深い理解と、慈悲という枠組みの中で起こる変化である。

古い文化は人間の基本的な要求に応える一方で、自然の限界も尊重した。それは自然にとっても人間にとってもうまく機能していた。古いシステムの中のさまざまな関係は相互に補強し合うものであり、調和と安定を促した。過去十六年のあいだに友人たちが変わっていったのを見てきて、私が言えるとても重要なことは、古い社会における人と人との結びつきや責任は重荷ではなく、かえって人に大きな安心を与える保証だった、ということである。この保証は内面的な安らぎと満足感を得るための前提条件であった。今より、開発以前のほうが人びとは幸せだったと私は確信している。ある社会を評価するとき、社会的には人びとの幸福、環境面では持続可能な運用がその尺度となるが、これ以上に重要な物差しがあるだろうか。

かつてのラダックに比べ、新しいラダックはこの尺度で評価すると、かなり低い点しかつけられない。新しい文化は、放っておいたら取り返しのつかないさまざまな結果を招く環境問題を引き起こし、社会的には、共同体の破壊と自己のアイデンティティの崩壊へと導こうとしている。

＊

西洋人が非西洋文化を、現存する社会ではなく理想の社会と比べたあげく、非西洋文化は劣るものだと決めつけるのを、私はこれまで何度も見てきた。たとえば人類学者たちは、伝統的なラダックにおける階級の不平等と、理想である完全な平等とを比べる。彼らの属する西洋社会での貧富の差が、ラダックのそれよりずっと大きいことは忘れている。西洋人はまた、無意識に、伝統社会と「開発」によって約束されている理想的な社会とを比べ、現に「開発」が世界中の社会で引き起こしてきた問題を無視している。

ヨーロッパや北アメリカで私が講演すると、人はよく同じような質問をする。屈託のない、はち切れんばかりのラダックの人たちの笑顔、伝統美術、建築、風景の美しさ、それと対照的に近代化されたところでの、ひどく寒々としたありさまや精神的な貧しさの写真を見た後で、人びとはこう言う。「どうしてラダックの人たちは、伝統的な生活を放棄しようとするのでしょうか？　彼らは変化を求めているに違いありませんよ。彼らの伝統文化には何か欠陥があって、それが彼らに伝統的な社会を捨てさせようとするのです。昔の暮らしが、そんなに素晴らしかったはずがありません」

人びとがなぜそのように思うのかは理解できる。もし、私が最初の一年で現地の言葉を自由に話すことができるようになったり、ラダックの人たちの意識の中に近代世界が入り込む前に、彼らと暮らすという幸運に巡り合わなかったら、おそらく私も同じように考えただろう。私が一緒に生活したラダックの人たちは、満ち足りていた。自分の生活に不満を持ってはいなかった。私の国では、あまりにも精神的に不幸なので医者に診てもらわなければいけない人がたくさんいると話したとき、ラダックの人がとても驚いたのを覚えている。口を大きく開け、信じられないとばかりに目を見開いていた。これは、彼らの経験をはるかに超えるものであった。満足感というのは、彼らがそれまで当たり前に思ってきたものであった。

もしラダックの人たちがほかの文化を受け入れたいと切望したのであれば、彼らは簡単にやってのけていただろう。何世紀ものあいだ、レーはアジアの通商の中心地のひとつだったからである。ラダックの人たちも巡礼者として、また商人として旅行し、さまざまな外国の影響にさらされてきた。彼らには、異文化から来た品物や習慣を受け入れて自分たちの文化を豊かにしてきた多くの例はあるが、ある文化を丸ごと受け

祭りに集まった正装した女性と子ども（ザンスカールのバルダン・ゴンパ）

ダライ・ラマ法王のカーラ・チャクラの法話を、祈りながら聴く（スピティ）

入れるということはなかった。もしだれかが中国からやってきたために、ある日突然、若者たちがみな中国帽をかぶり、中華料理だけを食べ、中国語を話すということはなかっただろう。

この本の中で私が明らかにしようとしたように、文化を崩壊へと導いていく圧力は数多く、その形はさまざまである。だがそういった圧力の中で、もっとも大きな問題は、進行する開発の真っただ中にいるために、広い視野から何が自分たちに起きているのかという全体像を見ようとせず、または見ることができなくなってしまっているという事実である。近代化が、固有の文化に対する脅威だとは受け取られていない。ひとつひとつの変化は、だいたい無条件で進歩のように見える。ラダックの人たちのほとんどは、世界のほかの地域で開発がどんな影響を与えたかについての知識がないため、変化による長期的な損失を予測することができない。過去を振り返ることによってのみ、変化の破壊的な影響が明らかになる。

同じくらい重要な文化崩壊の要因は、近代社会との接触によって生み出される劣等感である。かつてのラダックの人たちは、精神的にも物質的にも自足していた。後に必要だと見なされるようになった開発への欲望はなかった。起こっている変化についてラダックの人に聞いたとき、大方の人は近代化に無関心であった。ときには開発に対して懐疑的でさえあった。遠隔の地に道路が造られようというとき、将来の見通しについては、ためらいがあった。電気についてもそうであった。一九七五年、スタクモ村の一部の人びとが、近隣の村落を電化するための大騒ぎを冗談の種にし、大笑いしていたことをはっきり覚えている。彼らは、大変な努力とお金を、滑稽としか思えない利益のためにそそぎ込むことなど馬鹿ばかしいと思っていた。「あんなものを天井からぶら下げるためだけに、あんな苦労をすることがあるものか」。十四年後、私が同じ村の村議会と会合するために訪問したとき、村人がいちばんに言った言葉は、「なぜ、あなたは私たちのような遅れた村にわざわざやって来たのですか？　私たちは暗闇に住んでいるんですよ」であった。村人は冗談めかして言ったのだが、村が電化されていないのを恥ずかしく思っていることは明らかであった。

ラダックの人たちが自己の尊厳と価値観が揺さぶられる前には、そこに住む人びとが文化的であるということを証明するのに、電気は必要ではなかった。だが、私が見てきたほんの短いあいだに、開発の影響力が人びとの自信を傷つけたため、電気だけでなく、南方のパンジャブ米やプラスチック製品までもが必要なものとされるようになった。人びとが自慢げに、使う必要もない腕時計をはめているのを見たことがある。近代化しているように見せたいという欲求が大きくなるほど、ラダックの人たちは自分の文化を否定するようになった。伝統的な食事でさえ、誇りに思わないようになる。今では、私が客として村へ行くと、インスタント麺ではなくンガンペを出すことを村人は謝るのである。

開発の過程の中で、ラダックの人たちは過去に対する認識を変えはじめている。以前は、ラダックには飢えはまったくなかったと、人びとは言っていた。「トゥンボスザボス」、つまり「飲みものは十分ある、食べ物も十分ある」という言い回しを私はいつも耳にしていた。今では、特に近代化された地域では「開発は必要だ。かつてのわれわれはうまくいっていなかった。物が足りなかった」と言っているのを耳にする。

これまで説明したように、ほとんどのラダックの人たちは、今や開発を必要と見なしている。伝統的な社会は、新しい社会よりもずっと望ましい状態だったが、完璧ではなかった。そこにはたしかに改善の余地はあった。

開発は必ず破壊につながるのだろうか。私はそうは思わない。ラダックの人たちは何世紀ものあいだ大切にしてきた社会的、環境的なバランスを犠牲にすることなく、生活水準を上げることができると私は確信している。だがそうするためには、ラダックの人たちは、自分たちの古来からの基盤の上に新しいものを築いていく必要がある。基盤をつき崩してから新しいものを築くというのは、従来の開発の発想である。

「開発」のごまかし

もしラダックをこれから開発しようとするなら、ここの住民にいかにして欲望を抱かせるかという問題を解かなければならない。それ以外に動機づけることは不可能である

――ラダック開発官　一九八一年

はじめて私がラダックにやってきたころ、人びとの欲望のなさに驚かされた。冒頭にあげた開発官の見解にもあるように、人びとは単なる利益のために、とりわけ余暇や楽しみを犠牲にすることには関心がなかった。当時、いくらお金を出すといっても人びとが交換に応じないので、旅行客は困惑していた。ところが、数年後には、「開発」を経験した結果として、金儲けに熱中するようになった。新しい欲求がつくられたのである。

開発の使者としての観光客、広告、映画は、ラダックの人びととの伝統的なやり方は時代遅れで、近代科学の助けを借りれば、天然資源を利用してもっと多くの生産が可

能になる、と暗に語りかけていた。開発は不満と貪欲さを刺戟し、一〇〇〇年以上にわたって人びとの要求を満たしてきた経済を破壊する。ラダックの人びとは伝統的に、身近で得られる資源を驚くような知恵と技術によって利用し、快適でうらやましいほど安全な生活を実現していた。自分たちの持っているもので満たされていた。だが今では、持っているものだけでは十分とは言えなくなった。

開発の波がラダックに最初に押し寄せてから十六年ぐらいのあいだに、貧富の差は拡大し、女性は自信と力を失った。失業とインフレが出現し、犯罪が激増し、さまざまな経済的、心理的要因に刺戟されたために、人口は急増した。家族や共同体の絆が緩み、自給自足から徐々に外部の世界に依存する経済に変わるにつれ、人びとは土地から切り離されてきた。

真鍮の壷がピンク色のプラスチックのバケツに代り、現代風の安物の靴が好まれ、ヤクの毛の靴が捨てられるのを見て、私は当初恐ろしさに似た思いを感じた。だが自分の美的な好みを押しつける権利はないし、人にあれがいい、これがいいという権利もないことにすぐ気がついた。近代世界の侵入は醜く、好ましくないかもしれないが、たしかに物質的な利益をもたらした。私は数年を経て、やっとこれら個別の事柄をひとつにつなぎ合わせ、ラダックの文化の構造的な解体という過程の側面として見るようになった。新しい靴、コンクリート製の住宅などが増加するといった日常の小さな変化を、経済への依存や伝統文化の拒否、環境の劣化を、開発全体の一部分としてとらえるようになった。

こうした関係がますます明らかになるにつれ、私は「開発」に疑問を抱くようになった。この計画的に実行される変化は、技術進歩と経済成長を通じて生活水準を引き上げることになったが、生活をよくした部分よりは悪くしたことのほうが多いように思える。欲望をつくり出すことが、この大きな変化の重要な部分であることに気づいた。世界のほかの地域と同じように、ラダックの開発も大規模で構造的な社会改造を要求する。その前提条件として、舗装道路や西洋式の病院、学校、ラジオ放送局、飛行場、そしてもっとも重要な発電所などの社会基盤施設に対し、莫大な投資を連続的に行なう必要がある。これらはすべて途方もない支出となるばかりでなく、大量の労働力の投下と管理をともなう。こうしたたいへんな努力によって、既存のものが改善されたかどうかが問われることは、どの段階においても見られない。それはまるで、開発の前のラダックには社会的な基盤がまったく存在せず、ゼロから出発したというに等しい。医療も教育もなく、通信手段もなく、交通も交易もないというようなものである。網目状に入り組んだ道路や小径や交易路、そして広大に発達した灌漑水路網は、一〇〇〇年以上も維持されてきた。これらの生きて機能している文化や経済システムなどの表徴は、まるで存在していないような扱いを受けてきた。ラダックは西洋の手本であるアスファルトとコンクリートと鉄によって、造り変えられているのである。

ラダックは、今日までほとんど完全な形で生きつづけてきた最後の自給経済社会のひとつとして、開発の全体の過程を観察できる、またとない場である。近代世界との衝突は、特に急激であった。だが今体験している変化は特異なものでもなんでもない。本質的に同じ過程が、世界の隅々まで影響をおよぼしている。

＊

ラダックで起きている変化を、ほかの地域の変化の特徴と関連づけるにあたって、それを一般化せざるをえない。近代化の過程そのものの強大な標準化が、地域的多様性と自立を、単一のモノカルチャー型経済システムに置き替えているからである。

開発は、貨幣経済の導入が常に改善をもたらすという前提で進められる。お金は多ければ多いほど、よいことになっている。これは、主流となっている経済機構に依存している者にとっては真実かもしれないが、地元の資源との直接的なかかわりに基づく非貨幣経済で自給的経済の暮らしから利益を得ている何百万という人びとにとっては、決して真実とはいえない。自分たちの食物、衣服、住まいを自分で作る能力のある人びとにとってみれば、自らの文化と自立性を放棄し、不安定な貨幣収入に依存することは、生活の質の大幅な低下となる。

ラダックや、近隣のヒマラヤの王国ブータンの状況は、人間の幸福を金銭だけで計ることの欠陥をはっきり示している。いずれの国の場合も、第三世界の多くの国と比べてみても生活水準は実際とても高い。住民は自分たちの生活にとって基本的に必要なものを賄い、その上、芸術や美しい音楽をたしなみ、友人や家族と過ごす時間や余暇に費やす時間は西洋人よりもはるかに多い。だが世界銀行は、ブータンが世界の最貧国のひとつであると言っている。GNP（国民総生産）がほとんどゼロだから、国際経済秩序の最底辺に位置づけられてしまう。これは要するに、ニューヨーク市街のホームレスの人たちと、ブータンやラダックの農民とのあいだにはなんら差はないということである。どちらもたしかに所得はゼロだが、統計の背後にある現実には雲泥の差がある。

辺地の自給的経済であれ、工業世界の中心部であれ、GNPを社会的な福祉の中心の指標と見なす国民経済の体系は、明らかに何かが間違っている。現状では、トマトの売り買いであれ、自動車事故であれ、貨幣の持ち主が変わるたびにそれがGNPに加算され、より金持ちになると勘定される仕組みになっている。そのため、環境や社会におよぼすマイナスの影響にもかかわらず、GNPを引き上げる政策がしばしば採られる。たとえば、もし森林を皆伐してしまうと、伐採された木はお金になるので経済勘定は好転したように見える。また、もし犯罪が増え、盗まれたステレオやビデオデッキを買い直すなら、もし病人や老人を高額の医療施設に入院させるならば、心の悩みやストレスに関係した問題で相談を受けるなら、もし飲料水がひどく汚染されたため容器入りの水を購入するならば、これらはすべてGNPの増加に貢献し、経済成長と計測される。

とても馬鹿げた状況になってしまっている。自分の庭で作ったジャガイモを食べるよりも、ほかの土地でとれたジャガイモをつぶして冷凍にし、鮮やかな色のポテトボールに加工したものを買うほうが経済にとっては好ましい。もちろん、このような消費のあり方は、輸送の増加、化石燃料の消費の増加、汚染の増加、添加物および合成保存料の多用、生産者と消費者とのいっそうの分断などを意味する。だが、GNPが増加することもあって、奨励されている。

この一面的な進歩観は、広く経済学者や開発専門家に好まれ、経済成長のマイナス効果を隠してきた。さらにその地域に根ざした自給経済の価値もまた覆い隠してきた。そのため、第三世界の農村部の何百万という人たちの置かれている状況への、大きな誤解につながっていった。開発計画がこうした人びとを潤すどころか、生活水準を引き下げることのほうが多かったという事実は、公表されてこなかった。

農民はかつてはさまざまな作物を育て、わずかな家畜を飼い、直接または地域経済を通して自給してきたが、今では遠くの市場を相手に、単一の換金作物を生産することが奨励されている。巨大な交通網、石油価格、国際金融の変動など、農民は自らの手のおよばない力に依存せざるをえなくなる。依存すればするほど、インフレーションによる物価の高騰で農民はますます多くの生産を余儀なくされる。そうして、かつて自給していたものを買うため、必要な所得を確保しなければならない。

貨幣経済ではわずかな給料や手当てさえ向上と判定されるので、換金作物栽培とそれにともなう交易や輸送は明らかに有益とみなされる。実際には、従来の西洋型の開発によって農村の人びとは土地から切り離され、都市のスラムに吸い寄せられて貧困がつくり出される。所得を確保するために、周縁から中心へ、世界の非工業地域から工業地域へ、農村から都市へ、そして貧困層から富裕層へと資源を吸い上げる経済制度に、人びとはますます取り込まれていく。ときとして、彼らの資源は加工され、包装されて商品となり、貧しい人びとがとても払えないような値段がついて、元の場所に戻ってくる。

取り引き増大を目的に、GNPを引き上げたのと同じような過程で、大規模な事業計画に開発資金が際限なく投じられることがある。公の場で討論もされることなく、暗黙のうちに何十億ドルもの資金が道路やダム、肥料工場の建設につぎ込まれる。これらはすべて中央集権的な機構への依存と、多量のエネルギー消費を促進する。だが、村落規模の水力発電施設や、家庭用太陽熱温水器やソーラー・オーブンなどの自力更正を促す小規模事業計画となると、「村人に費用が支払えるのか」という点がただちに問題にされる。原子力発電所や大規模ダムには補助金がたっぷり付くのに、再生可能なエネルギーを利用する小規模な技術に対して、主要な援助機関はなんの支援もしない。開発を巡っての公正さに欠ける点のひとつは、小規模分散型の太陽エネルギー利用機器はきわめて大きな潜在的な可能性を持つにもかかわらず、開発途上国のどの国でも、お情け程度の規模でしか促進していないということである。

世界の至るところで自立した地方経済、特に小規模農民の多くが開発の過程によって排除され、瀬戸際に追いやられている。工業世界では、九〇パーセント以上の人びとが農業から引き離された。今、その同じ過程が第三世界でいっそう急激に進行し、農村生活は着実に蝕まれている。

農民を土地から切り離したその同じ力で、これまで以上に資本集約的でエネルギー多用型の工業的農法が、従来の農法に代わろうとしている。この「アグリカルチャー」から「アグリビジネス」が突出した「アグリビジネス」への変化は、収量を増加させるために必要であり、収量の増加は増大する地球人口を養うのに必要だということが、ここでは常識とされている。しかし、工業的農業には持続可能性がないということは証明されている。化学肥料や農薬は水を汚染し、土壌を破壊する。これらを使うと当初しばらくは収量は増加するが、やがて低下していく。さらに単一作物の生産は、一種類の病虫害によって壊滅的な被害を被る恐れがとても高くなる。殺虫剤の使用は自然の害虫防除体系を壊してしまう。ラダックの農民は、説得されて殺虫剤を使うようになったが、害虫が目立って増えてきたと言っている。

工業的な農業では、現在、特定の環境に適合した地域固有のさまざまな種類の種子を排除し、標準化された品種に入れ替りつつある。多国籍企業と巨大石油化学会社は、特に第三世界から種子を取り上げ、一〇〇〇年以上にわたってその地域環境に適応してきた遺伝子の情報を、交雑種の育成に利用している。新しく作り出された品種は、必要な化学肥料や農薬とセットになって第三世界の農民のところに戻され、販売される。新品種は一代雑種なので不稔性であることが多く、農民は依存性の循環に取り込まれ、新品種と化学肥料を支配している企業からの購入を余儀なくされる。

工業的な農業の論理が展開されるにつれ、将来に対してますます不安が広がる。ひとつの生物からほかの生物へ、「望ましい」遺伝形質を移植できるというバイオテクノロジー革命にともない、壮大な規模での科学的操作を目の当たりにするようになった。産業界の必要を満たすよう自然が改変されるにしたがい、いっそう標準化や画一化がもたらされ、自然が脆弱になっていく。そこには人間の幸福のためではなく、商業的利益が重要視されている。多くの研究が公的資金を使って行なわれているにもかかわらず、技術の管理は多国籍企業の掌中にしっかりと握られている。こうした企業は、植物や動物、人間の遺伝子でさえも操作する能力を持ち、それを生産物に変えて特許を取り、販売する。

もちろん、農業の起源以来、人間はなんらかの方法で交雑種を育成してきた。ラダックのゾーは、環境に十分適応した雑種の例である。今日の遺伝子工学が違う点は、作り出された雑種がその生活環境となんの関係もないということであり、さらに、長期的な影響に対する明確な考えが何もないまま、生命の遺伝子操作が行なわれていることである。これらの技術が多様性を損ない、生物の相互依存関係の網を解体していることを、すでに私たちは知っている。

バイオテクノロジーで作られた品種は、自然交配のものよりも優れていると言われている。病虫害に抵抗性があり、干ばつに強く収量が高い。だが、特許を取ったトウモロコシは、大きく鮮やかな黄色の実を何年間結びつづけられるのだろう。科学と技術に限りない信頼をおいている人たちには、これらは問題ではない。大きな石油企業の重役と話したとき、私が土壌流失の怖さを指摘したら、その人は次のように答えた。「心配はいりませんよ。今新しい交雑種を開発中ですから。将来、土も要らなくなるでしょう」

こうした科学の進歩に対する厚い信頼が、われわれの視野をますます狭くし、専門的に特殊化させていく。他方で自然界に対する人為的操作は、ますます大きな影響をもたらす。こうした人為的操作の結末は、生物界の網の目を通して広がっていくため、特に優れた科学者たちですら予測がつけられない。より注意深くなるどころか、われわれは科学的発見から市場に出すまでの時間を、ほとんどゼロにまで縮めてしまっている。

問題は、科学的な究明の必要がないとか技術が有用でないということではなく、両者が結びついて、短期間のうちに私的利益の追求に目標が狭められたことであり、社会の形成に無責任な影響をもたらしていることである。われわれは倫理と価値をまったく見失う危険性がある。

これまで「開発」、「近代化」、「西洋化」、「工業化」という言葉を、視野の狭い経済モデルと絶え間ない科学技術の革新との相互作用を指す同一の現象として、ほとんど同じ意味で使ってきた。これらの過程は、過去何世紀かのヨーロッパの植民地主義と工業化の拡大からはじまり、成長してきた。それを通して、多様性に富んでいた世界は、工業国や多国籍企業、第三世界のエリートたちの利益が優先する画一的な経済制度に編成されてきた。

従来の開発は、世界の「先進」国の歩んで来た道を追随することにより、「低開発」国も豊かで快適な国になれると保証する。貧困は解消され、過剰人口や環境悪化の問題も解決されるという。

この議論は一見したところなるほどと思えるが、実際、本来的な欠陥、いや偽りすら含んでいる。先進諸国が基本的な工業資源を消費する仕方やその程度は、世界の低開発地域に追随を許さないのが事実である。世界の三分の一の人口が、世界の資源の三分の二を消費していながら、方向を変えて自分たちと同じようにしてみなさい、と言ってみたところで、それはほとんど欺瞞である。開発はときとして、搾取や新植民地主義（注1）の遠回しの表現となってしまっていることが多い。開発と近代化の力は、ほとんどの人間を堅実な生活から引き離し、幻想へとせき立てる。期待した成果は見かけほどなく、物質的な貧しさと精神的な混乱に陥るにすぎない。多くがスラムの住民となり、土地と地域の経済から切り離され、決して実現することのない都会の夢の「影」と隣合わせの生活に行き着くのである。

この詐欺にも似た行為は、どうしてつづいているのだろうか。今進行している西洋型の開発がラダックの人びとを魅了する理由はわかりやすい。目に見える費用はまったくかからず、膨大な利益をもたらしてくれるように見えるからである。たとえば、お金が増えたりあるいは自動車を持ったりすれば、祖父母たちとの関係がどのように変わるのか彼らには知る術がない。世界中で行なわれている開発の影響がわかっているのに、だれもがアメリカン・ドリームのような暮らしができるようになるという神話を、われわれはなぜ永続させようとするのだろうか。その理由のひとつは利権にある。第三世界のエリートたちは、きまって開発資金の「上澄みをすくい取り」、先進工業国は自国の技術や製品の市場をつくり出すことを第一の目的としているからである。

話はまだつづく。開発は、決して視野の狭い利己心につき動かされた人びとにすべてを握られているわけではない。多くの開発専門家は、もっと平等で生態系にかなった開発を心から望んでいる。今日の開発の潮流は、まだ旧来のものと基本的に変わらない。自助努力、自立、持続可能性などが流行語になっているが、依存の度合や債務は増加し、資金は主として、社会的にも環境的にも有害な大規模事業に依然として投入されている。

開発計画の担当者は、天然資源に限りがあることに目をつぶりさえすれば、だれもがニューヨークの人のような暮らしが可能だと主張することができる。この点については、経済学者と環境保護論者とのあいだで長く論争がつづけられてきた。経済学者や技術を信頼する楽観主義者は、資源のいかなる不足でも克服する道を切り開くことができ、科学によって地球の恵みを無限に引き出すことが可能だという見解である。こうした見方は、自然界にはわれわれが変えようとしても力のおよばない限界のあることを否定し、富の再分配の必要性を都合よく回避している。資源は無限であり、ものはみんなに行き渡るまで常に増えつづけるものだと信じるのであれば、地球経済における変革は必要なくなる。第三世界の人びとは、単に「教育され」、世界の市場に参入し、いつの日か工業国の先輩たちとまったく同じように生活すればよいことになる。

この考え方によれば、貧困と過剰人口が今日の世界の主要問題となり、経済発展が解決策となる。しかし実際のところ、これらの問題は根本的で深刻である一方で、これらの問題そのものの大部分は、既成の開発の結果なのである。開発によって都市化や工業化が促進され、農業や農村経済がなおざりにされ、これらが相まって、いまだかつてなかったような規模で貧困がつくり出されている。私のラダックでの経験では、人口増加にはさまざまな経済的、心理的圧力が関係しているが、なかでも、地域の資源との直接的な関係の断絶が基本的な原因である。事実、人口学者は、近代世界と接触した後に人口水準が急上昇することを認めている。

環境問題の深刻化、第三世界の負債や飢餓の増大は、現在の開発規範の何かが間違っている兆候と見なさなければならない。近年この問題については激しく論争が交わされてきたが、十分とは言えない。国際的な機関から草の根の組織にいたるすべての層で、生態系を考慮した持続可能な計画が支持され、大きな政策の変更が口にされている。だが、開発が広範で社会全体に影響をおよぼす過程としておそらく理解されていないため、多くの有害な影響は「副作用」だとか、物事の当然の結果として片付けられてしまう。持続可能な開発に関するほとんどの文献は、社会的、生態学的破壊の背景にある根本の原因を正面から取り上げていないからである。

小規模の理想的な組織ですら、ときに根本の原因を見逃しており、地域の多様性と本来の自立を支援するより、むしろ人びとをますます、より大きな経済機構に従属させてしまうことのほうが多い。同じく重要なことは、これらの組織が、現在の教育モデルを問題にしていないことで、開発の方針を根本的に改める必要性を理解していないことを示していることである。大多数は依然として、人びとを西洋化された都市部の消費者となるべく訓練する教育を、積極的に支持している。

再生可能なエネルギーを使った小規模技術を勧めているグループですら、農村の貧困層だけが対象であって、手厚い補助を受けた「本物」の開発と共存していくことが必要であることを、暗に示す傾向がある。適正技術（注2）に関する多くの書物は、錆びた金属のかけらの傍らにうずくまる人びとの象徴的な姿を載せており、こうした姿勢が表われている。さらに、適正技術の大多数のプロジェクトは、技術だけをほかと切り離して推進し、もっと広い経済的、社会的な文脈で問題を捉えようとしない。こうした条件の下では、適正技術は失敗に終わるだろう。適正技術を適切によみがえらせなければ、生態系と文化的多様性を維持できる望みはまったくない。発展途上国が高度で「効率的」な技術を求めて外貨獲得競争を繰り広げるとするなら、債務と依存体質のはてしない循環に陥ってしまう。

＊

ヨーロッパ中心主義の科学から生まれ、西洋人や西洋化されたエリートによって行なわれてきた開発は、世界のすべての多様な文化を単一文化に変化させつつある。欲求はどこでも同じで、だれもが同じ食べ物を口にし、同じ型の家に住み、同じ服を着るものだという前提に立っている。同じセメントの家、同じおもちゃ、同じ映画やテレビ番組が、世界のいちばん端まで行きわたっている。近代社会の一員になるためには英語を学ぶ必要があるという理由で、言語さえも均一化されつつある。

もともと西洋人のために作られた同じ尺度が、どこにでも当てはめられる。たとえば、赤ん坊の月齢と体重の関係、部屋の最低温度、健康食の内容を決める指標は、世界中で適用される。西洋の専門家は、ラダックの人びとや家畜が世界の標準よりも小さいので、「発育不全」だという。

放射線の被曝許容量は西欧の若い白人男性を基準に定められており、それが年齢、性別、体格にかかわりなく適用される。専門家は、狭く、特殊化したものの見方をするため、自分のやっていることが広い視野に立つとどのような意味を持つのかがわからなくなっている。また、一般的な回答を求めるため、文化の多様性に対して無神経であることに気づいていない。あるシンポジウムの席で、種子の輸出がはじまる前、アフリカで食べられている野菜について尋ねられたスウェーデンの農業専門家は、「野菜はまったく食べられていません。彼らが食べているのは雑草です」と答えていた。この専門家にとって、自分が「野菜」と呼んできた植物と、アフリカで食べられている植物は同じ野菜類であることが認識できなかった。

ラダックで深刻化しつつある問題は、生活の急激な変化のせいというよりも、近代工業社会とのより強い関係にあることに、私は何年もかかってようやく気がついた。ラダックの人たちが貪欲で利己的になったり、今まで汚染されていなかった清流にゴミを捨てるようになったことに対し、責めるべきは彼らの人間性ではないということがわかってきた。こうした変化の根は、人びとを分断し、土地から切り離してしまう技術的、経済的な力とより強く関係している。

*

こうしたことに気がつくと、従来型の開発が世界のほかの地域におよぼす圧力、それがいっそう明瞭に見えるようになった。ラダックが近代化するにつれ、レーで起こっている破壊的な流れのすべては、インド全土の都会で大規模に見られる変化にまさに並行して起こっている。美しい湖畔の都市シュリーナガルは、今や蔓延する商業主義に席巻され、空気と水の汚染、社会不安、治安の悪化に悩まされている。一九九〇年代初頭の二年間、インド政府からの分離独立闘争で、そこは文字どおり戦場と化した。デリーは年ごとに目に見えて汚染がひどくなっている。交通量は指数関数的に増加し、喘息も増えている。かつての城壁都市は、郊外のコンクリートでできた宅地開発や工業団地のスプロール化で膨張している。水道の水はもはや飲用には適さず、道路は安全ではなくなり、暴力と不満は高まるばかりである。女性に対する家庭内暴力は驚くほど増加し、犯罪と民族紛争、あるいは宗教紛争が慢性的な悩みとなっている。

独立して六十年に満たないインドは、総合的な工業開発計画を実施してきた。この比較的短い年月のあいだ、人口は二倍以上に膨れ上がり、貧困が急増した。人口の圧力と天然資源の乱用から、環境破壊をもたらしつつある。開発が潤したのはせいぜい人口の一五から二〇パーセントであり、大多数は貧しく、底辺に追いやられている。

西洋に毎年戻っているうちに、経済的、技術的な変化の圧力が私たちの文化にも同様の影響をおよぼしていることに気づくようになった。私たちもまた「開発」にさらされているのである。今日、人口の二、三パーセントしか農業に携わっていないにもかかわらず、規模の小さな農民は、依然として存続を脅かされている。工業化によって家族はさらに小さな核家族の単位に分裂を強いられた。それでもわれわれの経済はそれをさらに細分化しようとしている。技術の進歩は生活のテンポを速め、人びとの時間を奪い取る。貿易取引の増加、物や人の移動の増大は、匿名化を促進し、地域共同体を解体していく。西洋ではこうした動向には「開発」というよりも、「進歩」というレッテルが貼られる。しかしこれらは、いずれも同じ工業化の過程を通じて生まれたもので、人や物の集中化や社会の解体、資源の浪費は避けられない。

「進歩」は世界の多くのところで、発達したある段階に到達した。どこを見渡しても、動かしがたい論理が作用していることがわかる。機械が人間に代わり、地域の相互依存関係は世界市場に置き換えられ、ウェールズでは田舎道が高速道路に変わり、ドイツではスーパーマーケットが街角の商店に取って代わる。こうして見ると、共産主義や資本主義の違いですら、ほとんど無意味のように思える。両者はともに同じ科学的世界観から生まれたもので、人間をほかの生物から切り離し、その上に置く。いずれも、天然資源は無限に開発しつづけることが可能だという前提に立っている。ただひとつ違っている重要な点は、資源配分の方法にある。

政府はその政治的立場にかかわりなく、国際貿易の拡大によって繁栄する経済システムに組み込まれている。貿易には多くの補助金が支払われている。特に、通信と輸送のネットワークの維持、拡大などにである。スウェーデン製のビスケットやニュージーランドのリンゴが、アメリカやフランスの地場産のものと競争できるのは、生産から輸送網の整備などのエネルギー集約的なシステムにあり、そこに投入されている補助金は表に表われず、汚染費用は無視されているからである。経済のグローバル化が「自由貿易」を旗印に進展し、世界中に利益をもたらすものと考えられている。スウェーデン人が耳にするのはEU（欧州連合）加盟による利益の可能性だけだし、メキシコでは対米貿易の自由化の利益は信じて疑われない。GATT（関税貿易一般協定）・ウルグアイ・ラウンド（注3）の評判は、国際貿易に弾みをつけるという肯定的な効果が語られる。歴史上、かつてなかったほどの経済的支配力を、強大な多国籍企業の手に引きわたし、世界経済における第三世界の国々の地位をさらに低下させるという、その非民主的で不公正な影響は隠蔽されている。

グローバル経済の単一化に対する反対意見はほとんどなく、また、それが社会や環境に与える不利益に関する世評がほとんど聞かれないのは不思議ではない。統一という概念が素晴らしいという象徴的な魅力を持っているからである。世界の調和や連帯といった理念は、多くの宗教や宗教的伝統に取り入れられ、人間性の究極の目標にされてきた。「単一の市場」というのは共同と協力を意味し、「地球村」というのは寛容と平等な相互交換の場を思わせる。経済統合や技術の画一化が、実際には環境破壊や社会の解体の原因になっていることはあまり知られていない。今日の経済は人びとを結び合わせることよりも、分断を助長し、豊かな者と貧しい者との格差を広げている。われわれは経済的、政治的権力の巨大な集中化に向かっている。政府はますます支配力を行使し、EUや世界銀行のような超国家機関に責任を委譲しつつある。こうした機関は、それが代表しているはずの人びとからずっとかけ離れてしまい、人びとの多様な求めに力が発揮できなくなっている。

こうした政治上の変化は、経済の集中化の反映である。現実に、多国籍企業が影響力や支配力の点で政府を凌ぐ恐れがある。このような傾向は、多国籍企業が民主的規制の範囲外にあるため、強い不安を感じさせる。組織労働者や環境保護団体は、巨大企業の動きに対しては勝負にならない。労働者の権利の保護や、有毒物質生産の禁止のための法律の制定に何年も支援してみても、企業は取締りの緩い世界の別の場所へ工場を移転させるにすぎない。新たな利益の追求に対する制約からの自由、これが多国籍企業にとっての自由市場の意味なのである。

＊

今日、グローバル経済は、さらに多くの資源開発、技術革新、さらに多くの市場や利益に向かって容赦なく突き進むことによって力を得ている。開発途上地域の人びとも先進地域の人びとも同じように、貨幣経済と精神的圧力に押されて盲目の消費に向かっている。「人類の向上のための経済成長」が標語になっている。宣伝やメディアは、人びとに何をすべきかを語りかけ、実はどんな人間になるべきかを語りかけている。それは、近代的で、文明化された、金持ちになりなさいということなのだ。

第三世界の農村住民は、近代的な生活についてとりわけ歪んだイメージを抱いている。安楽で、魅力的な生活で、だれもが美しく、だれもが清潔にしている。目にするものは、疾走する自動車や、電子レンジ、ビデオデッキである。大金を手にする人びとを知り、考えられないような額の給料を耳にする。世界中の開発は、今や「自動操縦」で進んでいる。計画が実施されていない地域においても、近代的生活の一面的なイメージによって開発が進んでいる。このイメージには、開発の副作用、汚染、精神的ストレス、麻薬中毒、ホームレスなどは含まれていない。人びとは開発というメダルの片側だけを見せつけられ、それに影響されて近代化に躍起になっている。

（注1）先進国の資本が進出し、お金の力でその地域の経済・政治を支配しようとする第三世界の植民地支配の第二次大戦後の形態である。
（注2）第三世界において地元の資材、資源を活用し、社会・自然条件に適合し、使用者が持続的に維持管理できる技術をいう。先進国では、化石燃料に頼らず持続可能な社会を実現するために、地域や身の丈に合った技術のことを指すことが多い。
（注3）ガット（GATT）は、世界的な通商交渉の方針を協定するため、一九七四年に創設された「関税および貿易に関する一般協定」と呼ばれるものである。一九八六年に南米ウルグアイで開催され、九四年に終結した会議をウルグアイ・ラウンドと呼んでいる。なかでも情報・通信などのサービス、知的所有権などに拡大されたことが特徴である。この会議での結果、WTO・世界貿易機関（一九九五年設立）に引き継がれることになった。

カウンター・ディベロップメント

私たちは大空高く望みを抱く
先進国の人びとは地上に降りてきて、「空には何もないよ」と言う
——ゲロン・パルダン／シャクティ村での会合にて　一九九〇年

私は開発の過程でラダックが変化していくさまを見てきて、ラダックの人たちが自分たちの生活を形作っているさまざまな力について、ほとんどなんの情報も持っていないことを知った。

一九八七年、ラダックの農業局局長と環境汚染について語り合っていたとき、局長は、ヨーロッパの森林枯死について耳にしたことがないことがわかった。ドイツの森のほぼ半分が酸性雨（注1）の被害によって枯死しているという私の話は、彼にはショックであった。

友人のヤンスキット・ドルマは、目に涙を浮かべながら話した。

「ヨーロッパにはたくさんの爆弾があると聞いているけど、あなたがお国に戻ったな

ら、どうか爆弾を放棄するように伝えてください。私たちは、爆弾なんか望んでないって」

あるカシミール出身の商人がかつて、レーの町で私に誇らしげに語った。

「われわれのところの野菜は、地方のものよりもずっといい。少なくとも七種類の農薬を使っているから」

ラダックの技師が私に会いに来たことがあったが、あわてた様子で、「われわれは温室作りをやめるべきだ。明らかにひどい被害が起きている。温室効果（注２）に関する大きな国際会議がちょうど開かれたばかりだ」と語った。

これらの明らかに素朴な事例は、知性の欠如を示しているのでないことは、言うまでもない。工業社会の文化に関する情報が、欠けている結果である。ヤンスキットが彼女の社会に影響を与えることができるのと同じようには、私は自分の社会に影響をおよぼすことができない。このことがわかるほど、彼女が西洋の生活を十分に知ることがどうしてできるだろうか。殺虫剤や殺菌剤の利点しか聞いたことのないカシミールの商人が、どうして農薬に疑問を抱くことができるだろうか。

赤ん坊の粉ミルクから、化石燃料への依存まで、すべての事柄の長期的な影響に関する情報は、世界のもっとも開発の遅れた地域には行きわたらない傾向がある。メディアや広告の魅力的なイメージは、有毒廃棄物、農地の土壌浸食、酸性雨や地球温暖化などについて、警告抜きで入ってくる。

途上国の人びとには、世界の工業地域の多くの人びとがこうした問題に直面し、地球とのバランスを回復する方法を模索しつつあることは知らされていない。大都市に集中して住み、本来の共同体や自然との交わりに飢えた人びとが、「進歩」の裏側に潜む仮定に疑問を持っていることなど耳にすることはない。自動車に頼っていた人のなかにも電車、自転車、あるいは徒歩を選ぶ人が多くいることや、自動車が社会や環境に与える影響のことは知らされていない。工業国での医療がますます自然療法を取り入れつつあることや、現実に関して、機械論的な解釈から精神的な理解へと移行していることは、ニュースにもなっていない。環境問題が大きくなり、ヨーロッパや北米では農業の方向づけに変化が見られるようになったことや、工業国の消費者は、倍の値段を支払ってでも化学薬品に汚染されていない、加工もされていない食品を求めていることや、農薬依存から有機農法への移行を農民に奨励しはじめた政府があることは、一般に知らされていない。

同時に、第三世界における援助と開発の現実について、西洋には情報の隔たりがある。大多数の納税者は、自分たちが資金援助しているプロジェクトがどのような影響をもたらしたかについては、ほとんど知らない。おそらく、貧しい地域に道路や病院が建設されたことを耳にし、改善に役立っていると思うのが関の山である。彼らは貧しい国を助けるには、その国の産物を購入するのがいちばんだと信じ込む傾向があるが、第三世界の農村の地域共同体が、西洋の市場に向けてコーヒー、ココア、米を生産するよりも、自給や地元の市場向けの生産を行なうほうが、長期的には幸福になることに理解がおよばない。経済面で比較的自立している地域共同体があることや、木に抱きついて木材会社の伐採作業を阻止したヒマラヤ山麓のチプコの女性のように、現在のままの状態を望んでいる地域共同体のことはほとんど知られていない（注3）。

さらに、西洋にいる私たちは、工業製品の潜在的な危険性についての情報を得るようになってきているが、第三世界においてはそのような情報が欠落していることも知られていない。たとえば、強力な薬品や化学製品の思いもよらない副作用のお陰で、私たちはそうした薬品に対し、より慎重になってきた。第三世界の人びとにはそのような経験がないため、ほとんど無警戒である。農民がＤＤＴを散布するとき、まったく防護対策をしていないことがよくある。また先進国では禁止されている医薬品が、医師の処方箋もなしに、ときとして多すぎる分量で広く使われている。多くの工業国では、汚染されているもの、危険で有害な製品の無節操な販売は、法律と圧力団体の警戒の両方によってある程度はチェックされている。だが途上国では、そうした規制が驚くほど不十分なことがよくある。

一九八九年、ヨーロッパ共同体が開催した会議の期間中に、思わぬ形で問題が明確にされた。政策立案者や産業界の首脳の集りで、工業的農業の危険性について環境保護団体の意見を発表する機会が与えられた。保護団体の人が西ヨーロッパにおける生態系の破壊の怖さからはじまり、事細かに説明しているとき、フランスの有力企業の代表が手をあげ、こう叫んだ。「わかった、わかった、承知した。だが、第三世界のことはわれわれに任せておいてくれ」

＊

開発や進歩の名の下でのこれ以上の破壊を避けたければ、総合的な、適切な情報活動が緊急に必要である。社会的、環境的破壊へと世界を導く産業機構の、不完全で誤った虚像を是正する教育プログラムである。さらなる開発より、われわれに必要なのは、「カウンター・ディベロップメント（注4）」と私が呼んでいるものである。「カウンター・ディベロップメント」の初期段階の目的は、人びとが自らの将来を、十分な情報に基づいて選択できる手段を提供することにある。語り聞かせから衛星テレビまでの、ありとあらゆるコミュニケーション手段を使い、今の資本集約的、エネルギー集約的なやり方には、持続性がないという単純な事実を広める必要がある。究極的には自尊心と自立心を促すことが目的であり、このことによって、生活を豊かに維持するために必要な多様性を保護し、地域を基盤とする、本来の意味での持続可能な開発の諸条件を作り出していくことである。

これまでの開発の致命的な欠陥のひとつは、定量分析が優先した、視野の狭い、短期的なものの捉え方にある。カウンター・ディベロップメントは、分化した専門分野や分断された知識を超え、工業社会の機構の基盤を明らかにする。それは、崩壊した家族や地域共同体に注目し、化石燃料に基づく社会の公表されない補助金を暴露し、経済の貸借対照表の借方に環境破壊を記入することになる。私たち工業国の生活様式の急増するコストをさらけ出すことにもなる。それとともに、カウンター・ディベロップメントは進歩の定義を新しくし、より広い意味を含む人間的な定義へと促し普及させる。そして、世界各地で新たな道を切り拓きつつある、より持続可能で、地域に根ざした独創的な取り組み——数多くあるそうした取り組みのいくつかに目を向けさせるだろう。それは伝統的な農業システムの可能性を示すとともに、パーマカルチャー（注5）、バイオダイナミクス（注6）、活気に満ちた有機農業運動の数々など、新しい農業の動向に関する情報を伝える。生命地域主義（注7）や地域経済システム、物理学に対する新しい全体的なアプローチについても報告される。デンマークやカリフォルニアの、発電のための風車、鍼治療やホメオパシー(注8)、そのほかの自然に基礎をおく健康法を求める声の高まりを広く世に知らせる。また、世界中で起こっている環境保護、土壌保全、大気汚染や水質に対する関心をいっそう明らかにする。

持続性のない開発に向かって突き進むのを食いとめる手段は、大々的に実施でき、またそうする必要があり、ただちに実施されなければならない。モノカルチャーの急速な拡大と闘うには、同じ土俵で受けて立つ必要がある。地球的規模でのモノカルチャー、トップダウンな進め方、資本集約的な手段に対処する必要がある。カウンター・ディベロップメントの効果をあげるには、とても多くの資金が必要となる。インドのテリーダム(注9)、あるいは熱帯雨林の伐採に対する抵抗運動は、たいへんな努力と資金をもってのみ可能なのである。植民地主義と開発がもたらした結果のひとつに、世界で権力を握り、影響力を行使している人のほとんどが、数少ないヨーロッパの言語のひとつを使っているということがある。それらの言語を活用すれば、多様性を促進するメッセージを伝えるための教育プログラムも、わりあい簡単に素早く実施することが可能になる。

カウンター・ディベロップメントという名称ではまだ認識されていないが、明らかに同じ概念の範疇に収まる試みはすでに数多くなされている。残念ながら、私の知っている団体の中でこうしたプログラムを実施しているところはないが、より多くの環境保護団体がこのような方向に向きつつある。たとえば、世界銀行に圧力をかけて環境部局を設置させた団体のネットワーク、原子力エネルギーの危険性についての資料を取りまとめ、東ヨーロッパのＮＧＯに無料で配布しているグループ、農山村住民を都市に招き、スラムの居住者から離村にともなうさまざまな問題について学ぶことを通じ、農村の共同体の結束強化を図ろうとしているフィリピンの団体などがある。

　こうした試みの中で特に優れているものに、工業化された国に長期間滞在した経験を持ち、西洋流の生活様式のイメージが虚像であることを体験した、第三世界出身の個人からはじまったものがいくつかある。そのよい例が、ドイツに十年以上滞在したルワンダ人のヌセクエ・ビジマナ（注10）である。彼女は『白人天国――アフリカ人の地獄か』という著書で、まずはじめに、自らが抱いていた西洋の理想像が実際どれほど強調されていたかを述べている。彼女は、ファースト・フードや疾走する車、自由、匿名性、これらのすべてに仰天した。ところが、そのわずか二、三年後には、きらびやかな表面の下に潜む孤独、不幸、不正、浪費が見えはじめてきた。幻想はひとつひとつ打ち砕かれ、その過程で、自らの文化には西洋がすでに失った多くの素晴らしいものがあることを実感するようになっていく。西洋社会をその内部で経験したことによって、アフリカのためには西洋流の開発が無益で適さないことを確信するようになり、地域に根ざした、より自立した道を推進しはじめる。

このような分野で指導的なほかの人びとも、同じような経験をしている。その中には、マレーシアの第三世界ネットワークのマーチン・コー（注11）、ケニアのワンギリ・マタイ（注12）、インドのヴァンダナ・シヴァ（注13）や故アニル・アガルワリ（注14）、ブルキナファソのピエール・ラビ（注15）などがいる。第三世界で献身的に活動する人びとにとって、西洋に滞在して近代化の暗部をじかに知る機会を得たことが、決定的に重要な意味を持っている。

問題意識を持った西洋人が、自らカウンター・ディベロップメントに取り組むことも同じく重要である。西洋文化の中での経験を持っている人ならだれでも、特別な専門知識がなくてもできることがある。個人として政府や援助機関に圧力をかけることができるし、自立を目指す草の根組織の活動を支援することや、地方文化を脅かす変化から守るために必要な情報を提供することができる。

第三世界の問題に西洋人が関与するのは、よくないと考える人は多い。もちろん、基本的にはこれは妥当な意見である。だがこの意見は、われわれ個の存在をはるかに超えて影響をおよぼしている避けがたい事実を、都合よく回避している。私たちが家庭で西洋流の生活を送っているあいだも、世界のほかの地域の搾取に依存している現状があるからである。さらに私たちには、開発途上国で求められている、産業社会の文化の貴重な経験もある。もし私たちが第三世界の問題に関与しなければ、たとえば母親が汚染された水で粉ミルクを溶いて乳児に与えるのを聞いても、ただ単に肩をすくめ、お手上げということになる。

「でも、あの人たちは自分自身で学ぶ必要があるでしょう」、「そうした経験を積むことも必要だし」と人は言う。こうした意見を、思いやりのある献身的な人びとから幾度となく聞いた。これは、第三世界の人びとを幼児扱いしていることになる。危険なことをいくら警告しても、火中に手を入れるのを止めさせることができないというようなものである。この考え方は、意識的ではないにせよ、開発の罠に永久に陥れようとするものである。「そうした経験を積む」というのは、実際にはやり直すことができないことがわかっている開発の類型を模倣するということを意味している。それが許されるほどの資源はもうない。

差し迫った問題に対して持続可能な解決策を見い出すためには、効果的なカウンター・ディベロップメントが欠かせない。大衆消費文化に歯止めがかからなければ、常に拡大する貧困や社会の分断、生態系の悪化を食い止める望みはない。だが、カウンター・ディベロップメントそれ自体だけでは十分ではない。技術の均一化に対抗するとともに、生態系、文化の多様性を積極的に支持する必要がある。そのために地方の資源、知識、技術を可能なかぎり活用するように努めることである。世界の「先進地域」も「開発途上地域」も、ともに自立した農業に経済の中心的役割を与える必要がある。女性の視点と価値にも同じ比重をおくべきである。家族や共同体の絆を育む必要もある。

もし私たちが自然や人間への敬意を、あらためて起点とするなら、多様性こそが避けられない結論である。もし技術と経済の必要性を出発点とするなら、特定の人びとや地域の必要からは遠くかけ離れ、上から押しつけられる開発という、今日、私たちが直面している問題にぶつかる。

地域と地球とのあいだの均衡を回復する必要がある。「地球大で考え、地域で行動を」という標語がよく口にされる。だが、近代化はすべての面でグローバリゼーション（注16）の方向へ突進している。地域の文化や経済は危機的な速度で解体しつつあり、それとともに動植物の種が失われつつある。持続可能な中庸の道を見い出すには、地方分権に対する積極的な取り組みが必要である。だからといって、国内外のさまざまなレベルですでに極度の依存関係ができているので、すぐに経済関係を「切断」し援助を止めれば、無責任になるであろう。たとえば第三世界には、一国の経済がコーヒーや綿花の貿易に全面的に依存している国々があり、私たちはその購入を突然中止するわけにはいかない。しかし、西洋への輸出向け商品作物から、地場消費向けの食料生産に農民が復帰できるよう援助する計画を支援することなら、私たちはすぐにでもはじめることができる。

経済活動の地方分散と並行して、エネルギー生産の分散化を図る必要がある。これもまた、西洋および第三世界の両方で推進する必要がある。だが、エネルギー関係の社会基盤施設の整備状況は、ほとんどの途上国ではまだかなり限られている。そのため、太陽、風力、バイオマス、水力の技術を広く適用することは比較的容易であるが、今までのところ、それほど進んでいない。西洋は、大規模で集中型の発電施設による自らの工業モデルを押しつけてきた。破壊的な開発を、あるべき援助に変えるもっとも効果的な方法のひとつは、ロビー活動を行ない、再生可能なエネルギーの分散的な利用を広く支持し、補助金が出るよう働きかけることであろう。

本来の適正技術は、「ハイテク」よりもはるかにコストが安くつく。純粋に経済的な意味ばかりでなく、社会や環境におよぼす影響というとても重要な意味においてもそうである。適正技術は、特定の社会や地理的条件の下で行なわれる研究から生み出され、そこの条件に合うように作られるものであり、その逆ではない。地元の事情に通じている者ならだれもが知っているように、風、水、日照、土壌、気温はごく狭い地域でも違いが大きい。ラダックの建物のレンガ造りが、場所ごとに得られる泥によって異なるように、入手可能な資源の最適な利用を図るのであれば、地域の条件に合った小規模な施設の設置が必要となる。これは自然から学んだ詳細な知識が必要で、工業社会の圧制的なやり方とはまったく異なる接近方法である。

もし開発が地域資源に基づいているなら、地域の資源に関する知識を育み、支援する必要があることに議論の余地はない。標準化された一般的な知識を詰め込む代わりに、子どもたちには自分たち自身の環境を理解する手がかりを与える必要がある。そうすることを通じて、間口の狭い専門化や都市指向的な西洋式の教育とは違った、視野が広く、より状況に適合した生態学的なものの見方ができるようになるだろう。地域独自の知識は総合的であると同時に、地域固有でもある。こうした接近の仕方は、伝統的な知識の存続、あるいはその再発見を目指している。それは、心の通う関係で、特定の地域での生活が織りなす、長年の経験の積み重ねの上に築かれるものである。

地域の知識に対する支援は、自然科学を含めあらゆる教育の分野にまで広げられるべきである。現代科学のヨーロッパ中心主義を克服するには、より分散的で、より広い範囲の人びとにとって身近な研究を促進する必要がある。実験室でのような人工的で仮定の多い条件下より、地元の研究者による、文化的にも風土的にも多様な環境での実験に力点をおかなくてはならない。手のこんだ先端科学技術による種子バンクを維持することよりも、たとえば、農民にその土地固有の希少な品種の栽培を奨励し、生物多様性の生きた貯蔵庫として存続させるべきであろう。

農業はすべての人にとって、もっとも基本的な食糧を供給し、第三世界の大多数の人びとに直接、生活の糧をもたらしている。だが、農民の地位が今ほど低いことはなかった。国際経済サミットでは、農業は、ほかの重要な問題が合意に達するのを妨げる、単なる「障害物」のように見なされている。もし現在の傾向がつづくなら、規模の小さな農民は次の世代には消滅してしまうかもしれない。相応の重要性を農業に認め、職業としての農業の地位を積極的に引き上げ、こうした傾向を逆転させることが肝心なことであり、また必要なことである。分散型の開発というやり方は、小規模な農業に大きな利益をもたらす。輸出作物よりも地場消費向けの食料生産に力点が置かれるようになれば、小農の暮らし向きも改善されるだろう。ただし、それは小農の生産物が、補助金に支えられた輸送網を通じて長距離輸送される生産物と競争する必要がなくなることが条件である。そして、大規模農園や農業企業向けの資本集約的な農業設備にではなく、地域の条件に適合した農業技術開発に補助がなされることも必要である。殺虫剤や化学肥料の使用から、もっと生態学的に健全な農法へ補助が変更されれば、小農の利益となる。

これらの変化の多くはすでに進行中である。生産者と消費者との距離を縮めるものとして、農民による市場が草木が繁茂するようにあちこちにできつつある。他方では世界中の何千という個人や組織が、地域を基盤にした持続的なもうひとつの道を切り開きつつある。これは成功をおさめている伝統的な農業システムに触発されたものが多い。だが、公的な援助はまだまだ遅れている。政府は有機農業への移行の必要性を認めつつあるが、依然としてバイオテクノロジーや大規模農業が有利となる経済的な誘因が働いている。小規模で多角的な農業を、国の優先目標のリストの先頭に据え、支援することが緊急に必要である。

分散型の開発は、必然的に女性の地位の向上をもたらし、また男性と女性の評価の均衡の回復も図る。産業社会の文化では、権力は男性に独占されており、この文化の要である科学、技術、経済などはそのはじめから男性優位であった。開発は、男性が賃金雇用を求めて都市に出ることによって、実際的にも象徴的にも、女性を置き去りにする結果をもたらした。それに農業経済の内においてすら、機械化のせいで、一般に女性はぎりぎりの端に追いやられてきた。地方分散型の経済では、地域の絆が強化され、女性の声を反映しやすくなる。その結果、女性はもはや意思決定や経済活動の周縁ではなく、中心に位置することになる。

第三世界のほとんどの国では、今なお家族がすべてであり、その絆は強固である。子どもは老人とともに生活し、育つ。お互いに支え合い、保護し合っている。だが、世代間の断絶をいっそう大きくする西洋流の進歩は、家族の絆に大きな衝撃を与えている。この流れを変えるには、家族や個人が健全に頼ることができる共同体の、強固な結束を支持する必要がある。これはまた強い地域経済を支えることを意味している。

こうした経済は、長いあいだ世界の多くの地域で現実に役に立ってきており、ユートピア的な理想というわけではない。成長第一主義の中央集権的なやり方よりも、このような経済は富の公平な分配を目指し、人びとのニーズや天然資源の限界に対して、より鋭敏に反応する。それらの復活を支援することによって、文化的、生態学的多様性の維持を助けることにつながる。

こうした考えは、従来の開発論の指標の範囲外にある。だが、人間の福祉にとって絶対的な基礎をなすものである。人間の福祉が開発の最終目的であることを忘れてはならない。ブータンの国王の言葉にあるように、社会の幸福の真の指標は国民総生産ではなく、「国民総幸福度（注17）」なのである。

（注1）石油や石炭を燃やした結果、二酸化硫黄と窒素酸化物の汚染ガスが大気に放出され、大気中で硫酸や硝酸に変わり、雨や雪や霧に溶け込んだり、そのまま風に乗って再び地上に戻ってくる。土や湖沼が酸性になり、森林や水生生物の死を招いている。

（注2）大気中に放出された温室効果ガス（二酸化炭素やメタンガス）が、地球から宇宙空間へと逃げる熱放射をさえぎるため、地球の表面の気温が上昇する（地球温暖化）。地球温暖化防止京都会議（気候変動枠組み条約第三回締約国会議一九九七年）の後、日本では継続して温暖化問題に取り組み、情報提供などを行なう連絡組織として、「NPO法人気候ネットワーク」がある。

（注3）インドのウッタル・プラデシュ州で一九七三年四月、女性たちが体を樹木に縛り付けて森を守った。運動はインドのほかの地域にも広がりを見せ、環境保全政策の国家レベルでの転換を促すことになった。「チプコの人々は社会経済改革に携わり、都市指向生産物のために森林を伐採し商品化するトップダウン式の官僚主義構造から、自分たちの森林資源に対する自治管理権を勝ち取ったのである（国連環境計画報告）」。

（注4）主流となっている従来型開発を抜本的に問い直しつつ、それとは異なる開発のあり方を目指している。直訳すれば、「対抗的開発」。

（注5）パーマネント（永久の）とアグリカルチャー（農業）の縮約語。生態学的モデルに基づき、「耕された」生態系（cultivated ecology）をつくり出すデザイン体系であり運動である。日本

で活動する団体に「パーマカルチャー・センター・ジャパン」(http://pccj.jp/) がある。
(注6) ドイツの思想家ルドルフ・シュタイナーの示唆に基づいた、天体からの影響に配慮した農法。日本でこの農法を実践する農場「ぽっこわぱ耕文舎」がある。
(注7) bioregion (生命地域) と regionalism (地域主義) の合成語。河川の流域のような生態的なつながりをもつ地域に注目し、生態系のつながりを復元しながら、その生態系の生命共同体の一員としての人間の生活のあり方を再発見し、持続可能な地域に転換していこうとする運動。
(注8) 身体の持つ自己治癒過程を促進させる治療で、(1) like with like:ある症状で苦しんでいる人に、もし健康である人に与えたときに同じような症状を示すレメディ(ホメオパシーの薬)を投与して治療する、(2) minimum effective dose:最小限度で効果的な投与を行なう、というふたつの基本原理に基づいている。患者一人ひとりの独自性を大事にし、時間をかけて診断を行なう。日本には、日本ホメオパシー医学協会などがある。
(注9) インドのウッタル・プラデシュ州のガンジス河のダム開発計画。大規模な森林伐採が行なわれ、湖の底に沈む五二〇〇ヘクタールの土地に住む十万人を超える人びとが強制移住問題に直面している。インドで最大の高さを持つダムとして、二〇〇六年に第一フェーズが完成。
(注10) ルワンダ生まれの獣医。ドイツに長く住む。『近代の神話』というエッセイで彼女は、近代化、産業化された社会の生活様式を真似するのではなく、伝統的な共同体における、道徳、文化、生活様式に基づく社会や生活に改善していかなければならないと結論づけている。『アフリカにおける伝統的獣医学』の著者でもある。
(注11) 第三世界ネットワーク(本部マレーシア)の代表。このネットワークは第三世界の経済・社会・環境問題に関する調査研究を行ない、その結果や第三世界の人びとの声が国連などの国際的な合意形成の場で反映されるように働きかけている。テーマは貿易とWTO、世界規模の財政・

経済危機、生物多様性、土着の知識と知的所有権、女性の権利とジェンダー、人権、健康、平和と安全、観光、気候変動、多国籍企業など。

(注12)一九七七年にケニアで住民自身による植林を推進するグリーン・ベルト運動を始めた。女性が、三〇〇〇カ所あるといわれる苗畑の運営を担っている。一九九三年までに二〇〇〇万本の植樹を行ない、ほかのアフリカ諸国にも広がっている。

(注13)環境問題、女性解放問題などに関し、世界でもっともエネルギッシュで挑発的な女性思想家のひとり。一九九三年、ライト・ライブリフッド賞を受賞。「科学・技術・エコロジーのための研究財団」の創設者。著作は『生きる歓び―イデオロギーとしての近代科学批判』(一九九四)、『バイオパイラシー―グローバル化による生命と文化の略奪』(二〇〇二)、『ウォーター・ウォーズ―水の私有化、汚染そして利益をめぐって』(二〇〇三)など。

(注14)科学・環境センター(CSE)の創設者。CSEは、インドを代表する環境NGOのひとつとして、困難な課題に対する独創的な提案を数々行なってきた。環境問題とその解決を、社会的公正、人々の参加、伝統的知識、近代科学の視点から捉えている。市民によるインド環境白書や、『Down to Earth』(隔週刊)という、影響力のある出版物やキャンペーンをつづけている。最近の取り組みとしては、インド企業の環境評価などがある。http://www.cseindia.org/

(注15)アルジェリア生まれ、フランス育ちの自然環境保護運動家。ブルキナファソで有機農業を提唱し、その数、現在五万軒の農家に広がっている。アルジェリア、マリ、パレスチナ、セネガル、チュニジア、ハンガリー、中国などでも環境保全型農業を唱道している。世界銀行のコンサルタントでもある。

(注16)グローバリゼーションがキーワードとなったのは、一九九六年の主要国首脳会議(リヨン・サミット)からだと言われている。新自由主義的な経済のグローバル化は、一方で地球上の

貧困地域を拡大し、富める国々と貧しい国々との途方もない格差を生み出した。他方で九七年のアジア通貨危機をもたらしたヘッジファンドに代表される巨額な金融資本が、地球を食いつぶす怪物のように世界経済をかく乱し危機に落しこむまでに成長してきた（ATTACホームページより）。

（注17）GNH（Gross National Happiness）。ヒマラヤの小王国ブータンは、国民ひとりあたりのGNPが四〇〇ドルほどで日本の百分の一であるが、一九八九年にGNPよりもGNHの最大化を目指すことを国づくりの方針として打ち出した。「国民がどれだけのお金を持っているかということが大切なのではなく、どれだけ幸せだと感じているかが大切だ」（第四代ジグメ・センゲ・ワンチュック国王）。先進国や国際機関の言いなりになって援助を受けるのではなく、近代化と伝統を組み合わせ、バランスを取りながら、自分たちのペースで開発を進めようとしている。

ラダック・プロジェクト

ラダックはまさにパラダイスだ
それが消失するというのは、なんとも惜しい
――旅行者　一九七五年

ラダックで過ごした最初の年、私が出会った旅行者は宿命論者が多かった。外部世界との接触で起こる犯罪や汚染や失業などは、避けられないものであると彼らは確信していた。進歩というのは当然の動かしがたい過程で、唯一の道という意見であった。私はそれに同意できなかった。起こりつつある破壊というのは、必要でもなければ避けられないものでもない、と私は信じていた。それは特定の政策や認識によるもので、変えることができるものである。私は、もうひとつの道というのは可能に違いないと確信していた。

ちょうどそのころ、私は経済学者E・F・シューマッハー（注1）の『スモール・イズ・ビューティフル』に出会った。それは、開発は必ずしも破壊を意味しない、とい

う私の確信を強めてくれた。近代にさしかかったラダックの人びとが、冬のあいだ、暖房のために輸入した石炭や薪を買うようになったのを見てきた。彼らにとってそれは厳しい冬の気温と闘うためで、乏しい動物の糞を燃やすことに比べたら根本的に改善されたように見えた。すでに明らかになっていることだが、ヒマラヤを越えてそれらを運ぶことにともなう問題は大きく、価格も毎年上昇している。伝統的な自給経済の中で暮らす家族が、冬の期間、一定量の燃料を買うことは無理であり、それを買う唯一の方法は、レーでの貨幣経済の中に組み込まれることである。これが農村から中心都市レーへの流出の大きな原因になっており、再生不可能な資源に依存した、インフレーション経済をつくり出している。

強固な伝統文化の上に立脚し、再生可能なエネルギーの使用を促進する政策について、私は州政府とインドの中央政府両方にあてて手紙を書くことをはじめた。インドの開発計画委員会との何度かの会合の後、一九七八年、簡単なソーラー技術を宣伝する、小さな試験的なプロジェクトの許可を申請し、認可を受けた。年に三〇〇日以上の日照があるこの地域で、太陽エネルギーは当然の選択であった。このプロジェクトの焦点は家を暖める効果的な方法を見つけ出すことであったが、実演用のソーラー・オーブンや温室も造った。幸運なことに、洗練された簡素なソーラー技術が利用可能で、フランス人の設計者の名前からトロンベ壁と名付けられていた。この構造は、私たちの利用可能な材料で、伝統的な建築にも簡単に適用できることがわかった。南に面した壁の外側に二層のガラスが設置され、太陽の光を吸収するよう黒く塗られている。天井やほかの壁は藁で断熱する。

トロンベ壁は、ラダックに理想的に適合することが判明した。泥のレンガは太陽エネルギーを吸収し、蓄えるのに優秀な媒体であり、冬の低い太陽の光線は効果的に部屋を暖めるが、夏の高い太陽の光線はほとんど壁に当たらず、部屋は涼しく心地よく保たれる。全体を設置するのに約三〇〇ドル、これはゾー一頭分の費用に相当する。石炭や薪などを使うと、一年で二〇〇ドルも暖房のためにかかっていた。壁のコストは二年以内に回収できる。

私たちが最初のトロンベ壁を建設する前、多くの人はいくぶん懐疑的であった。後にこれを最初に試みたプンツォック・ダワは、このアイデアを笑い飛ばした。「馬鹿言っちゃいけない。ドアを開けたとたん、熱は逃げてしまうよ」。私たちが彼の家の壁を造るとき、藁での断熱は、たずさわった煉瓦工たちにとって大きな楽しみとなった。彼らはそれを「ねずみの家」と呼んで笑った。それから後、トロンベ壁やほかのソーラー技術はどんどん増えていった。

ラダックでの最初の数年は、私は言語学的な研究に的を絞っていたが、民話を集めながらその土地その土地を歩き回って、知らないうちに「カウンター・ディベロップメント」に巻き込まれていた。私は土地の言葉を話せる唯一の外部の者だったので、いろいろなところで西洋での生活について聞かれた。特に若い人は近代的な世界について誇張されたイメージを抱いており、そのため自分たちの文化を恥ずかしく感じ、卑下していた。人びとが自分たちを貧しいと考えはじめていたころである。西洋に対しての間違った印象に対抗するとともに、もっと正確な情報を示すことが道理にかなった西洋人の重要な役割であると、だんだん私は自覚しはじめていた。

数え切れないほどの非公式な会話やラジオのインタビューなどで、西洋に関する誇張された印象からラダックを守らなければならない自分を発見し、カウンター・ディベロップメントの概念が少しずつ私の心の中で形になってきた。伝統的に演劇は人気のある娯楽だったので、人びとにこの考えを広げるのに効果的な方法のように思われた。私は辞書作りを一緒にやったギェロン・パルダンと一連の劇を書きはじめた。『ラダックの人よ――跳ぶ前に注意せよ』というのが最初で、私たちの仕事の本質を要領よくまとめたものであった。

あらすじはこうである――。

若いリジンは古い文化を拒否し、現代的な西洋人と同じ生活をしようと最善をつくしていた。バター茶など伝統的なラダックの食事を拒否し、両親を「とても古くさい」と馬鹿にし、たばこを吸い、バイクで走り回っていた。彼やその友だちはジーンズをはいてサングラスをかけ、ディスコで西洋の音楽で踊るのにお金と時間を費やしていた。

ある日、彼の祖父が病気になり、リジンは両親を説得し、最近、アメリカで西洋医学の訓練を受けて帰ってきた医者を連れてきた。彼はその医者に、西洋世界での生活について質問を浴びせかけた。医者の話に彼は驚かされることになった。医者が、「アメリカでは――」と言って、こんな話をした。

「進歩的な人たちは石臼で挽いた全粒粉小麦のパンを食べている。それは私たちの伝統的なパンにとても似ているけれど、白いパンよりもずっと値段が高い。そういう人たちは私たちと同じように自然の材料で家を建てている。コンクリートの家に住むのはだいたい貧しい人びとである。服は〈一〇〇パーセント天然素材〉とか、純毛などとラベルに書いてある。貧しい人がポリエステルの服を着ている」

それはリジンが想像していたのとは、まったく違っていた。

「アメリカの先端の生活は、ラダックの伝統的な生活にとっても近い」

岩塩を馬に乗って採りにいった男たちを待つ年輩の遊牧民（ラダック東部チャンタン）

そして、彼はリジンにこう言った。

「君はラダックに生まれて、とても幸運だね」

＊

この劇の初日には五〇〇人ものラダックの人たちが劇場に押しかけ、成功であった。後に、地方政府の最高位の官僚である開発長官のツェワン・ポンソックを含む地方のリーダーたちが、文化に対する自尊心の大切さについて演説を行なった。しかし、別の反応もあった。ソナム・パルジョーは、「あなた方は大げさにしすぎだ。そんなに物事は悪くない」と文句を言った。残念ながら数年後、彼の息子は実際に劇の中の若者を鏡に写したように育ってしまったと、彼は言っていた。

私は言語を通してラダックの人の考え方を理解するようになり、かなりその社会に溶け込めるようになった。西洋のやり方がラダックを変化させるのを見ていて、私は自分自身の文化を違った目で見ることができた。資本やエネルギーの集約的な生活の仕方の無駄と、不公正がよりはっきりと見えるようになった。一人ひとりを孤立させる西洋型の開発の精神的、社会的な費用の高さについて、はじめて理解するようになった。

私はヨーロッパや北アメリカでの一連の講演やセミナーに乗り出した。伝統的なラダックの社会的、環境的な均衡について、そして従来の開発がそれをどんなに破壊しているかについて述べ、西洋における問題の根本的な原因のいくつかを指摘することもできた。西洋の聴衆に対し、私たちとはまったく違う原則に基づいた文化について知ってもらい、もっと人間的で、環境的にも持続可能な生活は実現の余地があるということに、目を開いてくれることを願った。

一九八〇年までに私の活動は、ラダックと西洋で「ラダック・プロジェクト」と呼ばれる小さな国際的な組織に成長した。一九九一年には「エコロジーと文化のための国際協会（ISEC・注2）」となった。私たちは、環境と共同体に基づいた生き方に向かって、「進歩」ということを再考するよう促すことを目指している。私たちは、政治、そして経済の集中に対抗することが緊急に必要だと強調してきた。一方、文化交流を増やすことで、国際的な視野を持つことを促進しようともしている。視野がより狭まっていく専門化よりも広く総合的な視点へ、孤立した事象より、関係や文脈を重視するアプローチへの移行が、さらなる社会と環境の破壊を予防するために必要だと私たちは感じている。私たちの考えを広めるため、研究会や講演会を開いたり、教育のためのビデオや出版物を制作している。それらの中には、エネルギーや農業、健康など、鍵となる分野での世界の流れを調査したものも含まれている。これらは、私たちのラダックでの経験からきており、地球規模の問題についての議論を促すのに有効な道具として機能するはずである。人びとは一般に、自分の住む近くの事例より、むしろ遠いラダックが提示する問題のほうに容易に心を開くということを発見した。私はアメリカやイギリスで講演をするとき、ラダックの人たちの笑顔や明らかに見てとれる満足感を示すことによって、聴衆に進歩というものを構成している内容について、再評価することを促している。

また、ラダックでは、世界の「進んだ」地域での、エコロジカルな実践についての情報を伝えている。たとえば、スウェーデンやアメリカなどでの持続可能な生活の探求をラダックの人びとに解説してきた。こういうことによって、ラダックの人びとは、そうした世界の流れと自分たちが産業化する以前の社会の生活を比較することができる。

初期のころから、一部のラダックの人たちはトロンベ壁やラジオ放送、劇に反応して、持続可能な発展の道に興味を持つようになった。彼らはラダックを代表する思想家であり、とても高潔で献身的な人たちであった。彼らの多くはラダックの外を旅したことがあり、近代的な教育を受けているが、いまだに自分たちの伝統文化に尊敬の気持ちを持っていた。一九八三年、私たちは「レデッグ（LEDeG：Ladakh Ecological

Development Group)」として公式に登録した。現在のスタッフは四十人で、レデッグはこの地域でもっとも大きな影響力を持つＮＧＯ（非政府組織）となった。ラダック・プロジェクトとともにレデッグはあらゆる分野の適正技術を開発、宣伝する活動をつづけており、現在では実際に応えきれないほど多くの要望を受けるようになっている。トロンベ壁に加え、私たちは空間を暖めるため、太陽熱を直接獲得できる装置を造った。ソーラー技術に含まれるほかのものには、米や野菜を調理したりパンやケーキを焼いたりするオーブン、単純に管を束ねた温水器、冬のあいだに野菜を作ることができる温室などがある。

私たちはまた、技術スタッフによって、ごくふつうの配管部品でできる水圧ポンプを開発した。輸入された石油に代り、重力を使って水を汲み上げるもので、最初に設置したポンプのひとつは、マト僧院まで四五メートルの高さを揚水し、僧たちは驚き、感謝してくれた。それまでは水を背負って上がらなければならなかったのである。水に関するもうひとつの計画は、伝統的に使われてきた水車を改良し、穀物をより速く挽けるだけでなく、道具を動かすための動力を得るというものであった。一九八九年からは電力への要望が増加したため、技術プログラムの焦点は、村の家庭の明かりのための小規模水力発電の設置となった。

これら技術的な代替案は、経済的にも、環境的にも、文化的にも道理にかなっている。より身の丈に合った規模で分散化された開発のパターンを力づけることで、伝統的な構造を破壊せず逆に活発に支えることになった。これらは特権を持たない人だけに適した「貧しい人びとのための技術」というだけにとどまらない。私たちが明らかにしようと最善をつくしている再生可能な資源に基づいた、汚染を引き起こさない適正技術は、先進国と途上国両方にとって長期的な要望への、とても効果的で能率的な解決策なのである。

私たちのすべてのプロジェクトは、その恩恵を受ける人に参加してもらっている。たとえば、発電のために水力タービンを設置するときには、まず村人自身が場所を選び、今ある水路を改善し、水を貯めるタンクを造っておく。それからひとりかふたりの村人がレーでの私たちの研修会に六カ月間参加し、設置をどのように進めるか、それをどのように維持していくかについて学ぶ。タービンが来たら、村は小さな発電所を建設する責任を持つことになる。

レデッグの本部は、「エコロジカルな発展のためのセンター」であり、レーの中心部にある。一九八四年、インディラ・ガンジーによって開所式が行なわれ、ダライ・ラマによって清めてもらった。センターは私たちの活動とその背後にある考えを、ラダックの意思決定者と外国からの訪問者たちに伝える目的のために役立っている。ラダックの中だけでなく、インド中の関心を集めた。訪問者は政府の官僚からジャーナリスト、教師、旅行者、そしてラダックの人たちにまで広がりがあった。ここでラダックの人たちは、外国からの訪問者と同じ事柄について顔を向き合わせて話すことができた。ふたつの文化のあいだでの対等なコミュニケーションを促進し、西洋に関しての神秘性を取り除き、伝統的な文化を紹介するだけでなく、私たちの活動に外国人がいかに惹かれているかをラダックの人びとに示すのに役立っている。

レデッグの建物自体、伝統的なラダックの建築で、それがいかに変化する要望や必要に応じて最新の対応ができるかという例でもある。建物の一部は太陽熱で暖められ、熱いお湯が屋根の上のソーラーパネルから供給されている。小さな風力発電機が補助の明かりのための電力を供給している。庭にはソーラー・クッカーと乾燥器、温室がある。これらは実際に使われていて、それがどのように造られ、機能するかが文章や図にまとめられている。

中央の建物には、ソーラー・オーブンで調理されたものが出るレストランがある。エコロジーの問題や持続可能な発展など、世界中で関心が持たれている内容の文献でますます大きくなる図書館がある。また工房があり、そこでほとんどの適正技術を創り出し、村人たちに対するトレーニング・コースも開いている。一九八九年、地域の自立を支援し、農村から人びとが流出するのを防ぐことを目指し、手工芸のプログラムをはじめた。農作業がほとんどない冬のあいだ、手工芸品を生産することによって、もし村の生活を捨てて出ていったなら被るであろう社会的、環境的損失を防ぎ、現金収入が得られることを目指した。一万五〇〇〇人ぐらいの観光客が毎年ラダックに来ているが、一部の例外を除いて、ラダックの人が作ったものではない、さらにはラダックで作られたものではないおみやげ物を買っている。センターへの訪問者は、屋外で、伝統的な手製の道具を使って機織をする人や銀細工をする人、木彫をする人などを見学することができる。部屋の中では服を仕立てる人や刺繍をする人、ラダックの若い人にタンカや、伝統の服であるウールのゴンチャを作る訓練をしているのを見ることもできる。

私たちは範囲の広い教育プログラムを持っており、それには自然環境と調和した開発に関するラジオ番組や定期的な出版物などもある。そのなかのひとつは、ラダックの自然環境に関する最初の本であった。よく開かれる会合や研究会、セミナーなどは、私たちの教育の仕事の中心となるものである。一九八六年と一九八九年、世界の工業化された国での経験について、ラダックの人の注意を引くために国際会議を開催した。

そのほかのミーティングとしては、村の有志のグループが彼らの温室やソーラー・オーブンの利用について話し合うことから、ラダックの農業の未来を探るなど、地域中から何百人もの農民が集まった会合もあった。仏教徒とイスラム教徒、それぞれの共同体のリーダーが、紛争を避けるための道を探すセミナーも行なった。また女性たちを集め、手工芸品についてや、アスベストの上で食物を焼くことの危険性や、特に重要な農業などについて話し合った。

農業は伝統的経済の中心であるが、自給の低下や換金作物の栽培、農村から人が流出したために導入せざるをえなくなった化学肥料や農薬の使用によって、脅かされている。多くのラダックの人は、農業は「原始的」な職業であると信じるようになってきており、農業に従事している多くの人が、人工的なものを投入することが「進んでいる」と信じていて、土壌や健康に対しての長期的な悪影響については何も知らない。私たちの集会や会報を通して、世界中で有機農法の評価が高まっていることについて人びとに知らせ、農業の地位を上げるため最善をつくしている。

村のミーティングでは、しばしば活発な議論が起こる。たとえば、シャクティ村の農業セミナーでは、若者は伝統的な農業に関して無知で軽蔑しているという意見に対し、ある若者が熱心に反対した。彼が話している途中で、ある老人が割り込んできた。

「確かにそうだ。彼ら若い者に馬に鞍を置くように頼んでみなさい。後ろ向きに置いてしまうさ。ゾーに頸木を掛けるよう頼んでみなさい。怖がって逃げてしまうよ。彼らは高価なゴムのブーツを買うけれど、峠に着く前にバラバラになってしまうさ。われわれは自分で作った靴を履いていてとても暖かいし、針と糸を持ち歩いているので、すぐに修理ができる。われわれは自分の二本の足で立っているし、周りのすべてのものをどうやって利用するか知っている。それがエコロジーということの意味じゃないのかい」。彼はレデッグのスタッフに大声で言った。

これらのプログラムのほとんどは、ラダック・プロジェクトの助けを借りてレデッグによって実行されている。また、私たちは「ラダック学生のための教育と文化運動（SECMOL）」とも一緒に活動している。SECMOLは一九八八年に設立され、若い人たちを、私たちが推進している小規模開発の活動に巻き込むことと、公的教育に代わるもうひとつの教育を探求することを目指して設立された。SECMOLへの私たちの支援の一部には、そのリーダーたちと同じような思いを持っているインドのほかの地域や、ヨーロッパのグループ、個人を紹介することがある。私たちは彼らとレデッグのメンバーのためにスタディー・ツアーも企画した。そこで彼らは産業社会での問題について知り、その問題が引き起こす影響を直接自分の目で確かめることができる。

数年を経て、私たちの活動は膨らみ、発展していることがわかってきた。しかし、すべてが容易だったわけではない。ラダックは軍事的な戦略地域であるため、通常は、外国人がそこに住んだり、働いたりすることは許されない。ラダックに来て二年目にはもう、ヒンドゥスタン・タイムズ紙に私に関する記事が出た。「疑いたくなるほど短い時間で現地の言葉を覚えた、ミステリアスな女性」として、私のラダック滞在に対する疑わしい動機をほのめかしていた。首相や州知事と個人的に会ったり、彼らからの直接、あるいは手紙による支援があったにもかかわらず、何人かの情報将校は私をCIA（アメリカ中央情報局）の人間で、政治的に微妙な国境地帯に関しての情報を集めていると信じていた。一九八九年、イスラム教徒と仏教徒のあいだで起こった暴動においても、私がそれに関係したと一方的に非難された。

さらに私たちの活動は、近代的な分野で自分の道を見つけたばかりの若い人たち、特に観光産業で働いている人たちから疑いの目で見られていた。彼らは近代的なものに夢中になっていて、環境教育プログラムの必要性について理解することができなかった。彼らは、「村の貧しい農民」にすばやく物質的な利益をもたらすことに、みんなの関心を集中させるべきだと考えていた。

イデオロギーの点から見ても、私たちの活動はいつも難しかった。根本的に今までと違った発展の道を創り出そうとしたとき、私たちには見習うべき手本はほとんどなかった。私たちはいくつかの困難な問題と格闘した。そんなとき、私たちが心に止めておかなければならないのは、過去二十年のあいだに、ラダックにのしかかってきているモノカルチャーの経済的、心理的な重圧である。世界中で、西洋の利権が、産業化されていない社会へ触手を伸ばしており、本来の意味での地域固有の発展を不可能に近いものにしている。

＊

太陽熱暖房は、はっきりと生活水準の改善に貢献したと感じているが、石炭や石油を使うような持続可能に反する暖房方法が伝統的な生活を崩壊させはじめていなかったら、私のような外部の者が、このような技術を紹介することが適切だとは考えなかっただろう。彼らの伝統はすでに壊されていたので、選択するための情報を持つべきだと考えた。より高い生活水準は、必ずしも経済的な自立や伝統的な価値を捨てることを意味しない。実演するだけでは十分でないということは、経験から理解していた。代替案を活発に支援し、宣伝する必要があった。また、資本やエネルギー集約的なものの設置から、再生可能な資源に基づいた分散化された技術へ助成金を向けるよう、政府に対してロビー活動を行なう必要もあった。

たしかに私たちのやってきた妥協は、問題がないとはいえない。ある決定や活動についてては明らかに違ったやり方があったかもしれない。だが、全体的には私たちは正しい方向に向かっていると信じているし、努力が実を結んだという勇気づけられる兆候もある。自立と自尊を基礎においた開発のためには、長期的でエコロジカルな視野が必要だという自覚を高める役割を私たちはしてきた。「エコロジー」や「太陽エネルギー」という言葉は、今やラダック中で使われ理解されている。そしてより多くの人びとが、ラダックの未来のよりよい環境と生活を意識的に優先課題にするようになってきた。

ラダックの人の多くがまだ経済的に自立した生活をしているので、従来の開発によくある落し穴を避けることができる。私たちの活動は、核心に触れているように思える。ラダックでは、開発は今違った光が当てられている。生態系に適った発展のモデルとして、伝統的文化とその可能性を引き出すことに成功したラダックの事例は、私たちすべてにとっての、持続可能な未来のために基本的に必要なことのいくつかを明らかにしている。

（注1）エルンスト・フリードリヒ・シューマッハー（一九一一―一九七七）は、物質至上主義、科学技術万能主義を痛烈に批判。地球環境に配慮し、人間の身の丈に合った、「精神性」のある経済政策を提唱した。イギリスのデボンにあるシューマッハーの学校は、一九九一年に設立され、自然を学際的かつ全体的にとらえようとするホーリスティック科学の修士コースや短期コースなどをはじめ、学びの場を提供している。シューマッハー・カレッジ（http://www.schumachercollege.org.uk/index.html）

（注2）アイセック（ISEC）は、地球的規模での消費文化から生物的文化的多様性を守り、地域に根ざしたオルタナティブな生活を推進することを目的としている。ラダックでの長年の活動に加え、地場農産物の使用を奨励して小農を守り、地域共同体を再興するための啓発などのローカリゼーション推進の活動を、イギリス、アメリカ、オーストラリアを拠点に行なっている。監訳者が立ち上げの三年間協力した「幸せの経済学国際会議（Economics of Happiness Conference）」は、二〇一二年アメリカのバークレー、二〇一三年オーストラリアのバイロンベイ、二〇一四年インドのバンガロールのあとも、継続的に世界各地で開催されている。二〇二〇年からは、世界ローカリゼーション・デーが始まった。団体名は、「ローカル・フューチャーズ」と改称。http://www.localfutures.org/

懐かしい未来へ

「多様」であるということ

西洋の社会は今、明らかに異なったふたつの方向へと動いているように私には思える。ひとつは、政府や産業界に導かれた主流の文化で、経済成長の持続や技術の発展に突き進み、自然の限界に迫ろうとして基本的な人間の要望をほとんど無視している動き。もうひとつは、広い範囲にわたる考えやグループからなる反主流の文化で、すべての生命は分かちがたく結びついているという古来からの理解を保持しつづけている動きである。

後者の考えはまだほんの少数の声だが、多くの人が進歩という包括的な概念に疑問を持ちはじめるにつれ、大きく育ってきている。「緑の党」の形成や環境保護団体の会員の増加は、環境保護への賛意を広く示している。消費者は、徐々にではあるが、自分たちが経済システムに変化をもたらす力を持っていることを自覚しはじめているし、経済界は「環境に優しい」ことをアピールしようと競い合っている。政府や国際機関に対しては、政治的な議題として優先順位の高いところに環境問題をおくように圧力がかかっている。

私たちにはまだ、社会的、生態学的にバランスのとれた社会に向けて舵取りできる機会が残っている。しかし、私たちが単なる対症療法以上のことをしようとするなら、直面している危機の構造の特質を理解することが大切である。民族紛争や、大気や水の汚染、家族の崩壊、文化の解体など、表面上はかけ離れた問題でさえ、実は密接に関連し合っている。その複雑さに圧倒されるかもしれないが、その要点を見つけることによって、それらの問題に取り組む私たちの行動をずっと効果的なものにできる。それは個々の問題に対処するというより、むしろ社会という織物全体に影響を与えるために、糸を正しく張るということである。

産業社会という織物は、科学・技術や経済学の狭い範囲の相互作用で決定されることが多い。その相互作用にさらなる集中化、専門化がもたらされる。産業革命以来、個人の視野はますます狭められ、一方、政治的、経済的な規模はより大きくなってきた。もし私たちが、もっと均衡のとれた社会への道を見つけようとするなら、政治・経済の機構を分散化し、知識の幅を広げる必要があると私は確信するようになった。私はラダックで、等身大の社会構成が、いかに大地と親密に結びつき、活発で参加型の民主主義を育むか、また、強く生き生きとした共同体や健全な家族、男性と女性が肩を並べるよりよい関係を支えるかということを見てきた。こうした社会構造はまた、個人の平安に必要な安全と、逆説的だが自由の感覚とをもたらしている。

＊

私たちが起こす変化で、私たち自身の生活をとても豊かにすることができる。だが、環境保護運動の中でさえも、ときとしてそれらの変化は犠牲として扱われることがある。ここで強調したいのは、私たちがどれだけ我慢することを受け入れるかということよりも、いかに多くの物を持つことを止め、より少ないものでやっていくかということである。終わることのない経済成長や物質的な繁栄の対価として、精神や社会的な貧困、心理的な不安感、そして文化的な活力が失われているということを、私たちは忘れがちである。私たちは「なんでも持っている」と思っているため、若い人が生活の虚しさを埋めるため麻薬やおかしな宗教に向かうことに、驚かされる。

たぶん、ラダックからのもっとも重要な教訓は、幸福というものに関することであった。これは私がゆっくりと学んだものである。時間をかけて先入観のベールを何枚もはがし、やっと私はラダックの人びとの喜びや笑いがなんなのかということがわかりはじめた。純粋に、何ものにも妨げられない、生命それ自体への感謝なのである。心の平安、生の喜びを生まれながらの当然の権利であると感じている人びとを、ラダックで私は知った。共同体や大地との親密な関係が、物質的な富や技術的な洗練などを超えて、人間の生活をとても豊かにすることができるのだということを知るようになった。別の道も可能なのだということを学んだのである。

現在、地球的規模で経済が拡大し、科学や技術による支配が強まっているが、それは私たちと自然との関係や人間関係を悪化させるばかりでなく、自然や文化の多様性を破壊している。そうして私たちは自分自身の存在を脅かしている。自然界における多様性は、生命にとって必要不可欠なことである。「重要ではない」と思われる虫や植物でさえ、私たちの生存にとっていかに大切であるかということがわかりはじめている。私たちが植物や動物の種を絶滅させている速度は警戒すべきもので、現実に大きな問題となっている。今、生物学者たちは、種の多様性が生命維持に果たす役割の重要性について確信しているし、短期的な利益のためにそれらを消し去ってしまうことの危険性について発言している人たちもいる。脅かされている動物や植物の種を保護するため、世界中に散らばっている意識ある個人が、仲間を組織して、それらの問題に取り組んでいる。あるグループは、野生動物の未来を守るとともに、山羊や羊、馬やそのほかの家畜の絶滅の危機に瀕している品種の血統を繁殖させている。あるリンゴ農家の人たちは、すべてがゴールデン・デリシャスのような交雑種に置き代わってしまう前に、伝統的な在来種の普及を選択している。

現在の状況では、経済の発展が多様性を増やしたと信じ込むことは簡単なことである。効率のよい交通や通信手段は、さまざまな文化圏からの食べ物や品物を運び込む。だが、これらの多様な文化の経験を促進するその機構そのものが、世界中から地域の文化の差異を消滅させるのを助長している。コケモモやパイナップルのジュースはコカコーラに、ウールのローブや木綿のサリーはブルージーンズに、ヤクや高地性の牛はジャージー種に道を譲っている。多様性とは、同じ会社の十種類のジーンズから選択できることを意味するのではない。

文化的な多様性は、自然界の多様性と同じように重要であり、事実、直接の地域の自然を反映している。伝統的な文化はその特殊な環境を映す鏡のようなものであり、食料や衣服や住居は、もともとそこの資源から生み出されたものである。今日の西洋でさえ、地域に適応した多様性のなごりが見られる。アメリカ南西部は極端な砂漠気候地域だが、そこに理想的に適合した平屋根の日干し煉瓦の家が見られるし、ニューイングランドでは、雨や雪がスムーズに落ちるようデザインされた木造の尖った屋根を持つ家が見られる。地中海地域に広まっているオリーブ油から、スコットランドの朝食のオートミール、ニシンの薫製まで、違った文化の料理はいまだに地域の食材を反映している。

文化的、経済的な孤立へと後退することなく、私たちの地域の伝統を豊かにすることは可能である。文化的な多様性を尊重するということは、自分の文化を他者に押しつけるのでもなく、自分たちが消費するためにエキゾチックな文化を「包装」して商品化して搾取したりすることでもない。

文化的な多様性を復活させるもっとも有効な方法のひとつは、必要のない交易を減らすようロビー活動で働きかけることである。今のところ、私たちの税金は交通基盤の拡大や、交易を増やすことなどのために使われている。ミルクからリンゴや家具まで、さまざまな生産物が目的地においてもたやすく生産できる可能性があるにもかかわらず、大陸を越えて運ばれている。これに代わって私たちがすべきことは、地域の経済を補強し、多様化させることである。輸送に対しての補助金を減らしたり、なくしたりすることで廃棄物や汚染をいっさいに減らし、小農の地位を改善することで、地域を強化することができるだろう。

「必要のない」交易に対し、何が「地域のもの」で、何が「必要なもの」なのかは、絶対的に決められるものではない。重要なことは、手厚く保護されている国際貿易の原則を、批判的に再評価する必要があるということである。これは保護主義を促すのではなく、世界の天然資源を持続的に、公正に利用することを可能にするためである。私たちが純粋に「自由」なマーケットと言えるのは、地域規模の活発な経済の中にある。今日の地球規模の市場を特徴づけるものに、企業によるさまざまな操作、隠された補助金、廃棄物、そして莫大な宣伝費用があるが、「自由」なマーケットはそうした必要悪とされているものから自由である。

市場の国際化への流れは、権力や資源をさらに少数の人びとの手に集中させるだけではなく、大きな都市へのさらなる依存を引き起こす。実際には、西洋では多くの都市で住民の人口が減少しているにもかかわらず、中心への吸引力は増加している。経済、政治の力が少数の大都市に集中することにより、地域全体が深刻な衰退を余儀なくされ、通勤者はより遠い距離を移動することになる。中心の勢力範囲の外で生活し、働くことがますます困難になってきている。

農村部については、人口統計学の操作によって、人間が多すぎて人口流入を可能にするほど土地が十分にないということがよく言われる。だが、集中化されたシステムは、目に見えないさまざまな形で、より大きな空間を占有してしまう。今日の巨大なセンターである都市と、そこが必要とする物との関係は、私たちの食物が食物連鎖の階梯（かいてい）を上がるほど多くの土地を使うということと似ている。肉牛はそれ自体は野菜畑ほど場所をとらないが、その牛の餌となる穀物の畑やその灌漑用の水、その水の流れを変えたために干上がった土地の面積などを計算に加えると、実際には牛はもっと多くの土地を必要とすることがはっきりわかる。大きな都市は、同じ人口を小さなコミュニティに分散するより、物理的に空間をとらないように見えるが、都市ではエネルギー消費の高い生活を送ることになるし、ひとり当たりの消費は都市のほうがより高い。高速道路や交通設備、中古車置き場、食品加工工場、そして空気や水、大地の汚染などが意味するのは、現代の都市は自然に近い分散したコミュニティよりも多くの資源を使い、最終的にはより多くの空間を使うということである。

分散化への過程には、経済社会機構全体の変更がともなう。だが、私たちは経済社会の仕組みを固定したものととらえ、それを瓦解させようというのではなく、変革の方向に向け舵を切ろうとしているのだということを忘れてはならない。

共同体の再興

私たちがグループに属する必要があるということ自体が、等身大の規模の社会単位を形成する重要な理由である。ここに、家族は大きいが共同体は小さいラダックから直接学ぶ意味がある。子どもたちはさまざまな世代の人から養育され、ことにその祖父母との絆から恩恵を受けている。大きな家族の中での関係は親しいものだが、核家族ほどに密着した関係ではない。それぞれの個人は親密な関係の網に支えられているけれども、ひとつの関係だけが強すぎるということはない。ラダックでは、核家族に特徴的な強い愛着や罪悪感、拒絶のようなものを私は一度として見かけなかった。

たしかに例外もあるが、大家族は一般的に感情面でも責任という面においても、個人により大きなゆとりと柔軟性を与え、圧迫感を減らしている。特に年寄りや女性、子どもが不利になることがない。大家族の中では、年寄りは彼らの知恵や経験によって尊重され、彼らのゆっくりとしたペースが共同体の大切な活動を妨げることはない。対照的に私たちの社会では、技術の変化がとても速いので、経験はどんどん価値が低くなっている。私たちは、自分を取り巻く世界をあまりに急激に変化させたので、年寄りが自身の生涯から何かを助言できることは少なくなってきている。西洋に旅をしたあるラダックの人は、老人が無視され、だれも話す相手がいない生活などについて怖いと話している。「おばあさんは、孫とほんの数時間会うために何カ月も待ち、そして、頬にほんの軽いキスをしてもらえるだけだ」

核家族は老人を排除すると同時に、女性を拘束する。伝統的な社会では、女性は家庭か仕事かを選ぶ必要はなかった。世帯が経済の中心であり、ふたつの領域はひとつであった。反対に現代世界の家庭を持つ女性は、ふたつの選択肢を持つがどちらも簡単な選択ではない。女性たちは子どもと一緒に家にいることができるが、その働きは価値として認めてもらえない。あるいは彼女たちはふたつの仕事を同時にやることができるが、夫からの助けは一般にほとんど得られない。

これらすべての徴候は、核家族が機能していないことを示している。離婚率、青少年の両親からの疎外、また家庭内暴力、性的暴行の発生率の驚くべき高さは、この崩壊の一面を表わしている。心理学者は「機能不全家族」が現在の典型的な家族であると評している。産業社会における家族でも、つい五十年前は、今日より健全でもっとずっと支えになるものであった。かつては、祖母は隣の部屋にいて、いとこや叔母などが近くに住んでいた。大家族の絆は強く永続するものであった。経済的な舞台が広がるにつれ、子どもたちが大きくなった家族では、六つの別々の家に住むということも珍しくなくなっている。物理的にも経済的にも精神的にも、もはやおばあさんの居場所はない。

西洋の人たちと家族について話をすると、よく彼らはこう言う。「自分の母親と生活するというのはいい考えだ。だが、それはうまくいかないだろう。二、三日もすれば、私たちみんな気が狂ってしまうだろう」。彼らは正しい。現在の状況では、それはあまりうまくいかないだろう。私たちの社会の構造ゆえに、年をとった両親を家に置くことは重荷になる。だが、基本的な人間の要求にもっと気を配るよう、私たちの政治的優先事項を変えるなら、それはうまくいくかもしれない。

外界から閉ざしてしまおうとする傾向のある核家族に対し、ラダックでは、家族は自然に共同体へと広がっていく。家族がどこで終わり、共同体がどこからはじまるのか、ときどき判断に困ることがある。自分の母親と同じくらいの年齢の女性は、だれでも「お母さん」と呼ぶし、自分の兄弟と同じくらいの年齢なら「兄弟」と呼ばれる。私たちの産業社会でも、いまだこの名残りがある。たとえば、スウェーデンやロシアの伝統の残る地域では、子どもたちは親しいおとなをだれでも「おじさん」とか「おばさん」と呼んでいる。

ほとんどの西洋人は、自分たちが共同体の感覚を失ってしまったということに同意する。私たちの生活はバラバラに引き裂かれ、日に何人もの人と会うにもかかわらず、近所の人たちを知ることさえなく、ときとしてひとりぼっちで取り残されたような寂しい気持ちになる。ラダックでは人びとは精神的にも、社会的にも、経済的にも相互に依存し合っている共同体の一員なのである。

西洋の社会においては、コミュニティの分散化が共同体を再興するための前提条件である。移動は共同体を蝕むが、もしひとつの場所に根を下ろし愛着を持つなら、私たちの人間関係はより深く、もっと確かなものとなり、そして、長くつづくならばもっと頼ることができるものになるだろう。

＊

ラダックの社会における「広がりのある自我」の感覚は、西洋文化における個人主義と対照をなしている。ラダックの人の「自己」は、他人との密接なかかわりによって大きく形づくられており、それはまた仏教徒にとって重要な、相互の縁起の思想によって強められている。彼らの周りに同心円上に広がる関係の網、たとえば家族、農地、近隣、村などによって支えられている。西洋では、私たちは自分たちの個人主義について誇りを持っている。だが、個人主義は孤独だということの婉曲な表現でもある。ひとりの人間は完全に自己充足していてほかのだれも必要とすべきでない、と私たちは信じたがっている。自分の子どもが遠くの学校へ行くために家を出たその年に離婚したという友人がいる。彼女はいつも、とても不幸せであった。彼女は自分の悲劇は弱さの印だと感じ、自分はひとりでいることが好きになるようにすべきだと思い、家にいても安らかな気持ちでいられるようになるべきだと思っていた。

ラダックの細かく編まれた社会関係は、抑圧的というよりもむしろ人間を解放するように思えるし、自由という概念について再び考えさせられた。だが、これは驚くようなことではない。心理学の研究では、肯定的自己のイメージを作るためには、親密で信頼でき、長くつづく他人との関係が重要であることと証明されている。健全な開発に向かうために、こうした社会関係がいかに大切かが、ようやく認識されはじめている。ラダックの人びとは、とても肯定的な自己イメージを持っている。それは意識しているわけではない。たぶん、それは自己に対する疑いの欠如、安心していることができるという感覚に近いのだろう。この内なる安心感が、自分と違った他人に対する忍耐と受容を育んでいる。

ある年の夏、子どもの発達や子育ての姿についてザンスカール谷で調査していたとき、母親たちのグループに、子どもが歩きはじめるのが遅いことを心配したことはあるか、と尋ねた。彼女たちは大笑いをした。「どうしてそんな必要があるの。子どもは準備ができたときに歩き出すものよ」。西洋の文化では、住んでいる社会がますます不安定で競争的になっているため、赤ちゃんの背丈や体重を比較することにますます神経質になってきている。一世代前、母親たちは子どもを甘やかしてしまわないよう、厳しいスケジュールに従って赤ん坊に食事を与えるように教えられていた。ある私の友人は、赤ちゃんがベッドで空腹で泣いているとき、ミルクをあげる時間が来るまで、彼女も隣の部屋で泣いて待っていたという。

西洋のモノカルチャーは、同化させようとする強大な圧力をかけてくる。スウェーデンのあるバス停で、ふたりの小さな少年の後ろに私が並んでいたときのことだが、彼らはそれぞれの運動靴を比較していた。そのひとりは絶望的な顔をして靴の内側を引っ張り、ちゃんとしたブランドのものであることを示すラベルを探しながら涙ぐんでいた。ブランドが、もし性や皮膚の色や年齢だったなら、少年はもっと深い心の傷を受けるだろう。商業主義的な大衆文化では、白人の若い男性が理想で、女性、マイノリティー、高齢者は不利になっている。私たちは自分が思っているほどには個人的な自由を持っていないのである。

分散化は、私たちが行なうべきもっとも重要な構造的変革であるけれども、それは同時に世界観の変化をともなう必要がある。生態系の破壊の進行は、自然のシステムが広範にわたり相互に関連していることをはっきり証明しているが、ほとんどの研究機関は、より間口の狭い、特定の領域に集中した専門化を進めている。この還元主義(注1)的な物の見方が、事実、産業社会における文化の不安の根本的原因のひとつである。逆説的に聞こえるが、政治、経済の単位を小さな規模にするという流れは、相互関連性に基づいた世界観を発展させるのに役立つ。コミュニティや地域への親密なかかわりは、私たちの視野を狭めるが、代わりに相互依存の理解を助ける。自分の足元の大地とそれを取り巻く共同体に依存しているとき、だれもが日常生活の事実として相互依存を体験していることになる。そのような深い相互依存関係に対する理解は、自分自身が大きな生命世界との連続体の一部と感じることであり、分析的で細分化された現代社会の理論的な考え方と、はっきり対照をなす。

私たちは連続している生命体ともっと共感する関係へと戻る必要があるし、より広い視点からパターンや過程、変化を見ることを学ぶ必要がある。このごろ生物学者たちは、たとえるなら、同じ種類の果物につくハエを研究している者同士でなければ、ほかの人と話す言葉を持っていない。生命を分割し、時間を凍結させてどうして私たちは生命を理解できるだろうか。静的で機械的な考えかたの世界観は限界にきており、一部の科学者、特に量子物理学者たちは、「ブロックを積み上げる」式の古い現実の見方から、もっと有機的な見方へ、というパラダイム・シフト（注2）について発言している。より高度で専門化へと向かう主流の文化への直接の抵抗として、さまざまな分野を超えて関係をつないで見ることができる、全体的な視点から判断できる人材を積極的に育てていく必要がある。この点でもっとも希望に満ちた流れのひとつは、女性のもつ価値観や考え方を尊重する傾向にあることがあげられる。

螺旋を描いて回帰する

女性の思考は、ものごとに共感すること、抽象的な考え方をすることが特徴であり、女性の思考パターンに関する研究によって、関連性や結合性により重点をおいているということが立証されている。そのような思考はもちろん女性のみの特徴ではないし、近年、男性も自分の女性的な面の価値を意識的に認めようとしはじめている。だが何百年も、このような関係性を重視する考え方や生き方は無視されてきたばかりでなく、産業社会の文化によって痛めつけられてきた。現代社会の主流を占めている考え方というのは、均衡を欠いたものであり、女性的な思考方法への移行が、永く待たれている。

この移行はまた、経験的な知識の重要さを明らかにするはずである。女性は男性に比べて、個人的な経験から抽象的な考えを形成する傾向があると言われている。興味深いことに、ラダックやほかの伝統的な非西洋文化圏でも同じことが言える。自然界の複雑さを理解するためには、理論は経験に基づかなければならない。経験的な学習とは、個別の現実に基づいているため、逆説や複雑さ、移り変わるパターン、私たちの予測に反することなども含んでいる。そのため必然的に謙虚さにつながっていく。もし研究室での研究を減らし、もっと野外で研究が行なわれるようになれば、科学はもっと慎重に進むようになるだろう。新しい技術の潜在的な効果が、背景とのつながりからよく吟味されるようになったなら、意図しなかった破壊的な連鎖は起こりにくくなる。

私たち西洋人はイメージや概念に頼り、現実から一歩退いて生活しているところがある。イギリスで数カ月過ごしたタシ・ラプギャスが語っていた。

「ここではすべてが間接的なことに驚いた。彼らは自然の美しさを描き、話をし、どこにでも鉢植えの植物やプラスチックの植物が置かれ、壁には樹木の絵が掛かっている。テレビでは、いつも自然に関する番組をやっている。でも、彼らは本物には触れたことがないようだ」

＊

スウェーデンを訪問して、私は友人のカリンとストックホルム郊外の彼女の庭で昼食を食べた。彼女は成功した弁護士で、十代のふたりの娘の母親でもある。彼女は前の年の夏、ラダック・プロジェクトのボランティアをしていて、私たちは友だちになった。

彼女は次のように語った。「ラダックは私の心に深く刻まれました」、「それがどんなに深く自分に影響を与えたか、今も感じつづけています」。彼女はスウェーデンに戻るとすぐ、自分の生活を変える必要に気づいた。彼女は自分の弁護士活動を削り、環境保護団体でボランティア活動をするようになった。彼女は生活の速度を落とし、野菜を作り、自分の子どもとより多くの時間を過ごすようになった。

これはカリンだけの話ではない。スウェーデンではエコビレッジ（注3）を造る運動が大変な勢いで進んでおり、すでに二百が計画され、そのすべては再生可能なエネルギーと廃棄物のリサイクルを基本においている。より多くの人びとが有機的な食品を買うことを選ぶようになり、それを近くの農家から買うことによって地域の経済を強くしている。政府も、GNP（国民総生産）から天然資源を破壊した分を差し引くような、環境を評価するシステムを確立することに取り組んでいる。

スウェーデンで起こっているこうした移行というのは、重大な方向転換を反映している。産業社会のどこであれ、人びとは自然とのよりよい均衡を探し求めている。その過程で、人びとは伝統的な文化を取り入れはじめている。人生の終末期にあたってのホスピス・ケア（注4）から争いの調停まで、さまざまな分野で、もっとも古い文化ともっとも新しい文化とのあいだに相似の関係が生まれてきている。ラダックの村では常にそうであったように、多くの人びとが台所を世帯の活動の中心におき、自然に育った食物の全体を食べ、健康の問題には古くからの自然の治療法が行なわれてきた。もっとささやかな例として、物語の語り聞かせへの関心が復活していること、体を使って物を作ることへの再評価、衣服や建築への天然材料の使用などのように、変化の方向ははっきりしている。私たちは大地とのあいだに古くからあるつながりへと、螺旋を描いて戻っている。

だがその過程は、そう意識されないものである。私たちの主流の文化では、直線的な進歩が善しとされ、そこでは私たちの過去や自然の法則から解放されることがゴールである。「私たちは後戻りができない。後戻りができない――」という現代の真言は、私たちの考えに深く染み込んでいる。もちろん、たとえ望んだとしても、私たちは後戻りはできない。だが、私たちの未来への探求は、必然的に、人間も含めた自然とのよりよい調和の中にある基本のパターンに回帰するに違いない。

世界のあらゆる地域で、心理学から物理学、農業から家庭の台所まで、すべての生命は相互に関連し合っているということへの「意識」が広がっている。新しい運動が起こり、等身大の暮らしへの取り組みや、精神的、そしてより女性的な価値への取り組みがなされている。その数は増加し、変化への欲求は広がっている。それらの新しい潮流は、ラダックの例が示していたように、ある意味でとても古くから存在するものでもある。何千年も存在してきた価値観の再発見なのである。その価値観とは、自然の秩序の中で私たちの位置を理解し、私たちのお互いに分かちがたい関連性、大地との関連性を認識することなのである。

（注1）全体を細かく構成要素に分解し、その要素をそれぞれ研究すれば自ずと全体像も明らかになるという立場。
（注2）パラダイムとは、様式、枠組みという意味。トーマス・クーンは『科学革命の構造』（原著は一九六二年）において、科学界の思考を一定期間支配する概念システムをパラダイムと呼び、科学の非連続的な大変化の科学革命をパラダイム・シフトと呼んだ。新しく提示された理論の枠組み（パラダイム）を基礎に、新しい科学がさまざまに展開し、古い科学に取って替わる（シフト）。パラダイムとは、静態的な概念であるにとどまらず、革命的変化を呼び起こす基礎となるものという意味を含んでいる。さまざまなオルタナティブが生まれ、つながりつつあるのは、文明のあり方というパラダイムが、環境悪化と搾取を必然のものとするものから、生物多様性と文化的多様性を基礎とする持続可能なものへとシフトしつつあるからだと、捉えることができる。それは、思考、認識、価値観を基礎となす世界観の変革でもある。
（注3）環境に配慮し、食料とエネルギーを自給自足し、相互扶助的な共同体を目指している。http: //gen. ecovillage. org/日本での最新の動きはGEN－JAPAN（http://gen-jp.org/）
（注4）イギリスの聖クリストファー・ホスピスに始まる終末期医療への新しい取り組み。死を見つめつつ死にゆく人に対して、積極的に手を差しのべ、肉体的、精神的苦しみを取り除くケアをいう。

第四章　グローバルからローカルへ

From Global to Local

地域からはじまる未来

希望を織りなす

「はじめに」で、ふたつの相反する理念および社会潮流の対立が、世界中で顕在化してきていると述べた。政府や大企業は、資本・エネルギー集約的なグローバル経済の成長を促している。この過程はトップダウン(注1)で、モノカルチャーであり、世界の文化や自然環境の多様性への配慮をまったく欠いている。一方で、数多くの運動体や個人によるボトムアップの草の根運動が、その影響力と勢いを増し、適切とはいえない開発への抵抗運動や、健全な関係を地域レベルで取り戻そうとする活動を行なっている。

社会、経済、そして人が織りなす模様を、環境や人と調和したものへ織り直そうと試みる新たな取り組みが、私たちの周りで数多くはじまっている。よい方向への変化をもたらそうとする小さな動きが顕著になりつつあり、いたるところに見い出すことができる。それらは政治的な運動だけではなく、あまり目立たないが、社会のいろいろな方面で見られるようになってきている。たとえば、あまりに商業化され、企業の利益追求と癒着したがために人間味に欠けたものになり、かえって健康を害するようになってしまった主流の医療システムに対し、多くの医師たちが抵抗をはじめている。教会は環境を存続させるための運動を支持しているし、生命を脅かし、金持ちと貧困層の格差を広げるシステムに反対だと神学者たちは主張しはじめている。窓も自分で開けられないような、情に欠け、あまりに無駄の多い近代化された家や建物を拒否しはじめている建築家たちもいる。

高価でエキゾチックな植物よりも、もっと野生に近い在来種を選びはじめている園芸家たちもいる。料理についても、人工的な着色料や保存料を使用したものや加工食品よりも、地元の食べ物をより自然な形で食べる方向に嗜好が変化してきている。

こうした「下」からの力は、家族や共同体との絆を保ちたい、自然との接点を維持したいという、人間が本来持っている人生を意味あるものにしたいという欲求に根ざすものだが、もう一方の、グローバル経済のエンジンに油を注いでいる「上」からの力は、どんな犠牲も厭わない利益追求に基盤がある。どこを見回しても、グローバリゼーションの力が都市化や人口移動を促すことで、人びとを土地から引き離し、共同体を崩壊させ、人びとを分断しようとしている。

＊

全世界的なグローバル経済によってもたらされる恩恵を追求するために、すべての国家をひとつに統合するものとして、いわゆる「地球村（グローバル・ビレッジ）」が政府や産業界により宣伝されているが、この「地球村」はきわめて不安定なモノカルチャーであり、そこには地域や伝統、大地とのつながりをだれも感じることはできない。強力な独占企業が投機的な「カジノ経済」を押し進めているだけで、その過程でどんどん速度を増して開発される技術が生活のペースを速め、生活の規模を大きくし、人びとの匿名性と競争をつくり出している。

ますます巨大化する組織では専門分化が進んでおり、それがグローバリゼーションの推進者たちの世界観をいっそう狭くしている。企業や政府のリーダーたちは、間接的で細分化された情報にますます頼るようになってきており、自分たちの行動が実際にどのような結果をもたらすのかを感じ取ることが難しくなってきている。彼らの行動がもたらす影響を肌で感じる人たちは、多くの場合、遠隔の地にいる。リーダーたちの行動のその帰結が、彼ら自身の個人的な経験の一部となることは決してない。だから、彼らが理解できる成功のものさしは唯一、書類上の数値であり、国内総生産（GDP）が必要十分な目標だという考えに固執せざるをえないというのも、無理ないことなのである。

　こうした思い込みが根強くあるので、政界や企業の幹部たちは当然のことながら、自分たちにできることはなんでもしようと、貿易を増やすために補助金を出し、輸出入を奨励することでいわゆる「経済成長」を促そうとしている。そのために生産者と消費者は引き離され、最終的には前述のとおり、その幹部たち自身と、彼らが下したその決断とが実際の世界で起こる結果から切り離されてしまうことになる。

　結果として一世紀以上のあいだ、貿易を促す経済戦略によって大きな企業に便益が与えられてきた。これらの「ミドルマン（中間商人）」が合体し、今日の巨大な多国籍企業（TNC）となった。現在多くの多国籍企業は、経済の大きさでも影響力でも政府を上回っている。フォードとゼネラルモーターースを合わせた売上は、サハラ以南のアフリカ全体のGDPを合わせた額よりも大きい。今日の世界でもっとも大きな経済規模を持つものの百のうち五十一が企業で、四十九が国家である。

　企業が政府に及ぼす影響力は、関税貿易一般協定（GATT）や北米自由貿易協定（NAFTA）、現在提案されている多国間投資協定（MAI）などのような自由貿易協定（注2）によって強められている。これらの協定によって、企業はその活動を税や労働賃金が低いところへ、環境規制が緩いところへと自由に移動することができる。そのため、土地の無償提供や税金の免除、なんらかの資金補助やそのほかの形で、政府が企業におもねて援助を申し出る。企業はそのような政府に引き寄せられ、あるいは引き止められるということになる。

政府は、企業が合併して巨大な多国籍企業となるのを許してきただけでなく、グローバル経済を促進し支えるのに必要な基盤整備に大きな援助をしてきた。たとえば、衛星通信網や巨大ダムや原子力発電施設などの集中型のエネルギー設備、石油やガスのパイプライン、化学物質を多用した単作農業や遺伝子工学を応用した工業的農業、高度な専門知識や技術をもった労働力を養成する基礎となる専門教育機関などである。補助金やそのほかの支援がもたらす結果のひとつは、地元のものよりも、大量生産されて地球を半周してきた商品のほうが人為的に価格が安くなるということである。これは特に食料生産において顕著で、パリではフランス産のリンゴがニュージーランド産のリンゴに追いやられており、モンゴルでは搾乳できる動物が二五〇〇万頭も飼育されているにもかかわらず、地元の乳製品よりもヨーロッパ産のもののほうが多く店の棚に並べられている。

「合理的」で、「財政的に健全」、かつ「実際的」であるといつも表現されるこのような社会の流れの結果、それが現実を見えなくさせ、さらに、見えていないということにも気づかない社会機構がつくられてしまっている。その機構は人間が健全に生きるという視点から見れば、根本的に非合理であり、生命のつながりを破壊してしまうものである。現代の経済活動に関して「成長」という言葉が使われているが、その「成長」そのものが危険なほどのスピードで実際の生物学的な成長を止めていることを考えると、これは強烈な皮肉だと言える。

人のつながりを織り直す

この本を書いてからも(注3)、グローバリゼーションと地域の復興の対立はつづき、さらに強まっている。

対立するふたつの流れはラダックでも見られる。政府および外部の影響が、ラダックの人びとにグローバルな消費文化へ向かうよう圧力をかけている。テレビがどんどん侵入し、補助金漬けの加工食品が、ラダックの有機作物を駆逐しようとしている。都市化が引きつづき促進されているため、農業に関する方法も、農業は尊敬に値する職業であるという考えも、蝕まれてしまっている。同時に、これらの圧力が自己の否定をもたらし、近代化された世界との接点にいるラダックの十代の若者たちは、「色白でかわいらしい」と名のついた、肌を白くする危険性の高いクリームを使いはじめている。若い人の、こうありたいという理想像が、ブロンドの髪と青い目の西洋人だからである。

これらの破壊的な変化の流れにもかかわらず、最悪の事態はすでに峠を越えたという希望も見えてきている。以前は、いわゆる「経済発展」の圧力により、近代化された都市部において、権力や資源、職をめぐる競争があまりに激しくなったため、五百年ものあいだ平和に力の均衡を保ってきたイスラム教徒と仏教徒が、お互いに対して暴力を行使する極限的状態に追い込まれるということが起こった。分裂と混乱が激しく、どちらのコミュニティでも、生き残るために相手を「皆殺しにする」ことが必要だと語られたほどであった。だが最近では、紛争は鎮まっている。傷はまだ深いが癒えようとしている。仏教徒とイスラム教徒は再び一緒に平和に暮らしはじめている。相互依存という社会の縦糸と横糸が再び組み合わされはじめている。

＊

このような動向は、私たちみんなにとって大きな希望の兆しと言える。経済的、政治的圧力は就職難と不安を増幅しつづけ、ありもしない職に就くための訓練として西洋式の教育システムが強要されているが、そのような状況下にあっても、人間の心情

冬の間、ザンスカールへの唯一の道となるチャダル。「氷の回廊」として知られる

としては暴力よりも平和的な共存を選び、対立や戦争よりもお互いを認め合うことで、精神性が花開いていくということを暗示している。

ラダックにはほかにも希望の兆しが見られる。多くの十代の人たちが、「白い肌の人」が住む外の世界に魅せられてはいるが、一方で、ラダックが世界に提供できるものがいかにたくさんあるかということに気がつく人が増えてきている。「先進国」が大きな教訓を伝統的なラダックから学ぶことができるというのは本当のことであると、多くの人に認識されはじめている。たとえばそれは、自立心であり、質素な暮らし、社会の調和、環境の持続可能な活用であり、精神的な洗練などをあげることができる。見ていて痛々しかったラダックの人の自己否定は、結果として、新しく育ってきた自尊心によって立ち直ってきている。

私たちＩＳＥＣがはじめた活動も、かなりの影響を与えている。自尊心の喪失をもたらした雪崩のような力に、意識的に対抗しようとしているＮＧＯやラダックのリーダーたちが増えてきている。外界からの圧力によって自立が失われ、基本となる食料を危険なほど輸入に依存するようになっていることを、より多くの組織が理解するようになってきた。彼らは、ラダックが基本的に必要とするものについては自給を維持することがきわめて重要だと気がついている。これらのグループのリーダーたちは、地元での食料生産を守るために闘い、地域の農業に対する敬意を促している。その結果、たとえば農民が直面している経済的、心理的圧力について、また、その圧力に対抗するために農民を支援する必要などについて意識が高まってきている。

私たちが設立に協力したNGOのひとつ「レデッグ（LEDeG）」は、地元の有機農業体系を守る必要性を立証し、自尊心と自立を促し、この地域全体に影響を与えた。またこのグループは、遺伝子組み替え種子や殺虫剤、殺菌剤などの危険性について懸命に人びとに注意を喚起した。これらは政府が強く導入を勧めたものだが、高価な上に危険であった。この「エコロジー・グループ」の元のリーダーたちは現在、地方自治政府のリーダーとなっている。

今、四〇〇〇人のメンバーを擁し、各村に活動拠点をもつ「ラダック女性連合（WAL）」というグループは、ラダックの文化的、精神的な基盤を守り、強化する活動によって高い評価を受けるようになった。地域によい方向への変化をもたらす正統な力として、政府のたしかな信頼を得ている。

私たちの「ファーム・プロジェクト（注4）」は、西洋の人たちに地域固有の文化に対する価値への理解を促してきた。これまで述べてきたようなモノカルチャーへの流れにもかかわらず、ラダックの伝統文化のほとんどはまだ損なわれていない。また、近年の変化にもかかわらず、ラダックはまだ中央集権化されていない経済組織のありかたについて学ぶ機会を与えてくれる。この数年間ファーム・プロジェクトに参加した人たちは、地域の生態系に絶妙に調和した生活の方法や知識、知恵をもつ文化に深い敬意を感じながら、ラダックを後にしている。

同じくらい重要なことは、ファーム・プロジェクトの参加者たちは、この地球上の多くの場所で特徴的になっている伝統と近代化のあいだの緊張関係をじかに目撃できることである。実際に日常生活を体験することや、グローバリゼーションが世界中の伝統文化におよぼしている破壊的な影響についての知識を組み合わせることで、参加者たちは西洋の自国で得るよりも釣り合いのとれた、全体的な視野でものを見ることができる。

いわゆる「開発途上」国には、大きな心理的、構造的圧力がかかっており、国際的な情報交換を含め、「カウンター・ディベロップメント」が緊急に必要になっている。先進国の人びとは、途上国の人びとに情報を伝えることで、西洋のメディアや広告宣伝などに対する一種の「真実度チェック」を助けることができる。

*

核汚染の恐怖や、自動車交通網の渋滞問題、また化学物質の過剰使用の問題など、西洋の生活について欠点も含めた全体像を、正確に伝える必要がある。南の国々を旅すると、人びとがなにげなく有毒化学物質を扱っているのを見かける。DDTが入っていた容器に塩を入れていたり、農薬の危険性をまったく知らずに穀物や野菜に直接殺虫剤や殺菌剤を散布していたりする。ほとんどは容器に書かれている使用説明書などを読まず、たとえ読んだとしても経験や知識の不足からその危険性について想像ができない。このような場合、西洋で一般に得られる情報で実際に命を救うことができるのである。

南の国々で環境保全運動のリーダーとなっている人たちや、自分たちの文化を守ろうとしている人びとの多くが、長い期間「北」の国々で過ごした経験を持つということは重要である。「南」の農村から来た人びとが、「北」でのホームレスのための施設や老人ホーム、精神病院などを訪れたとき、また環境問題や社会問題の解決に関心を持つ運動家たちに出会ったとき、企業の宣伝やほかのメディアによって広められた「開発」のユートピア的なイメージを打ち壊す、深くて強力な直観を得ることができる。西洋の開発モデルの考え方は、「解答」からはほど遠く、文化的、心理的、環境的に持続することが不可能であるという考えが真に意味を持って迫ってくるのである。

再び地域へ——抵抗と再生

この数年間、ラダックではよい方向への動きが急増していて人びとを勇気づけているが、これはラダックに限った現象ではない。今日、グローバリゼーションは、世界中で生まれ、増加している反グローバリゼーション運動グループからの異議にさらされつづけている。

忠実な「グローバル・ビレッジ」の提唱者と思われてきたような、著名な政治家や財界人もグローバリゼーションに疑問を投げかけはじめている。たとえば、ジョージ・ソロス（注5）はグローバルな資本主義システムは綻び（ほころび）が見えはじめていると認めている。フランスのジョスパン首相は、それは構造的に弱いものだと言っている。人びとの不安を感じて、経済政策に新しい転換を打ち出しはじめている政府もある。たとえばイギリスのブレア首相は、社会主義と無制限の市場経済とのあいだの「第三の道」を提唱している（注6）。

世界中で、自分たちの仕事や共同体、環境に対してグローバリゼーションがどんな意味を持つのか知るにつれ、「ノー」と言いはじめている。過去五年間は特に、抵抗運動が指数関数的に増加している。そして今、世界の潮流を転換するチャンスがやってきている。

＊

アメリカでは、市民の不安が貿易交渉の「ファスト・トラック（注7）」、一括交渉手続きの拒否をもたらした。同様に、多国籍企業のための憲章として一般に知られる「ＭＡＩ（多国間投資協定・注8）」は、国の法律を実質的にくつがえし、政府を訴える権利を多国籍企業に与えようとするものであるが、多数の草の根グループが政府にかけた圧力で、二度にわたって交渉がストップした。世界のいたるところで、街頭デモや事務所の占拠、ほかのさまざまな形での反対運動が行なわれた。ニュージーランドではマオリ族の人びとが自分たちの伝統を脅かすものに抵抗するために行進をし、韓国のソウルでは構造調整とグローバリゼーションに反対して何千人もの人が街頭に繰り出した。

インドではグローバル経済に対抗する運動があっという間に雪だるま式に拡大し、農民グループや知識人たち、ＮＧＯ、組合などによって「ＷＴＯに反対するインド民衆の宣言」が最近まとめられた。それは、「ＷＴＯ・ＩＭＦ・世界銀行の三位一体」が、「世界の三分の二の人びとから汗と血を絞り取る可能性があるというだけではなく、すでに自然環境と文化の多様性を破壊しはじめている」と痛烈に批判している。

インドではまた、一〇〇〇万人強が加盟するカルナタカ州農民連合（ＫＲＲＳ）が、ケンタッキーフライドチキンの店を破壊し、巨大種子会社カーギルのオフィスを占拠し、最近ではモンサント社の遺伝子組み替え作物を燃やしたりした。これらはすべて、インド亜大陸におけるグローバル化の影響に対する抵抗運動という広い文脈の中で行なわれている。KRRSはまた、グローバリゼーションの問題への理解を広めるため、インドの農民やほかの人びとを交えての「大陸横断キャラバン」を組織した。

これら南の声は、「開発」や「援助」というものが、大企業による消費文化を世界の隅々にまで広げるのに使われてきたことを人びとに警告している。グローバリゼーションへの抵抗運動と並行して、同じくらい重要である地域の復興への運動が広範囲に起こっている。

＊

モノカルチャーを推し進める圧力は、西洋でももちろん広く見られる。多様性を誇っていた地域の文化や経済は、大量生産によって窮地に陥っている。パリではほんの少し前の一九七〇年代まで、パリのすぐ近郊かフランス国内のさまざまな地域から運ばれてきたあらゆる種類の野菜や肉、チーズ、ワインなどを売る市場がたくさんあった。だが今では、中国からはるばる来たニンニク以外のニンニクを見つけるのは困難である。スーパーマーケットでは、チリ産のブドウやカリフォルニア産のワインが徐々に一般的になってきている。同じようなことがスペイン・南アンダルシアの小さな村々にも起こっている。ほんの二、三十年前、ほとんどすべての食べ物は、その村かその地域からのものであった。地元の山羊のチーズ、オリーブの実とオリーブ油、ブドウ、採れ立てまたは干したイチジク、ワイン、さまざまな種類の肉などは、たやすく入手できた。だが現在では、地元で生産されたものを見つけるのはほとんど不可能である。

このようなことに対応して、西洋の市民グループは、経済的な不利にもかかわらず、地域の経済を強めるための活動を行なっている。その中でもっとも成功したものは、地元でできた作物を積極的に使うという運動だろう。地元での食料生産の論理に議論の余地はない。地域で育った食べ物は、遠い距離を運ばれてきたものよりも新鮮で、そのためにおいしく、栄養もある。生産者は消費者を知っていて、顔の見えない「市場」ではないので、生産者が消費者の健康を危険にさらす可能性も低くなり、食べ物に保存料やほかの化学物質が含まれる可能性も低くなる。

イギリスでは、最初の「ファーマーズ・マーケット」がバースに作られ、生産者は半径四、五〇キロに拠点を持つ生産者に限られていた。バースの市場への市民の関心はとても高く、はじめの二、三週間で市場に四百件以上の電話があった。その多くは自分たちの地域で同様の活動を起こすにはどうしたらいいかという問い合わせであった。有機農業を推進する「土壌協会（ＳＡ）」も同様の質問を二百件以上受けている。関心が高まっているので、土壌協会は農民市場を開設する方法を学ぶ一日コースを提供している。このような市場は、カンタベリーやハダーズフィールド、グラストンベリー、オックスフォード、ソールズベリーでも設置または計画されている。

＊

アメリカのニューヨークにも二十以上のファーマーズ・マーケットがあり、年に数百万ドルほど近隣農家の人たちの収入を増やしている。コーネル大学では農家の数をさらに増やすため、都市の市場で販売する新しい世代の農民を募集し訓練することを目的に、「新しい農民、新しい市場」プログラムを行なっている。

農家の人と消費者がより緊密な接触を持てるよう、消費者コミュニティが支える農業プログラム（ＣＳＡ）に、ますます多くの人が参加するようになってきている。この種の運動は、二十五年前にはじまったスイスから、何万もの人が参加している日本まで、世界中で起こっている。人口の二パーセントしか農業に従事していないアメリカでは、ＣＳＡの数は一九八六年の二カ所から、現在は約一〇〇〇カ所に増えている。一般に小農は、自分たちの手のおよばない遠くの市場の気まぐれにいっそう影響を受けやすくなっているので、毎年高い割合で破産しているのだが、直接販売の方法は、この流れを逆転させる可能性をもっている。

＊

イギリスでは「野菜ボックス計画」がとりわけ成功し、広がっている。この考え方は、食料ビジネスにおけるスーパーマーケットでの販売のような中間業者を排除しようとするもので、消費者は農家と直接関係を結び、農場に直接注文し、その新鮮な農産物が週に一回、箱に詰められて送られてくる。フォレスト・オブ・ディーンでの地域食料推進運動は、まだはじまって一年足らずだが、すでに地域の人びとに三二万五〇〇〇ポンド（約六五〇〇万円）もの食料を販売した。「フォレスト食品電話帳」には三十二の食料生産者名がリストアップされ、生産物は、有機飼料を使い、放し飼いで飼育された鶏肉、野菜ボックス、地元産のチーズなどにわたる。一九九九年はじめに行なわれた調査では、この活動の成果として、売上高が最大二五パーセントも増えた地元の小規模生産者が複数いたことがわかった。その人気はまだ伸びつづけている。

最近の遺伝子組み替え（GM）食品への懸念の急激な広がりは、これまであった狂牛病危機による恐怖、農薬の使用や成長ホルモンなどの使用への恐怖に拍車をかけ、ここ数年の有機食品の急激な販売の増加をもたらした。一九九六年の終わりに、モンサント社の遺伝子組み替え大豆がはじめてイギリスに到着したとき、一般市民のGM作物への意識はほとんどなかったといってよい。今日ではGM食品は関心を集める問題となり、世論調査ではほとんどの人が反対している。GM作物の商業用栽培と輸入、特許の許可の五年間凍結を求めたイギリスにおけるキャンペーンは、一九九九年八月現在、百近くのさまざまな団体から支持を受けた。それらには、第三世界の開発援助機関、小売業者、教会のグループ、医療関係者のグループ、農業研究センター、消費者団体に、もちろん環境NGOが含まれる。

食料の栄養価と安全性を確保し、また同時に農業による地球環境への悪影響を軽減するには、有機作物、特に地元の有機作物を買うことが一番よい方法だと、だんだん多くの人びとが気づきはじめてきた。イギリスにおける有機作物の市場規模は一九八七年には四〇〇〇万ポンド（約八十億円）だったが、一九九七年には二億六七〇〇万ポンド（約五百三十四億円）に増加している。二〇〇〇年までには一〇億ポンド（約二〇〇〇億円）になるだろうと小売業者は予測している。

＊

私たちの直面する問題や可能性の詳細はおいても、この二、三十年の教訓は、私たちをめぐる環境悪化の危機からも明らかである。自然というものは、人間よりはるかに強靭で、その自然と共生できなければ、私たちは滅ぶ道をたどるであろう、ということである。一方で、私たちの中にある本能が声を上げはじめている、ということも事実である。マスメディアから流れてくる宣伝が、どんなに執拗に無限の経済成長を説いても、私たちは本能的にわかっている。子どもを含め、私たちが健全でまともな生活をしていくために、本当に必要なものは何かということを覆い隠すことはできない。

地域的で、小規模で、身近で、より自然で、より人間的な社会に織り直そうとするこのような流れは、いずれにしろ「自然」にはかなわないということと、世界を動かすのはお金ではなく、深く思いやる心だということを示している。私たちを取り巻く自然の生命維持システムが目の前で危機に瀕している現在、すべての人にとっての問題は次のように単純なものである。

「自分自身の心の声に耳を傾ける人が十分な数になるのには、いったい、あとどのぐらいの時間がかかるのだろうか?」

(注1) 意思決定が、上位から下位へ命令が伝達され、従わせる管理方式。ボトムアップはその逆で、下位からの発議で決定がなされる方式をいう。

(注2) 特定の国や地域が貿易を活発にするために関税を撤廃したり、お互いの制度を整合する取り決めのこと。第一号は欧州経済共同体(EEC)で、一九五八年に設立された。九〇年代に入って締結が相次ぎ、二〇〇〇年六月時点で百二十件ある。二国間の自由貿易協定に加えて、北米自由貿易協定など多国間の自由貿易協定に基づいた自由貿易地域もある(日本経済新聞ホーム

ページより）。

（注3）原著の初版一九九一年から十年経った二〇〇一年にこの節を書いている。

（注4）ラダックの農家にホームステイをしながら、農作業のボランティアをする。期間は一カ月。五月から十月の毎月一日から月末まで。ラダックの伝統文化の力強さと、それを脅かすグローバリゼーションについて、体験的に学ぶことができる。

（注5）一九三〇年ハンガリー生まれ。ウォール街で教祖と呼ばれていた相場師。「開かれた社会協会」を設立し、東・中央ヨーロッパを中心に、世界五十カ国以上で非営利の支援事業を行なっている。『グローバル・オープン・ソサエティ―市場原理主義を超えて』（二〇〇三年）。

（注6）日本では、竹中平蔵らと構造改革を進めた経済学者中谷巌が、リーマン・ショックがあった二〇〇八年に新自由主義、市場原理主義、グローバル資本主義との決別を表明した。

（注7）米国の憲法では、通商に関する権限は議会にあるため、政府が主導権を握ろうと、一九七四年に当時のフォード政権が「一括承認手続き」を獲得した。議会は部分的な修正ができず、一括して承認するかどうかを審議する。一九九四年にクリントン政権が議会との交渉に失敗して、失効した。

（注8）国際的な投資の保護、自由化を進めることを目的として、一九九五年からOECD（経済協力開発機構）で討議されてきた。当初、自由貿易の強力な推進機関であるWTO（国際貿易機関）における交渉で進められようとした包括的な投資の自由化は、インドなどの途上国による強烈な反発によって頓挫した。「ストップ・ザ・MAI」キャンペーンは、市民が野放しの経済グローバリゼーションに挑戦し、インターネットを活用した国際的連帯によって成果を勝ち得たことで大きな意味をもつ市民運動である。各国の利害対立およびNGOなどの反対もあって公式な交渉は打ち切りとなった（AMネットホームページより）。

幸せの経済学

『懐かしい未来　ラダックから学ぶ』を最初に刊行してから、私は世界中の何百という草の根の活動グループと接触してきた。その中で私は、破壊的な開発の猛威からコミュニティや自然環境を守るために、非常に多くの人びとが活動していることを知ることができた。スウェーデンからザンビアまで、アメリカ合衆国からラダックまで、その比類ない勇気、優しさ、叡智、忍耐に満ちあふれる数え切れない活動を見てきた。人類の善意と夢見る力の胸躍る証（あかし）といえるだろう。

そうした「下」からの活動は、家族やコミュニティ、自然とのつながりを保って人生を意義深いものにしたいという欲求に根ざしている。根源的なレベルで、それらは地域に根ざした文化という布地を織り直す「ローカリゼーション」へと向かう運動といえる。

しかし、こうした希望につながる「下」からの活動が進行するのと同時に、「上」からの政治的、経済的な力は、時代錯誤で破壊的な成長と「進歩」のモデルを世界に蔓延させつづけている。その結果、社会や生態系の破壊は劇的に増加し、政治的指導者の中で最も懐疑的な人たちでさえ無視できないレベルにまで達している。気候変動は、私たちの生存そのものを脅かしつつあるし、石油の産出は次第に減少している。グローバルな経済システムは不公正、不安定であり、貧者と富者の格差は広がる一方だ。食料価格の高騰と食料不足は、何百万という人びとを飢えさせている。

こうした広く知られたさまざまな問題のほかに、新たな危機がようやく人びとに認識されるようになってきた。それは、人びとがますます早いテンポで生産し消費することを強制されることからくる、人間的な苦痛、つまり心理的、精神的な貧困の存在だ。そこから生じるストレスと時間の圧力は耐えがたいものであることが明らかになりつつあり、産業化された多くの国々ではうつ病と暴力がエスカレートし、特に子どもたちや若者たちを蝕んでいる。世界中で、人びとは絶えずちらつくテロの影だけでなく、不寛容なナショナリズムと宗教的な原理主義（注1）の台頭に怯えながら暮らしている。

私は旅行をしている中で、子どもたちが引き継ぐことになるこの世界を真剣に気にかけている、数え切れないほどの人びとに出会った。しかし、その多くは無力感にとらわれ、失望し、次第に「破局」や「崩壊」を口にするようになっている。彼らは、自分たちには何もできない、こうした問題は本当に大きすぎて解決することができないと感じている。またこの危機は、私たち人間が先天的に持っている強欲という性質の避けられない帰結と信じている人たちもいるし、こうした問題は進歩の結果であり、私たちがコントロールできない進化のプロセスであると思っている人たちもいる。

三十年以上にわたるラダックでの経験から、私はほかの人びととは根本的に異なる視点を得ることができた。外部経済の圧力がいかに、環境の汚染や資源の枯渇だけでなく、失業や文化的な劣等感をも作り出すのかを目撃してきた。それらはすべて、以前には存在することもなかったものなのだ。また、私はそうした圧力がいかに生活をスピードアップさせ、人びとを包み込んでいた生命圏から引きはがし、人びとを孤立させ、自然の軽視や、家族やコミュニティの絆の崩壊へと導くかを見てきた。そのもっとも劇的な帰結が、何世紀も平和的に過ごしてきた宗教的グループ間の暴力的な紛争である。

ラダックでの経験は、私たちの危機の第一の原因は、人間の本性でもなければ進化でもなく、この地球と人びとの双方を圧倒しながら執拗に拡張しつづける経済システムなのだ、ということを確信させてくれた。不幸なことに、このシステムはあまりにも大きく成長してしまったので、元々は人間が生み出したものと認識することが困難になってきており、逆らいようのない進化の力であるかのように捉えられがちなのだ。

一歩下がって、大きな視点でものを考えることによってしか、グローバル経済システムと私たちの直面している問題とのつながりを認識することはできない。より広い視野を持つことができれば、私たちが変えるべきなのは政策や人間の作った制度であって、人間の本性や進化の性質ではないことに気がつくはずだ。私たちはまた、森林破壊から環境破壊、あるいは貧困から民族対立といった、あらゆる領域の見かけ上絶望的な症状を緩和するもっとも効果的な方法は「現在の支配的な経済の仕組みを変えること」であることも理解できる。もっとも大事なのは、私たち一人ひとりを引き離し、私たちと自然とを引き離すさまざまな圧力に対抗する活動であり、それは私たちの奥底にある人間的なニーズに共振し、私たちの安寧や幸せに貢献することだろう。

グローバルなモノカルチャーとしての地球村

政治的なスペクトラムの中で革新であろうと保守であろうと、世界中の政府が、グローバルな貿易と金融の規制緩和を目指す条約にサインしつつある。いわゆる地球村(注2)は、グローバル経済の果実を求めてすべての国々が一致団結するとして、政府や産業界によって支持されている。だが、実際にはこの地球村は、コミュニティや地域とのつながりにではなく、どこにでも適応する消費主義に基礎を置いた、極度に不安定なモノカルチャー（単一栽培・単一文化）でしかないのだ。

投資や開発援助に向けられる何兆にも上るドルが、人びとを消費文化に引き込めば引き込むほど、経済的な力はより少数の企業の手に握られることになる。そうした企業は私たちの生活を加速、拡大し、その過程で匿名性、競争原理、貧困を作り上げながら、投機的な経済を牽引している。そしてその経済の中で、さらに高速な技術が環境破壊を推し進めるのだ。今日、ほとんどの国の政府は（それはスカンジナビアの国々においても同様だが）、国民の大多数の意思に反して、原子力発電やバイオ燃料、遺伝子工学を推進し、軍事費を増大させるグローバル資本に屈しつつある。

私は数十に上る国々で、政府職員やビジネスリーダー、研究者らとともに仕事をしてきた。そこで確信したのは、政策決定者たちは自分たちが自然で人間的なコミュニティにダメージを与えていることに無自覚であるということだ。私たちが直面しているのは、悪意のある陰謀ではなく、構造的な陰謀なのだ。換言すれば、絡み合うさまざまな構造が、生命そのものを脅かす開発の道筋を進めることによって、システム的に「陰謀を企てている」のである。

この数十年、経済活動がグローバル化するのに歩調を合わせるように、私たちの視野は狭められていき、結果として知らぬ間に社会にとって本当に必要な情報が欠乏するという事態を目の当たりにしている。私たちが、生活やほかのニーズの源泉から引き離されれば引き離されるほど、私たちが世界のほかの地域に与えている影響の重大さに気づくことが難しくなっていくのである。私たちが購入する食料が奴隷労働によって、あるいは有毒な除草剤や殺菌剤を使って育てられていないとどうやって知ることができるだろうか？　肥大化した経済システムによって、善意を持つ人でさえも、知らぬ間に暴力的で破壊的な結果をもたらす活動に参加してしまっている状況が生まれている。そして企業は、効果的に会社の環境保護宣伝を行なっているので、どの製品を購入すれば倫理的な選択をなしたかを知ることが、これまで以上に難しくなってきているのだ。

グローバリゼーションを積極的に推進する人びとには、自分たちの活動の影響がはるか遠くに及んでいることがどんどん見えなくなっている。企業や政府のリーダーたちは、その定義からして当然のことながら、自然界とも、彼らの決定により重大な影響を被る人びとの生活とも、はるかに切り離されている。さらに、彼らは進歩という神話に満ちた知的な食べものを与えられて育てられているが、その神話の中では、今日の消費スタイルは通常一〇〇年から一五〇年前の生活と対比されているのだ。つまり、基準として意図的に参照されるのは、ディケンズが描いたようなロンドン、産業革命の初期段階なのだ。その時代には、農村のコミュニティは根こそぎにされ、人びとはみじめで不潔な欠乏状態と搾取を強いられており、犯罪、疾病、大気汚染は手に負えない状態だった。こうした都合のいい視点からすれば、児童労働を禁じ、週四十時間労働を守る法律があり、比較的繁栄している現在の状態が、真の進歩だと見えてしまうのだ。同様に、南の国々での比較基準は、植民地支配が終わった直後のものになっている。地域経済が破壊され、貧困や不安定な政治が支配していた当時と比較して、現在の優位が強調されることになるのだ。北でも南でも、文化やコミュニティがかき乱される前の社会の状態は、たいてい無視されるか忘れ去られているのである。

今日、進歩の神話は確固たる地位を占めているので、権力の中枢にいる人たちは自分たちが高いレベルの倫理をそなえていると信じている。しかし彼らは、例えば幼児死亡率や、識字率、現金収入などに関して、次第に情報操作され、特定化された情報に頼るようになってきている。彼らにとって、競合する欲求を調和させ、おびただしい情報を単純化するためのもっとも安易な方法は、永遠に増大する国内総生産（GDP）であり、これこそがもっとも有意義な目標なのだという考え方に固執することなのである（ビジネスリーダーにとっても、収益の増加と株主の利益を増大させることは、もっとも明白な目標であるだけではない。収益を最大化させるというのは彼らが参加しているゲームのルールであって、それ以外の道を取ることは許されないのだ)。

世界中の政治指導者は、経済成長のためなら、彼らの持てる権力の中で、どんな犠牲を払ってでもできる限りのことを行なう。補助金を支払い、国際貿易の規制を撤廃する。新しい技術の開発とマーケティングを援助し、消費者の購買欲を刺戟する新規ニーズ創出を奨励し、人びとを消費文化にさらに引き込むような開発政策を推進するのだ。これらすべての政策は、事実上「企業の繁栄」として説明されるもので成り立っており、一般市民はもちろん、国家そのものをも貧困に追い込むものである。「経済成長は社会全体の改善に貢献する」という抽象的な観念に安住し、政策が招いた現実の世界の変化には気づかず、政治家たちはひたむきに、経済という巨大な怪物、ジャガナート(注3)を加速し、肥大化させようとしているのだ。

こうした傾向の最終的な結果は、自らが盲目でありながら、自らの盲目に対しても盲目なシステムの完成である。そのシステムは、人間的な見地からは根本的に不合理で、命そのものの関係性のつながりを圧倒し、破壊しかねない脅威である。まさにこれらの経済活動が、この地球上のいたるところで現実の生物の「成長」を危機に陥れているときに、現代の経済活動に関連して「成長」という用語が使われるというのは、まさに苦い皮肉といえるだろう。

気候変動は、おもにグローバル経済の果てしなき化石燃料への渇望によってもたらされたものである。それは生態系全体を劇的に変化させ、あるいは破壊さえし、気候パターンや景観、私たちの暮らしを永久に変えてしまう恐れがある。過剰な開発と環境汚染は重要な資源を脅かしている。生物学者によれば、マグロ、メカジキ、タラ、オヒョウ、ガンギエイ、ヒラメを含むすべての大型魚類は、一九五〇年と比較して九〇パーセント以上も減少している。三分の一の珊瑚礁が死滅し、九〇パーセントが衰退の兆候を示している。一九九〇年から二〇〇〇年の十年間で、地球上で九四〇〇万へクタールの森林が消失している。種の絶滅速度も急激に増加しており、生物学者のE・O・ウィルソンは、もし私たちがこのままのペースで生物圏を脅かしつづければ、二十二世紀までに半数の種が絶滅すると推察している。

同様に深刻なのが、先端技術によるモノカルチャーにより、世界の農業の多様性が失われてしまうという危惧である。というのも、人間の生活が持続するかどうかは、究極のところではこの多様性にかかっているからだ。伝統的に、さまざまな文化は何世代にもわたってその必要を地域の調節機能によって満たしてきた。しばしばその生態系を変えることもあったが、その平衡性を危険にさらすようなことはなかった。実際多くの場合、人びとは意識的に地域の生物多様性を増大させることで、食料の安定的確保と生態系の平衡性を向上させてきた。今日存在する農業における生物多様性は、実際のところ、異なる気候や生態系の中で適合する作物の種を、農家が数え切れないほどの世代を重ねながら選びつづけてきた産物といえるのだ。

グローバリゼーションはそれとは対照的に、地域や地方、国家の経済をひとつの世界経済に溶かしこんでしまい、地域に適合した農業の形態を均質化しつつある。多様性に富んだ農場は、一元的な管理のもと、エネルギーと化学物質をふんだんに使う工場的な農業システムに追いやられつつあるのだが、そのシステムは国際市場向けに輸送しやすい食料品の生産に特化したものである。その過程で、農村の働き手は高価な技術を使った農業機械に追いやられ、地域コミュニティに向けた多様な農作物生産は輸出基盤のモノカルチャーに追いやられる。何千という野菜や家畜などの地域の固有種は、完全に消えていくのである。

グローバル化した経済活動はまた、地方から都市部への大量の人口移動を牽引している。二〇二五年までに、世界の人口の六〇パーセントが都市部に住むようになると推定されている。都市化、特に産業化されていない国々での都市化は、人口の密集したスラム、失業、貧困、不衛生、汚染といった数多くの問題と同義語である。豊かな北側諸国でも、大規模な都市化はコミュニティの喪失に直接関係するし、じわじわと効いてくる副作用には、疎外感から犯罪や暴力、薬物依存までが含まれる。

グローバルな経済システムでは、多国籍企業によって人間の真のニーズが巧みに操作され、その心理的な影響は油断しているうちに忍び寄るような狡猾なものであり、広範に及ぶ。モンゴルからポルトガル、メルボルンからニューヨークに至るまでの多くの子どもたちは、消費文化に取り込もうとするキャンペーンの標的にされている。アメリカの子どもたちは、年間に四万本のテレビCMを見ていると推計されている。「友だちに尊敬されたいと思ったら、そして愛されている、賞賛されていると感じたいのなら、正しい靴と、ジーンズ、おもちゃ、携帯ゲームなどを持っていなくてはならない」。しかし、実際に子どもたちが多くのものを手に入れることによって得るのは、帰属意識ではなく、競争、孤立、嫉妬の感情なのだ。うつ病は世界中のあらゆる世代、実質的にあらゆるコミュニティで深刻さを増している。このまま患者が増えつづければ、工業化された国において、二〇二〇年にはあらゆる疾病の中で、心臓病に次ぐ第二位を占めるだろう。うつ病は、孤立感や不安定な感情とつながっており、そうした感情は、コミュニティのつながりが壊れ、人と人、人と自然界とのつながりが薄れたところでは、起こりがちなことである。

グローバリゼーションは、近年テロリズムが増えつづけている状況の中で不吉な役割さえ果たしている。9・11よりもはるか以前から、特に南側諸国では怒りと暴力が次第に増加していた。スリランカからトルコにかけての地域では民族間の軋轢が煮えたぎり、時に沸騰して噴出していたことを、北側諸国に住む私たちのほとんどは知らず、もし知っていたとしてもおぼろげにしか認識していなかった。そうした抗争は、例えばチェチェンやボスニアなど西側工業国に近接したもの、あるいはルワンダの場合のようにセンセーショナリズムがメディアの渇きを満たすものしか「報道するに値い」しないのである。しかし、西側の人びとには知られていないが、イスラム圏に限らず狂信行為や原理主義、民族対立は、ここ数十年で次第に増加傾向にあるのだ。

こうした傾向を見誤ると、テロリズムを生む、より広範な流れから目をそむけてしまうことになる。宗教の原理主義や民族紛争の中で起こっていることを真に理解するためには、この地球上の文化の豊かな多様性に対する、グローバルな消費文化による「ジハード（聖戦）」ともいえる衝撃の深さを正視しなくてはならない。そうすれば、最近の悲劇的な出来事もより良く理解できるし、全ての地域で暴力を減らすことへ向かって前進する道を見出すこともできる。

私がもっとも熟知しているラダックの例を挙げると、外部の経済の力によって十分に自立していた地域経済が崩壊すると、構造的、心理的な圧力により、宗教的な原理主義や暴力の発生につながる傾向がある。この本の中で説明したように、輸入される食料の補助金を含む構造的な圧力が、地元の生産者のための地域の市場を破壊し、村の生計を蝕み、その結果失業を生み出し、数少ない現金収入をもたらす仕事を求めて強烈な競争を煽(あお)ったのである。

同時に、広告と西洋式の教育が、農的で伝統的な生活様式を未発達で時代遅れのものにし、その一方で都会の消費者のライフスタイルを魅力的に見せたのだ。結果として、ラダックの若者は、彼ら自身の文化を事実上あらゆる面において拒否するようになる。金髪、青い瞳のモデルたちを賞賛するメディアのイメージの集中砲火を浴び、彼らは自分たち自身さえも拒否するようになる。その傾向は「きれいでかわいい」という名の危険な美白クリームの売り上げが上がっていることからも明らかだ。若者たちは、メディアが送り届ける理想と彼らの生活との落差に敏感に反応し、幾世代にもわたってラダックの人びとの間で続いてきた技術や知識にもはや信を置かなくなり、彼らが経験する強烈な心理的な圧力を行動で表わそうとしたのである。特に若者の間では、こうした圧力は別の社会的グループに属する「他者」への怒りに転化された。現在の都会における権力、仕事、資源のための競合と結びついて、この怒りは非常に高まり、五〇〇年の間平和的な力のバランスを維持してきた仏教徒とイスラム教徒が、互いへの暴力へと駆り立てられるという極端なケースも出現している。

ラダックにおいて異教徒間の平和的共存が崩壊したのは、一九七五年から一九八九年の間だ。その同じ時期に、私はブータン王国においてほとんど同様のアイデンティティの変化のパターンを目撃している。ここでは、仏教徒とヒンドゥー教徒がやはり対立に巻き込まれていった。開発と近代化はさまざまな文化を均質化しつづけ、農村の生活を蝕み、実質上どこにおいても、似たような結末をもたらしているのである。統合され、均質化した地球村の構想は、原理的な欠陥がある。生命圏がその強さを保持するために多様性を必要とするように、人間の文化も同様に多様性を必要とする。そこでは、多様性の存在と違いを受け入れることが、平和で調和に満ちた関係性の基盤になるのである。

操作のための手段

産業社会という怪物の跋扈（ばっこ）は、それ自身の中に、自らの崩壊の種子を宿している。アイデンティティ、コミュニティ、そして生命の網の目が脅かされるにつれ、人びとはほとんど本能的にコミュニティや自然の必要性を感じ始めており、それはさまざまな表現をとっている。さまざまな信仰の信者たちは、現在その宗教的生活の一部として、この地球をいたわることの重要性を認識している。建築家たちは、伝統的な建築技法と自然の素材のよさを再発見しつつある。また、健康を維持するために、人工的な方法よりもより自然な方法を取りたいという欲求は、年々増加しつつある。農家や園芸家の間ではますます多くの人びとが、化学肥料や有毒性の殺虫剤に背を向け、自然に逆らうのではなく寄り添いながら機能するやり方を選んでいる。郊外の住宅地の庭でさえ、芝生から菜園に変わりつつある。そして、食べものの人工的な着色、保存料の使用、食品加工などの危険性を知るにつれ、人びとはよりローカルで、自然な食べものにシフトしている。

これらは、非常に勇気づけられる兆候だ。だが、永続的な成功を確実にするためには、さまざまな危機とグローバルな経済システムとの関連性に注目しなくてはならない。ほとんどの場合、私たちの活動はその根底にある原因ではなく、個別の兆候に目を向けがちだ。しかし、私たちが直面している問題のもっとも戦略的な解決法は、経済政策を変えていくための広範な取り組みである。経済のグローバリゼーションに向かうのではなく、ローカルに方向を転じることは、私が「幸せの経済」と呼ぶものの実現を促進する。換言すれば「ローカリゼーション」を通して、私たちは地球上の生命の存続を脅かすことなく、私たちのニーズを物質的にも精神的にも満たすことができるだろう、ということである。

経済のシステムをシフトしていくのは、一見して思うほど難しくはないだろう。最初のステップは、このシステムが破綻しないでいられるのは、見当違いの憶測と部分的にしか真実ではない言葉のせいであるということを認識することだ。経済のお偉方は「市場」と「成長」について、それらが独立した現象であるかのように言及する。「政府は引っ込んで市場の決定に委ねよ」、あるいは「健全で繁栄した社会を維持するためには、消費が増加することが不可欠である」などという。実際は、「市場」も「成長」も、特定の利害関係者に都合のいいように仕立てられた恣意的な概念なのだ。政府の政策決定者が、こうした恣意的な概念に基づいた決定を下すとき、彼らは多国籍企業と銀行のニーズに合致するように効果的に社会を変化させることによって、経済の方向性を決めているのである。こうした施策は、大多数を犠牲にして、世界人口のごくわずかな部分だけが富を蓄積するという結果を生み出すのである。

「需要と供給」や「自然の希少性」についての教えにかかわらず、ものの価格は政治的選択の結果となっている。北でも南でも、加工され、梱包され、地球の裏側から送られて来た食料の方が、隣の農場からの新鮮な食料よりも安価なのだ。これは、政治の反映であり、物事の自然の成り行きではない。

経済の流れを操作するために主要な三つの手段が使われている。規制、税と補助金、そして社会の幸福を図る尺度である。

規制

グローバリゼーションを根源から考えるには、グローバルな貿易と金融の規制緩和が重要である。それは、世界中でビッグビジネスと海外投資を自由化し、社会と環境を守るために作られた法律や規制を撤廃するのだ。南側諸国全体にわたって「経済特区」が設立されつつあるが、そこでは規制が撤廃され、多国籍企業に全面的な自由を与えている。グローバルビジネスへのこうした制約が取りのぞかれる一方で、小さなローカルビジネスは、官僚主義的な形式主義で過剰に規制され、窒息させられつつある。このことは、一部は巨大企業の有害な行為、一部は彼らの政治的影響力に起因する。巨大企業は、中小の競合者たちを閉め出すための規制強化を狙ったロビー活動を行なっているのだ。例えばアメリカの大手ホテルチェーンは、民宿の規制を強化するためにワシントンでロビー活動を行なっている。またEU圏の農家は幾世代にもわたり、職人技によるおいしくて健康的なチーズを作ってきたが、衛生上の理由で高価な器具を持っていなければならないとされ、次々に倒産している。

税と補助金

グローバリゼーションの時代以前でも、経済政策はビジネスを成長させる原動力となっていた。パン屋から病院に至るまで、一般的に人を雇う企業は重税によって罰せられる。一方、設備投資を行ない、エネルギーを大量に使う企業はほとんど例外なく減税と補助金によって報償を受ける。エネルギーを使えば使うほど支払いが少なくなるのだ。その結果、私たちの経済システムは、失業と大規模に増加する汚染を同時に生み出すことになる。

グローバリゼーションが進み、企業が中小の競争相手の排除に成功するにつれ、政策立案者たちは、巨大ビジネス以外に選択の余地がないという印象を持ちがちになる。その結果、各国の政府はお互いに競うようにして大企業に対し、自分の国こそ健康面や環境面での規制が最も少なく、また労働や資源が最も安いと申し出る。それと同時にそうした企業に最大限の補助金を与え、かつ減税を行なうのである。彼らは、多国籍企業に、高速道路、空港、鉄道網、港湾など国民の税金で設立された交通インフラを提供する。巨大発電所の建設を促し、企業の生産活動と輸送の要求を満たすために、石油の安定供給を確保する。教育で重視されるのも、ハイテクやビジネスに直結したこと、そして企業が牽引する経済に必要とされる技術や知識の基礎をたたき込まれた学生を送り出すことが求められるようになる。こうした補助金から小規模な企業や市民の大多数は、ほとんどあるいはまったく恩恵を受けることはないが、大企業に気前よく与えられる援助の大部分は彼らの税金なのである。

社会の幸福の尺度

政策立案者たちは、その上昇率が社会と経済の健全性を示す有効な尺度であるという前提のもとでGDPに注目するが、それは税や補助金の使い道に関する右記のような選択を正当化するためである。いい加減にして欲しいものだ。水道の水が汚染されているために、ペットボトルの水を買わなくてはならないとしたら、それによりGDPは上昇する。まるで永久にそうしていられるかのように、地下から石油を汲み上げ、それを燃やしつづけていてもGDPは上昇する。原生林を伐採してトイレットペーパーにすれば、GDPは上昇する。森林の生態系が持つ、新鮮な空気や水を作り気候を安定させる機能など、まるで無価値といわんばかりだ。より多くの人びとが病気になり、薬や病院でのケアを必要とすればするほど、GDPは上昇する。そして、環境汚染の度合いが下がり、人びとが心身ともに健康になるとGDPは下がるのだ。換言すれば、より多くの環境汚染、病気、破壊などが社会の中で増えれば増えるほど、経済は成長し、私たちはより繁栄していると推定されるのである。

GDPに代わるべきさまざまな指標が存在するが、その一例が「進歩を再定義する」というカリフォルニアをベースに活動している組織が一九九〇年代に作った「真の進歩指標（GPI）」である。この計量法では、健全な生態系が供給する多くのサービスを適切に認識し、刑務所の建設やガンの治療、抗うつ薬などの社会の質の低下に対応した支出を控除しようと努めている。国際的な動きとしては、ブータンの前国王のアイディアを元にした指標を発展させようとしている。彼はGNPよりも、GNH（国民総幸福度＝Gross National Happiness）を経済と社会の幸福を測る真の指標として提唱した。もし、GNHを基準として採用すれば、非常に異なった世界秩序のイメージが得られるだろう。一九九九年から二〇〇一年に六十五カ国以上の国々が行なったある調査によれば、ナイジェリアは自分が幸せだと感じている人びとの比率が最も高い国と判明した。ナイジェリアよりも二十二倍も高いGDPを誇るイギリスは二十四位だった。

まさにいま、各種の規制や補助金、GDPの三つの手段は、私たちを自殺へと続く道に送り出そうとしつつある。この地球と私たち自身を癒すために、グローバリゼーションの作用に対する理解のもと、経済の仕組みを変えようとする行動主義を通して、もう一度これら三つの手段へのコントロールを取り戻す必要があると私は信じている。数多くの社会的、環境保護的な活動が互いに手を結び、共通の課題に取り組めば、重要な政策転換をもたらすのに十分な圧力を行使することができるはずだ。

ラダックにおける癒しと復活

ラダックをはじめて訪れてから三十年の間に、グローバリゼーションとこの地域の再生との間の相克は続き、より激しくなっている。外部からの影響は、ラダックの人びとがグローバルな消費モノカルチャーを受け入れるよう、いまだに圧力をかけている。テレビをはじめとした主要なメディアは深く侵入しつつあるし、補助金漬け、化学物質漬けの食料は、健康にいい有機の地元の食べ物に取って代わりつつある。コカコーラ、ペプシ、ネスレのインスタント麺、コンデンスミルクが大挙して押し寄せ、最も遠く離れた村でさえ、子どもたちを虜にしつつある。

しかし、こうした良くない風潮にもかかわらず、グローバル経済の最悪の影響がすでに及んでいるところに、本当の希望を見出すこともできる。多くの若者が外部世界の美化されたイメージに誘惑されつづけているにしても、それに対抗し、ラダックが世界に提供できることがあるという認識が高まっているのだ。先進国が伝統的なラダックから、自足、質素、社会の調和、環境面での持続可能性、精神的な洗練などを学ぶことができるというのは本当のことであり、それらの価値はますます認められつつある。結果として、ラダック人たちが自己を拒否することで受けた傷は、新しい意味での自尊心によって癒されつつある。そして最近では、仏教徒とイスラム教徒の対立も沈静化している。彼らは、社会という織物が織り直されていくように、再び平和のうちに暮らすことができるようになってきたのだ。

エコロジーと環境のための国際協会(ＩＳＥＣ)の活動は、はじまったばかりだが、相当の影響力を持つに至っている。ＩＳＥＣがその設立に協力したいくつものＮＧＯは、ラダックの人びとの自尊心を傷つけた、引っ切りなしに押し寄せるさまざまな力に対抗しようとしている。時間が経つにつれ、より多くのラダック人のリーダーたちは、外部からの圧力によって輸入食料への危険な依存が引き起こされており、基本的ニーズに関しては自給と自立を保つことがラダックにとって非常に大切であるということに気づき始めている。この地域で半自治権を持つ自治政府も、地元の食べ物と有機農業を支援し、農民への敬意を育てている。

ＩＳＥＣが設立に協力した現地のエコロジー・グループは、分散型の再生可能エネルギーシステムの普及で、広く成功を収めている。同組織はまた、遺伝子組み換え種子や殺虫剤、殺菌剤などの危険性を人びとに警告しながら、地域の有機農業の手法を守る必要について注意を喚起している。同組織の前担当者たちは、自治政府の設立にも関与した。

ラダック女性連合は、現在五〇〇〇人のメンバーがラダック中の村々にいるが、ラダック文化の生態学的、精神的基盤を保護、復興する活動により認知され、評価が高まっている。同組織は、手工芸と種の保存の活動をしており、ラダックの首都レーでポリ袋の使用が禁止される原動力となった。同組織は、政府ばかりでなく人びとから真の尊敬を得ており、地域の良き変化のための信頼に値する声として認められている。

私たちが行なっている「ラダックに学ぶ」プロジェクト（注4）。これは西洋人がラダックの農繁期に農家の家族とともに一カ月間を過ごすというものだが、グローバル経済の破壊的な影響ばかりでなく、土着の文化の価値へのより深い理解を参加者に与えている。伝統的なラダックの文化と農業は、経済的な秩序の地域分散化された様式について、学ぶ機会を今でも提供している。このプロジェクトの参加者は、知識、智恵、生計を立てる方法が地域の生態系に見事に適合した生活様式への、尊敬の念を深めて帰って行く。

西洋や都会のライフスタイルが土着のライフスタイルよりも優れているという考え

方に対抗するために、ＩＳＥＣはラダック人のグループを「真実を見るツアー（リアリティツアー）」に連れ出している。これは、西洋の生活のありのままの姿を見てもらうためのツアーだ。これらの訪問は、失業、薬物依存、貧困、疎外といった問題点を明らかにするだけではなく、より持続可能で、エコロジカルな生活を選び、消費文化を拒否している西洋人も多く存在することを知ってもらうのにも役立っている。このツアーに参加した多くの人びとが、ラダックの市民社会のリーダーになっている。

南側諸国には途方もなく大きな心理的、構造的圧力がかかっており、国際的な情報交換や、こうした「対抗的開発（カウンター・ディベロップメント）」は必要とされている。世界のより産業化された国々の人びとは、消費的なライフスタイルを美化する西洋メディア発のメッセージに対して、本当の現実との違いを確認できるような情報と経験を提供することができる。放射能汚染への不安であれ、交通渋滞による不満であれ、あるいは産業に使われる化学物質の濫用であれ、西側での生活を長所も短所も含めて誠実に伝えなくてはならない。南側の国を旅行すると、人びとがいとも無警戒にあらゆる有毒な化学物質を扱っているのを目の当たりにするだろう。

南側諸国で彼ら固有の文化や環境を守ろうと活躍している人の多くが北側諸国での滞在経験を持っている、ということには重要な意味がある。彼らがホームレスや精神病棟、あるいは老人ホームなどを見れば、あるいは環境問題や社会問題を軽減することに関わる活動家たちに会えば、メディアの中に広がる幻想に対抗できる力強い洞察を手に入れることができる。

たくさんの南側諸国の活動家が『懐かしい未来　ラダックから学ぶ』の翻訳を手掛けてくれた。この物語は「私たちの物語でもある」、と言いながら。ＩＳＥＣでは、この本を元に同名の映画を作成した（注5）。アラスカからペルーに至るまで、現地のグループが、この本と映画を使って、西洋の消費的ライフスタイルは根本的に持続可能ではないことを伝え、文化的な自己評価を高めている。この本と映画は、ハンガリー語、フランス語、ラオス語、モンゴル語など四十カ国語以上に翻訳されている。韓国ではベストセラーになっており、ニュージーランドやニューメキシコの経済学者が、自分の講義に使っている。また、軍政化で言論の自由が制限されているミャンマーには秘密裏に持ち込まれ、訳書は第二版を数えている。こうした関心の強さゆえに、ＩＳＥＣは小さな組織ながら、世界中に影響力を及ぼしている。

グローバルに「ローカルで行こう！」

ＩＳＥＣもその形成にひと役買っているこうした心強い動きは、孤立した現象ではない。今日、グローバリゼーションはこれまで以上に、世界中のグループや個人によって問題とされ、批判されている。有力な資本家や政治家でさえも、そうした関心について言及している。特にこの十年以上、抵抗運動は増大してきており、グローバルな潮流を転換できるチャンスが現実化している。

一九九九年に、私はあるイベントに参加した。そのイベントは世界中のニュースになり、またグローバリゼーションに対して高まりつつある抵抗運動の報道の触媒になった。それは、世界貿易機関（WTO）の有害な政策に対して抗議するシアトルでの四万人を超える集会だった。それ以来、ほとんどすべての経済に関するサミットで同じような反対運動が起こっている。人びとは、グローバリゼーションが、彼らの仕事、コミュニティ、そして環境にどんな意味を持つのかを理解するようになってきた。私は全世界で、労働運動の指導者と環境活動の活動家が手を結び、教師と政治家が、あるいは科学者と神学者が手を結ぶなど、社会的には非常に違う分野の人びとが協力するのを目撃して、非常に勇気づけられた。

今日まで、この運動は単なる抵抗から、前向きで積極的な新しい道を形成し、推進するものに進化している。「世界社会フォーラム」はそのいい例で、現在のところ、ブラジル、インド、イタリア、英国、ケニアで開催されている。同フォーラムは、北と南の対話、情報やアイディアの交換の貴重な機会を提供しており、それは現行の経済システムに対抗し、「もうひとつの世界は可能だ」という彼らのスローガンを実証する活動を可能にするものである（注6）。

「ローカルで行こう！」を目指す、大きな、同じように重要な運動がある。事実、経済のローカリゼーションが、一度に複数の問題を解決するような体系的な解決策であると考えるグループは増えつづけている。中央集権的な頭でっかちなシステムは、それが資本主義のものであれ、社会主義であれ、共産主義であれ、根本的なレベルで民主的にはなり得ないのだ。金融から、産業、農業まで、権力分散的な、ローカル化された経済活動が、社会とエコロジーの基本構造を刷新することによってこそ、参加民主主義を取り戻すことができるのだ。ローカリゼーションでは、政府を大きくするのではなく、ビジネスの規模を小さくすることが重要である。商業が文化や倫理を形成するのではなく、逆に文化や倫理こそが商業を形成するには、ビジネスも金融も地域を拠点にする必要がある。

ローカリゼーションは、貿易の終焉を意味するのではないし、地域単独の行動を意味しない。草の根のローカリゼーションの運動が成功し、長きにわたって育っていくためには、国政レベル、国際的なレベルでの政策の変化がそれに伴う必要がある。コミュニティ単位での経済を栄えさせ広げていける余地を確保するためには、孤立、拡散した取り組みについて考えるよりも、「小規模を大規模に」推進する政策を、私たちは政府に要求すべきなのだ。今日、私たちはこうした問題を解決するために、これまで以上に国際的な協力を必要としている。複数の政府がグローバリゼーションの、本当の世界への影響についてしだいに気づくにつれ、民族や国家の連合体はWTOを脱退し、多国籍企業への依存度を減らしていく中で互いに支え合う「離脱戦線」を形成しつつあるように見える。非常に目立たない形で、このプロセスはすでにはじまっているのだ。二〇〇六年にラテンアメリカの五カ国が、メキシコで開催された第四回世界水フォーラムで、WTOによる水の民営化政策に対抗する共同戦線を形成すると発表した（注7）。

「臨界」を超える数の人びとが、このグローバリゼーションからローカリゼーションへの根本的な方向転換の必要性に気がつけば、政治家たちも地域とグローバルの共有物を守るための国際条約の交渉に入るように余儀なくさせられる可能性がある。これは、現在ではありえそうもないように聞こえるかもしれない。しかし、地域や地方レベルで政治を先導している人びとは、すでにその方向に活動を開始している。この方向転換の始まりはすでに、アメリカ合衆国で見ることができる。そこでは、地域のリーダーたちが国家レベルで採択された政策を拒否しつつある。すでに九つの州、そして一九四の市長、町長が京都議定書の温室効果ガス排出規制の採択を誓約している。

世界中で、コミュニティから生まれた活動によって、地域経済の再建にさまざまなメリットがあることが証明されつつある。こうした活動の多くは、さらに高まる異常気象の脅威と石油供給の低下により、さらに拍車がかけられている。特に、世界の石油埋蔵量の半分が採掘され、それ以降は石油生産量が下降に転じるといわれる「ピークオイル」により、私たちの石油依存度を減少させる必要があるという切迫感が草の根レベルで醸成してきている（注8）。主としてこうした懸念に駆り立てられたローカリゼーションの運動は、北アメリカにおいてその地盤を広げつつある。数百というコミュニティが、物資の輸送距離の短縮や、地域分散の再生可能エネルギーシステムの導入、輸送の見直しなどにより、彼らのカーボン・フットプリント（注9）を低減しようとしている。英国では、四十ものコミュニティがトランジション・タウンと呼ばれる同時進行の運動を始めている（注10）。この運動の主要な目的のひとつが、伝統的な技術を復活させることであり、それはグローバル経済に特徴的な資源とエネルギーの無駄使いなしに、持続可能なコミュニティを繁栄させるのに必要なものなのである。

ピークオイルと、気候変動の現在の関心以前にも、何千といういわゆるエコビレッジ、あるいは目的共同体（Intentional Community・注11）と呼ばれる共同体が、共同体を復活させ、自然とのより深いつながりを甦らせることに重点をおいて、ローカリゼーションを推進している。グローバル・エコビレッジ・ネットワーク（GEN）は一九四四年に設立され、消費文化から身を引き離し、精神的、生態学的な価値を重視する生活を目指すグループをつなぎ合わせてきた。そのほかの、ローカリゼーションの運動には、地域通貨やLETS（地域交換システム）も含まれる。アメリカ合衆国では、地域経済のためのビジネス連合（Business Alliance for Local Living Economics = BALLE）が、巨大企業チェーンによる圧力に対抗するために小規模のビジネスを結集させている。

ローカリゼーション運動の中で、これまでにもっとも効果的な活動は、食べ物に関する健康的な経済の仕組みを復活させる試みだ。政府からも産業界からも援助を得ることなく、草の根の取り組みが手を結び、人びとの力が数十億ドルという広告や隠された補助金、その他もろもろの不正に対して勝利を収めるという希望に満ちた成功例を見せてくれたのだ。

地元の食べ物の経済の論理は論駁しようもないものである。地域で育てられた食料は、長距離を運ばれてきたものより新鮮で、それゆえおいしく栄養も豊富ということである。長時間の保存や輸送に耐えるための保存料やそのほかの人工的な化学物質の使用も少ないといってもいいだろう。そして生産者は、顔の見えない「ターゲット市場」ではなく、顧客の顔を個人的に知っている分、顧客の健康にとって危険なことは避けたくなるだろう。多分もっとも重要なのは、地域経済の発展は、農家に単一栽培ではなくさまざまな作物を作る動機を与えてくれることだろう。そして、それは環境にも経済にも多大な利益をもたらすのだ。グローバル経済は、その巨大な仲介業者やスーパーマーケットのチェーンにより、収穫、輸送、箱詰めに至るまで大規模な機械を使用するのに適した単一の作物を何トンも作るように農家に圧力をかける。一方、地域のマーケットは、それほど大量のニンジンもジャガイモも扱うことができない。調査でも明らかだが、近隣の人びとに売りはじめた農家は、農作物の種類を即座に増やしている。なぜなら、それが地域のマーケットが求めていることだからだ。

世界の四〇〇人の科学者による三年にわたる調査に基づいた、二〇〇八年の開発のための国際農業科学技術調査のレポートによると、工業的な生産システムは、人間の健康と環境の点から見ると、高くつくと結論している。その調査の主査である、ロバート・ワトソン氏は、私たちの食料生産と流通の方法に根本的な変革がなければ、「世界の人びとは、食べていけない」し、私たちは「誰も住みたいと思えない世界」に残されることになると警告している。

グローバルな食料生産システムが与えるマイナスの影響について、人びとの知識が広がるにつれ、地元の食べ物を求める人びとが増えている。一九九七年、最初のファーマーズ・マーケットがバース市で開業して以来、イギリスのファーマーズ・マーケットの数は五〇〇を超えるまで増えた。生産者と消費者をより密接に結びつける「消費者コミュニティに支えられた農業」（CSA）に参加する人びとも増えている。この運動は、三十年前にこの運動が始まったスイスから、十万人もの人びとが参加している日本まで、世界を席巻している。アメリカでは、一九八六年には二件しかなかったCSAの数は雨後の筍のように増え、今日では一〇〇〇件を超えている。コントロールの効かない遠く離れたマーケットのきまぐれにますます影響を受けるようになった小規模の農家は、毎年憂慮すべき割合で破産しているが、この生産者と消費者の直接的な結びつきは、その傾向を逆転させる可能性を持っている。

パーマカルチャーも、そうした食を基盤にした国際的な運動のひとつだ。パーマカルチャーは、土地の環境を修復し、自立した多様な食料とエネルギーの循環システムを再構築するふたつの草の根の活動を生み出した。バイオダイナミクスは、精神性を基盤にした多収穫を可能にする有機農法である。スローフードは「エコな美食」というコンセプトに基づき、この地球と料理の関係性についての気づきを喚起した。一九八六年に設立されたスローフード・ネットワークには、現在八万人以上の会員がいる（注12）。

遺伝子組み換え食品への警戒感の高まりは、それ以前からある殺虫剤、殺菌剤、成長ホルモンへの不安とあいまって、近年の有機農産物の売り上げを劇的に増加させている。一九九六年後半、イギリスにおけるモンサント社の遺伝子組み換え大豆の最初の出荷の際には、遺伝子組み換え食品への人びとの警戒は事実上存在しなかった。今日、遺伝子組み換え食品は盛んに論じられる問題であり、ヨーロッパにおける世論調査では、大多数が遺伝子組み換え食品の使用に反対している。農業の地球への影響を減らすと同時に、自分たちが食べる食料の安全性と栄養的な価値を確実なものにするための最良の方法は、有機農産物、特に地域で採れた有機農産物を買うことであると気づく人びとがどんどん増えている。有機農産物の世界市場は、二〇〇三年と比較して倍以上の伸びを示しており、現在では七〇〇億ドルを超えている。

消費者や有権者のこうした明白な意思表示にもかかわらず、政府や既得権益は聞く耳を持たない。二〇〇八年のG8会合で代表者たちは、石油と食料の価格高騰は経済成長を阻害しているという結論に達したが、同じ年にアメリカの環境保護局は、食料供給の価格高騰の影響に対して行動を起こすのを拒んだ。実際には、食料の価格を引き上げ、基本的ニーズを満たせなくしているのは、主流経済の制御の効かない成長なのだ。

気候変動と食料安全保障への脅威が明白になるにつれ、統計を用いて巧みにごまかす、もっともらしい議論が盛んになる。例えば、ニュージーランドから羊の肉を輸入した方が、英国自身で羊を生産するより、カーボン・フットプリントは低くなるといったようなことが論じられている。農業と貿易に関して全体のつながりを考えないこのような還元主義的な見解は、グローバルシステムの永続に手を貸し、すぐ着手すべき課題から目を逸らせてしまう。すぐ着手すべき課題とは、農業を経済、社会、環境のすべてのレベルにおいて持続可能なものにすることだ。また、地元の食べ物を推奨することはエリート主義であり、第三世界の経済を衰えさえるとさえ主張する人びとすらいる。本当は、その逆こそが真実であるのに。もし、貧しい国々が自国の労働力と最も肥沃な土地を、豊かな国へのエキゾチックな輸出品ではなく、自らのための食料に使用することができれば、貧困も飢餓も減少するだろう。

事実、グローバリゼーションに反対し、地元の食べ物を推進しているもっとも大きなグループのひとつは、南米発祥である。ビア・カンペシーナは、五十六カ国から小規模、中規模の農民たち、土着の人びと、農村の若者、農業従事者たちを結集し、社会的、経済的公正を促し、自然資源を守り、持続可能で小規模な農業の活性化を促進する活動を組織している(注13)。その活動は、北と南のさまざまなグループを結びつけることで、ローカルフード運動が、真にグローバルなものであることを示している。

幸せの経済学

私たちには、自分自身のため、子孫のためにより良い未来を創るために物事を変えていく力を持っていることは間違いない。グローバリゼーションは必然的に進化していく力というわけではなく、それを積極的に支持する人びとも全世界の人口の一パーセントにも満たないのだ。選択は私たちの手の中にある。私たちは引き続きグローバリゼーションの道筋をたどることができるが、それは控えめに言っても人間の苦痛と環境問題を悪化させ、最悪の場合、私たちの生存を脅かす。そうしたくなければ、地域経済への移行を積極的に支持しよう。それによって、潮流を変えることができるのだ。

経済のローカル化は、お互いの、そして私たちが属する自然界との相互依存の織物を再び織りなすことによって、人びとと地球の両方を癒すもっとも戦略的な道だ。ラダックは、人びとの生活の中に息づく相互依存こそが喜び、幸せ、満ち足りた気持ちをもたらすことに、目を見開かせてくれた。その地での私の活動は私に、もっとも深く、もっとも根本的なレベルで、ローカリゼーションこそが幸せの経済学であることを示してくれたのだ。

（注1）宗教的原理主義そのものは純粋な教義を実践しようとするグループであり、本来は問題視されることはない。問題は、一部の過激な原理主義者がテロリズムを行使することであり、ここでは過激な原理主義者のテロリズムを「原理主義」という言葉で表わしている。
（注2）グローバル・ビレッジ。ここでは、地球をひとつの市場にする考え方を扱っており、地球村、グローバル・ビレッジという名称の特定のNGOを指しているわけではない。
（注3）ヴィシュヌ神の第八化身であるクリシュナ神の像で、この像を載せた車にひき殺されると極楽往生ができると信じられていた。
（注4）三二五ページの「ファーム・プロジェクト」が改称されたもの。
（注5）映像版『懐かしい未来』（五十五分）は、ワークショップ、授業用ダイジェスト版（二十七分）とともに、日本でも制作されている（三九〇ページ参照）。
（注6）世界社会フォーラムは、スイスのダボスで開催される「世界経済フォーラム」に対抗して二〇〇一年、ブラジルのポルトアレグレではじまった。
（注7）国でなく自治体レベルの動きも活発になってきている。国民国家という仕組みが、グローバル経済のもとで、もはや機能不全になってきているからである。「ミュニシパリズム」は、地域の公益と公共財を守るために、新自由主義、市場至上主義、緊縮財政に抵抗し、市民の社会的・

政治的権利を実現しようとする動きである。国境を越えた連帯を重視し、「フィアレス・シティ(Fearless Cities=恐れない自治体)」が広がっている。詳しくは『水道、再び公営化!―欧州・水の闘いから日本が学ぶこと』岸本聡子著　集英社新書　二〇二〇参照。

(注8)ピークオイル論は、ピークオイル(石油生産量が減少に転じること)による大規模かつ抜本的な社会変動の可能性も含め、二〇〇〇年代前半に活発に議論された。しかし、シェールガスなど産出のための環境負荷の大きいエネルギー源が急速に開発されるなど、いくつかの要因により、ピークオイルによる社会変動は限定的なものに留まっている。

(注9)直訳は「炭素の足跡」。個人や団体、企業などが生活・活動していく上で排出される二酸化炭素などの温室効果ガスの量。

(注10)二〇二一年一月現在、世界五十カ国以上で、二〇〇〇から三〇〇〇の地域グループが、トランジションタウンを表明し、活動している。日本各地でも始まっている。自分の地域での立ち上げ方を含め、詳しくは、トランジション・ジャパン(http://transitionjapan.net)。

(注11)理想を共有した人々がその理想の実現に向けて、共同生活を行なう場。

(注12)スローフード運動は、イタリア発祥。「おいしい、正しい、きれい」をスローガンにしている。「おいしい」には、本当に健康によいことや、食材が地元産で、風土や文化まで味わえることが含まれている。「正しい(社会的公正)」は、小規模生産者が不当な扱いを受けず、社会経済的に持続可能であること。「きれい」は、食の生産、流通、廃棄において環境負荷が低いことを主に意味している。

(注13)ビア・カンペシーナは、二〇二一年一月現在八十一カ国、一八二の農業組織から構成され、世界の二億人を越える農民を代表している。

解題　ローカリゼーションという希望

鎌田陽司

原著の出版から三十年。ラダックの人びとの暮らしと著者ヘレナの探求の軌跡をつづった本書は、四十カ国語以上に訳され、多くの人に勇気とヒントを与えつづけている。ヘレナが世界中でリードしてきたローカリゼーションの動きは、日本でも確実に広がっている。しかしこの間、私たちの暮らしや環境は留まることなく劣化してきた。社会や暮らしのあり方の根本に立ち返り、希望への道を創り出していくために、この本の重要性はさらに増している。

タイトルに込められたもの

本書のタイトル『懐かしい未来』。原著のタイトルは〝Ancient Futures〟。直訳すれば「古代的未来」。「古代」と「未来」という、逆方向の言葉を結びつけた矛盾表現である。そのため、いろいろな解釈が成り立ちうる。たとえば、グローバル・ノース（いわゆる先進国）の最先端は、むしろ、古の智恵に近づいているというように。いずれにしても、過去を理想化してそこに戻るということではなく、今の社会のありようの延長線上でもなく、もっと根源的な人間の智恵や本性とつながり直した、もうひとつの未来を表わしている。

「古代的」とせずに「懐かしい」としたことで、「古代」の意味合いは若干薄れてしまったきらいがある。しかし、日本語の「懐かしい」という言葉の力のおかげで、より幅広く奥深いタイトルになったと言えるかもしれない。「懐かしい」という言葉は、忘れかけていた大事なことを思い出し、もう一度つながったときに心と体の深いところで湧き起こる感覚、感情を幅広く表わしているからである。ノスタルジック（情緒的、感傷的）な感覚、感情を含みつつ、自分を超える大いなるものとつながるスピリチュアルな意味合いも含んでいる。翻訳することができない日本語独特の表現である。

『懐かしい未来』というタイトルで、もうひとつ忘れてならないのは、原題は〝Futures〟と複数形になっていることである。「懐かしい未来」という何か単一の定まった未来があるわけではなく、いろいろな可能性が読者の想像・創造に開かれている。私たちが再構築すべき未来は、多様性が鍵になるからである。

副題の「ラダックから学ぶ」には、二重の意味が込められている。ひとつは、ラダックに息づく伝統智（注1）には、新たな未来を想像・創造していくためのヒントがたくさん宿っているので、そこから学ぶということである。もちろん、そのままほかの地域で転用するのは、生態系や社会の状況が違うので困難である。むしろラダックの伝統智を呼び水として、自分の住む地域や国の伝統智を再発見し、あるいは思い出し、未来の抜本的再構築につなげることが期待されている。

もうひとつは、ラダックを見ることで、開発・発展をめぐる因果関係の、全体像に気づくことができるということである。

ラダックは、東方、北方、西方の国境がいまだに確定しておらず、インド、中国、パキスタンの国際紛争地帯となっている。また中国のチベット自治区と新疆（しんきょう）ウイグル自治区に接しており、チベット問題（より正確に言えば、チベットを植民地化している中国政府の問題）の影響も受けてきた。一九七四年にチベット人ゲリラが、ダライ・ラマ法王の説得もあって投降し武装闘争が終結したこともあり、一九七四年から外国人の入域が少しずつ認められるようになった。政府による開発のプロセスもそのころから加速した。このため、開発がどのようにはじまり、それによってどのような直接的、間接的影響がラダックの社会や自然に及んだのか、因果関係が見えやすい。グローバル・ノースに生まれ暮らしていると、開発・発展のはじまりや、社会や自然が変化していった因果関係がわからず、全体像をつかむことがなかなか難しい。ラダックで起きたことをよく見ていくと、ラダックを鏡として、開発・発展の全体像が見えてくる。そして今、自分たちはその変化のプロセスのどこにいて、変化によって何を失ったのか、このまま進んで果たしてよいのか、どの方向に進めばよいのかということを考えさせられる。

本書の概要

本書の内容を少し具体的に見ていこう。第一章から三章は、ヒマラヤの辺境ラダックにおけるつつましくも豊かな暮らしと、そこに襲いかかった近代化と開発の嵐のなかで、自らの未来を創り出そうとする人びとの記録である。

ラダックにおける生活の質の低下の原因を探っていくと、欧米にはじまった近代化の破壊的な側面に行き着く。ラダックを敬愛してやまないヘレナにとっては、この破壊的な力の原因を探り、その状況を乗り越える道を明らかにすることが課題となった。

ラダックに脈々と受け継がれてきた、自然と調和した理にかなった暮らし、それを支えている智恵を、西洋人であるヘレナが自身の目を通して再発見したこと。そして、開発・発展の潮流の全体像を読み解いたこと。それによって、その流れを越える道を創り出していくための視座を得たのである。このことは同時に、欧米で生まれ育った彼女にとっては当たり前のこと、やむをえないと無意識に思い込んでいたことが、根底から覆される経験でもあった。「はじめに」で、自分の属している文化を見る目が「劇的に変化した」と告白しているように。

第一章「伝統」では、ラダックにおける人や自然との交感に引き込まれる。自尊心を持ちながら、個人主義にとらわれることのないラダックの人たちに、自由、幸福の本当の意味を考えさせられる。

第二章「変化」では一転して、開発、近代化、グローバル化（注2）の波がラダックに押し寄せてきたことが描かれている。貧乏な家など一軒もないと言っていた同じ人が、八年後に「私たちはあまりに貧しいので助けてほしい」と言いはじめた。自足的な経済で安定して生活していた地域共同体、仏教の教えに支えられ充足していた人びとが、揺さぶられ、引き裂かれるさまが具体的に語られる。

第三章「未来」では、起きている現象の問題、その根を探っていかざるをえない。ラダックに息づいている、歴史に磨かれた緻密な文化と智恵が、乗り越える道の鍵となるということを、ヘレナは本書で示している。そして、ラダックについて語られていたことが、実は、グローバル・ノースの私たちの暮らしにも通じていることが明らかになる。

この増補改訂版で新しく立てられた第四章「グローバルからローカルへ」では、ラダックだけでなく世界中に及んでいるグローバル化の弊害を歴史的・構造的に読み解き、それを乗り越える道としてローカリゼーション（注3）を提唱する。

ローカリゼーションとは

ラダックから学ぶことのふたつ目として、三七六―三七七ページに記述したように、開発・発展の全体像を理解するということがある。ヘレナは、ラダックにおいて開発・発展の名のもとに実際に起きていることを全体的に理解し、同じようなことが世界中で起きていることに気づいた。グローバル化という問題である。そしてグローバル化の問題を国際的に提起、協議する場としてＩＦＧ（グローバル化に関する国際フォーラム）を共同で立ち上げた。さらに問題提起するだけでは不十分だと考え、グローバル化の問題を乗り越えるためにローカリゼーションを提唱した。

グローバル化、特に経済のグローバル化は、一般的には以下のように理解されている。「運輸と通信技術の爆発的な発展や、冷戦終結後の自由貿易圏の拡大によって、国家や地域の枠を越えて貿易や資本、人の移動、投機が促進されること」。

しかし実際には、規制緩和と自由化の名のもとに、投機家や多国籍企業の利益の最大化のための政策的支援が行なわれることで、市民の生活権や環境権がその分、犠牲になってきている。格差は拡大をつづけ、社会は一パーセントの勝ち組と九九パーセントの負け組に引き裂かれた。気候変動は加速し、今や気候危機といわれる状況に突入した。新型コロナウィルスが蔓延し、今後新たな感染爆発も予想されている。グローバル経済のもとで不可避的に発生するこのような負の効果は、今後ますます人びとの暮らしや自然を脅かすことになる。それらすべてを被るのは、これから人生の大半を生きる将来世代である。グローバル経済がひとつのシステムとして、あたかも制御できない怪物のように、世界を食い尽くそうとしている。

ヘレナは、経済グローバル化を支える主な神話として、以下を挙げている。神話とは、まことしやかに振りまかれ、繰り返し語られることで広く信じられている、誤った幻想のことである。

・グローバル化は避けられない。グローバル化は人間社会の進化の過程である。
・グローバル化は平和・共存、相互理解、繁栄の「地球村」を作りだす。
・グローバル化は人間の本性に基づく。
・グローバル化は選択肢を増やす。
・グローバル化は民主主義を育む。

・グローバル化は人間を幸福にする。

しかしヘレナは、グローバル経済というシステムは、人間が作ったものであり、誤った幻想に支えられているのだから、人間の手で変えられるはずだと言う。そして、経済のグローバル化の代案として、ローカリゼーションを提唱する。ローカリゼーションは、以下のように定義される。

「地域にあるもの（自然・社会・文化的資源）を活用して、地産地消と地域内循環を促進することで、地域の経済を活性化すること」

グローバル化が、物・金・人・エネルギーの移動距離、あるいは生産者と消費者の物理的・心理的距離を大きくするものであるのに対して、ローカリゼーションは小さくする、と単純化して捉えることもできる。しかし実際は、方向性が真逆というだけでなく、生産様式や社会のあり方の大きな質的転換を伴うものである。

ローカリゼーションを説明するものとして、イギリスの新経済財団（New Economic Foundation）が提起している「漏れバケツモデル」がある。

この漏れバケツは、グローバル経済における地域経済の様相を表わしている。

補助金、企業の投資と収益、観光収入、年金や給料などとして地域経済のなかにお金が入ってきても、たくさんの穴が開いているので、あっという間にそのお金が地域外へ漏れ出してしまう。お金が地域外へと漏れ出す穴としては、地域外からの食料品の購入、エネルギーの購入、地域外の福祉・医療・教育サービスへの依存、地域外の専門家・業者への依存などいろいろある。これでは、せっかくお金が地域に入ってきても、あっという間に地域外へと流れ出てしまって、地域のなかではほとんど循環しない。このような地域経済の構造のままでは、いくら補助金をつぎ込んでも一時的かつ一部の人・団体への効果しか期待できない。

本当に地域経済を活性化していくためには、地域経済からお金が漏れ出している穴を見つけ、塞ぎやすいところから穴を塞ぐことが必要なのである。ただし、よく誤解されることだが、穴を全部塞ぐ必要はない。ローカリゼーションは地域の孤立化を目指すものではないからである。

漏れ穴をかなり塞ぐことができた場合に、地域経済がどうなるかを少し具体的に確かめてみよう。入ってきたお金の八割が地域内に留まり、二割が即、流出する場合と、漏れ穴から漏れっぱなしで、入ってきたお金の二割のみが地域内で留まり、八割が即、流出する場合を試算してみる。

入ってきたお金の八割が地域内に残る場合は、残ったお金がまた地域内で支出され、その八割がまた地域内に残るという形で、地域のなかをお金がぐるぐると循環しつづける。一万円が地域に入ってきたとすると、八〇〇〇円が地域に残り、それがひとめぐりして今度は六四〇〇円が残り、それがまためぐる。最終的に一円以下になるまでに、地域内を四十二回も循環するのである。循環したお金は、一万円＋八〇〇〇円＋六八〇〇円＋五一二〇円……、で合計五万円にもなる。つまり、投入効果は五倍になり、

漏れバケツモデル　画＝ヨシイアコ

しかも地域内の多くの人、業種の間に広く行き渡る。

二割が地域内に残る場合は、一万円が地域に入ってきても、一円以下になるまでに六回しか循環せず、循環総額は一万二五〇〇円にしかならない。

要するに、八割が地域内に残る経済構造だと、二割しか残らない場合に比べて、循環回数は八倍、循環総額は四倍になる。その差は極めて大きい。

このように、食と農をはじめ、エネルギーや金融など社会のさまざまな領域の地産地消を進めるのが、狭義のローカリゼーションである。この場合の「地域」は、固定した範囲の地域ではない。物や事によって、その範囲は広がったり狭まったりする。

一方で、ローカリゼーションを進めるためには、地産地消と地域内循環によって地域の「再生（リニューアル）」を図るだけでなく、「抵抗（レジスタンス）」という、異なるけれども関連し合うふたつのアプローチが必要である。「抵抗」といっても、攻撃的になったり、革命的である必要はない。効果を発揮する抵抗活動の多くは、例えば本や記事を回し読みしたり、地方紙に寄稿するといったように地味で、持続的なものである。

さらに、ローカリゼーションを進めるためには、経済構造や経済政策などの「外面的なローカリゼーション（Outer Localization）」だけでなく、考え方や精神性などの「内面的なローカリゼーション（Inner Localization）」も必要である。

ヘレナのこのような考えを聞き、それらを統合的に理解するために、再生と抵抗、外なるローカリゼーションと内なるローカリゼーションをふたつの軸として交差させ、四次元としてみた。これが、拡張された広義のローカリゼーションとでも言うべきものである。

	再生：生み出す、つながる	抵抗：見極める、止める、変える
外なるローカリゼーション	Ⅰ：多領域の地産地消	Ⅱ：政策的な転換
内なるローカリゼーション	Ⅳ：深いつながり	Ⅲ：マインドセットの転換

ローカリゼーションの四次元（広義のローカリゼーション）

Ⅰ・再生×外なるローカリゼーションは、さまざまな領域での地産地消である。食と農をはじめ、エネルギー、水、住居、衣服、経済と金融、健康とケア、学びと教育、メディア、政治、精神性、ライフスタイルなど。

Ⅱ・抵抗×外なるローカリゼーションは、政策的な転換である。国際的な貿易や金融取引、資本移動の規制を緩和するのではなくて、逆に再強化する。そして地域の生産、交易や金融取引は、選択的に規制緩和する。つまり地域の経済、コミュニティ、文化、自然を破壊する政策は拒否し、育む政策を進める。

Ⅲ・抵抗×内なるローカリゼーションは、マインドセットの転換である。経済グローバル化を後押しし支えている隠された政治経済構造や、グローバル化の負の影響への理解を深めることである。これを経済リテラシーの向上とも言う。そして、経済グローバル化や経済成長の神話への囚(とら)われから自由になる。

Ⅳ・再生×内なるローカリゼーションは、深いつながりを取りもどすことである。自分自身、人、自然の声に耳を傾け、それらと深くつながり直す。地に足のついたスピリチュアリティを実践する。

これら四次元は、それぞれローカリゼーションに不可欠である。相互に独立しているが、つながり合っている。すべてが入り口ともなっており、どこからはじめてもいい。それぞれの次元が実現されていくことで、一人ひとり、コミュニティ、自然の多様性の力を取りもどしていく。

ローカリゼーションがもたらすものは、まずは、持続可能でしなやかで強い地域社会である。地域における食を始めとするさまざまな領域の自給率の向上と自律・自立の回復、お金を通じた交換経済だけでなく、互酬、贈与、共有・共用などの分かち合いの経済、多様な人間の労働力の必要性の向上、化石エネルギーや大量生産技術への依存度の低下、地域の生態系や社会、文化に適合した持続可能な経済（エコロジカルフット・プリントも少なくてすむ）、コミュニティの活力などをもたらす。そして二番目には、一人ひとりの生きる力の回復である。一人ひとりが持っているさまざまな力の発揮、自己決定権（生活にかかる大事なことは、自分たちで考え自分たちで決められる）、地域の自然やコミュニティへの帰属感、共感力と智恵などをもたらす。

最後にローカリゼーションをめぐるキーワード、関連領域を紹介したい。ローカリゼーションをめぐっては、世界中でさまざまな動きが湧き起こり展開しているが、マスメディアがほとんど報道しないために、その運動の多くは社会の水面下に留まり、私たちの目や耳に届かない。しかし、ローカリゼーションをめぐる動きは、バラバラに見えて実は緩やかにつながり合いながら、グローバル化に替わる力強い潮流となって流れている。その全体像の見える化を試みたのが次ページの図である。

このように、ローカリゼーションという方向に向かって、さまざまな領域で、さまざまな動きが展開している。それらは、ローカリゼーションを目指すというよりは、それぞれの現場で命を脅かす危機に直面し、止むに止まれずはじまった動きが、実はローカリゼーションという方向に向かっている、ということが多い。それぞれの動きだ

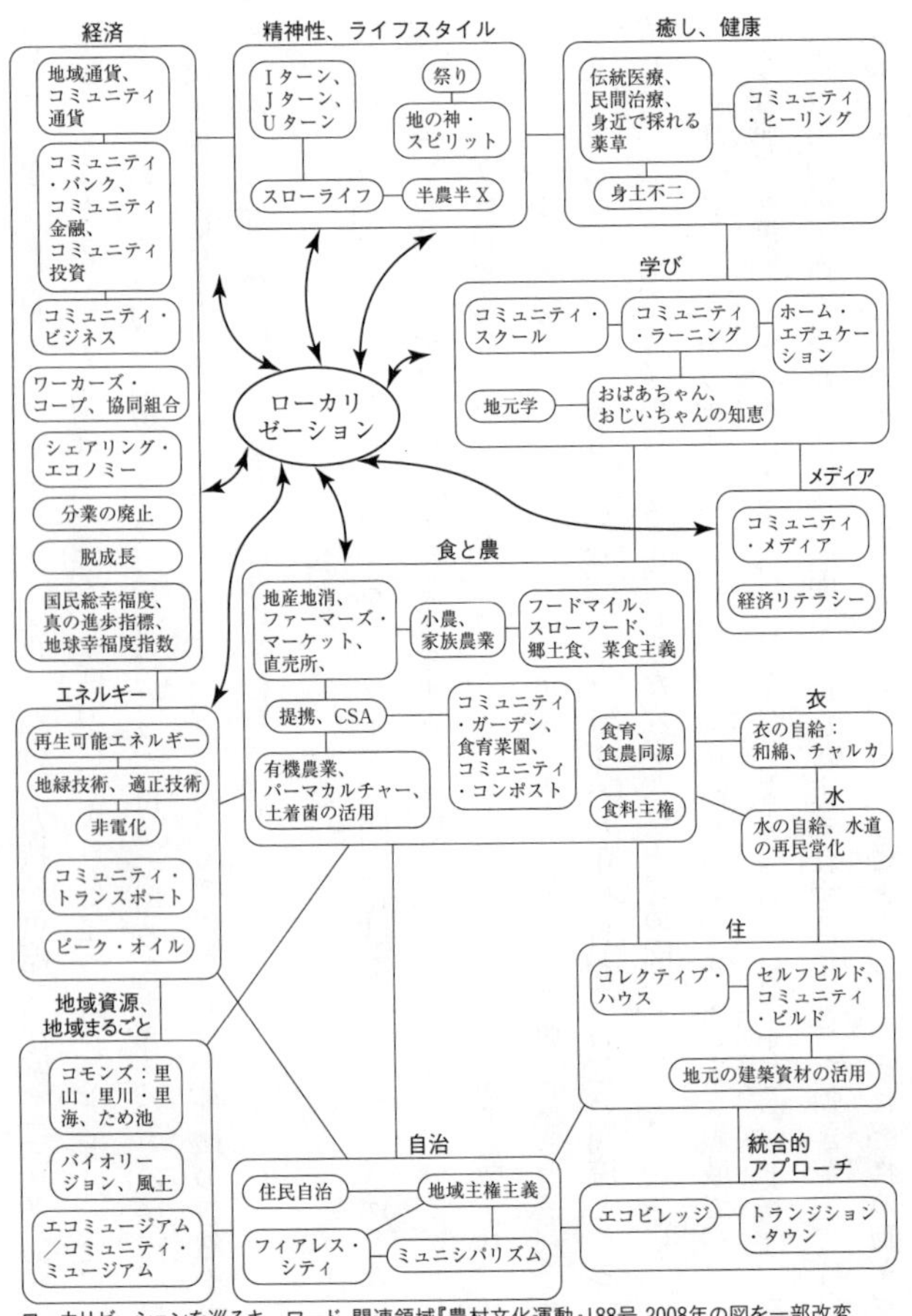

ローカリゼーションを巡るキーワード、関連領域『農村文化運動』188号 2008年の図を一部改変

けを見ると、小さな動きかもしれないが、俯瞰して全体を見ると、経済、社会のシステムの根本的な転換を目指した大きな潮流であることがわかる。

このようなローカリゼーションこそ、人に幸せをもたらす経済、社会への根本的転換の方向性である。その意味でヘレナは、ローカリゼーションこそ、幸せの経済学であると主張している。

（注1）古からの智恵は、「伝統智」と名づけてみた。「伝統知」という言葉はあったが、知識だけではなく智恵が含まれていることを表現したかったからである。また「知」というと、固定した知識という誤解が生まれやすいが、むしろ、知る、生み出す、生きるという動詞的、生成的なあり方、生き方を表現したかったということもある。

（注2）ヘレナは近代化（Modernization）を開発・発展（Development）と同じような意味で使っていることが多い。グローバル化（Globalization）も同様で、特にグローバル経済の構造的問題に焦点を当てて使っている。

（注3）グローバリゼーションを日本語でグローバル化と言うように、ローカリゼーションをローカル化と言うこともできる。しかし、ローカルや地域、地方という言葉は、中央に従属するもの、限定されたものという否定的意味合いがついてしまったため、ここではあえてローカリゼーションという言葉を使っている。ローカリゼーションには、グローバルスタンダードを地域や国に適合するように修正するという意味もあるが、ヘレナの言うローカリゼーションはそれとは全く別のものである。

読書・映像案内

ヘレナ自身の著作（共著を含む）

・懐かしい未来ネットワーク編「ローカリゼーションの胎動―食と農・エネルギー・金融・教育・医療」『農村文化運動　No.188』農文協　２００８

・懐かしい未来ネットワーク編「都市が〈村の暮らし〉に学ぶ時代―世界経済危機と「ローカリゼーション」への転換」『農村文化運動　No.192』農文協　２００９

・ヘレナ・ノーバーグ＝ホッジ＋辻信一『いよいよローカルの時代―ヘレナさんの「幸せの経済学」』大月書店　２００９

・ヘレナ・ノーバーグ＝ホッジ『ローカル・フューチャー　〝しあわせの経済学〟の時代が来た』辻信一監訳　ゆっくり堂　２０１７

このほか、ヘレナの講演録等を懐かしい未来ネットワーク編で自主出版したものがある。

・『食と農から暮らしを変える、社会を変える―行動のためのヒント集』２００６

・『懐かしい未来へ―ヒマラヤ・ラダックに学ぶ持続可能な社会づくり』２００７

・『ローカリゼーションの胎動』２００７

以上の三巻は、懐かしい未来ネットワークのＨＰから無料ダウンロードが可能である。

ヘレナ自身の映像

・『懐かしい未来―ラダックから学ぶ』（55分）２００１、『地域から始まる未来―グローバル経済を超えて―』（25分）２００５　このふたつの映像がひとつのＤＶＤに収められている。

・『懐かしい未来―ラダックから学ぶ　ダイジェスト版』（27分）２０１０

以上の二巻は、懐かしい未来ネットワークで販売されており、購入者は自主上映会を開くことができる。

・『幸せの経済学』（68分）２０１０　配給はユナイテッドピープル

関連する推薦書籍

ローカリゼーションについて

・M・K・ガンジー『ガンジー　自立の思想―自分の手で紡ぐ未来』田畑健編　片山佳代子訳　地湧社　1999

・中島恵理『英国の持続可能な地域づくり―パートナーシップとローカリゼーション』学芸出版社　2005

・吉本哲郎『地元学をはじめよう』岩波ジュニア新書　2008

・大江正章『地域の力―食・農・まちづくり』岩波新書　2008

・藤村靖之『月3万円ビジネス―非電化・ローカル化・分かち合いで愉しく稼ぐ方法』晶文社　2011

・マイケル・シューマン『スモールマート革命―持続可能な地域経済活性化への挑戦』毛受敏浩監訳　明石書店　2013

・雑誌『地域』農文協　2010から季刊

・ロブ・ホプキンス『トランジション―地域レジリエンスで脱石油社会へ』城川桂子訳　第三書館　2013

・藻谷浩介・NHK広島取材班『里山資本主義―日本経済は「安心の原理」で動く』角川書店　2013

・藤山浩『田園回帰1％戦略―地元に人と仕事を取り戻す』農文協　2015

・枝廣淳子『地元経済を創りなおす―分析・診断・対策』岩波新書　2018

グローバル化、資本主義の批判について

・斎藤幸平『人新世の「資本論」』集英社新書　2020

伝統智について

・宮本常一『忘れられた日本人』岩波文庫　1984

・渡辺京二『逝きし世の面影』平凡社ライブラリー　2005

・サティシュ・クマール『君あり、故に我あり―依存の宣言』尾関修ほか訳　講談社学術文庫　2005

監訳者あとがき

本書は、〝Helena Norberg-Hodge, Ancient Futures: Learning from Ladakh, Sierra Club Books, 一九九一〟の全訳に、その後の進展を加え再構成した増補改訂版です。

日本語版は、単行本として二〇〇三年に山と溪谷社から、二〇一一年に懐かしい未来の本から、そして今回、増補改訂版の文庫本として、再び山と溪谷社から出版されることになりました。

文庫版の構成は以下のようにしました。

「はじめに」と第一章から第三章は、原著の初版から。ただし、エピローグを「懐かしい未来へ」として第三章の最後に入れました。第四章を「グローバルからローカルへ」と題して新たに立てました。そして、ライダー社二〇〇〇年増補改訂版で書き足された序を、「地域から始まる未来」として第四章第一節にしました。これは元々、山と溪谷社二〇〇三年版と二〇一一年懐かしい未来の本版で、「その後」としていたものです。そしてシエラクラブブックス社二〇〇九年増補改訂版で書き足された「幸せの経済学」を、第二節としました。これは二〇一一年懐かしい未来の本版で、著者によるあとがきとしていたものです。
「ローカリゼーションという希望」は、監訳者による解題として、今まで講演、ワークショップ、雑誌などで伝えてきたことを元に書き下ろしました。「読書・映像案内」は、二〇〇三年山と溪谷社版を、全面的に改めました。「監訳者あとがき」は、以前の単行本を元に、大幅に改めました。

原著との出会いは、一九九二年に遡ります。当時私は、ヒマラヤ保全協会の事務局長として、ネパール山村の活性化を目指していました。会長は、文化人類学者の川喜田二郎博士（一九二〇―二〇〇九）。一人ひとりの声を大切にし、「三人寄れば文殊の智恵」を実現するツールとしてKJ法を創始し、「生きがい」や「やりがい」、「参画」という言葉を広めた先生です。文化人類学と適正技術、住民参画に基づく地域づくりの方法と哲学を、ネパールで一九七〇年から切り開いた先駆者でもあります。その先生の方法と思想を身近に学びながら、新たなアプローチを現場で模索していました。そんなときにヘレナの本と出会ったのです。当時、アメリカやイギリスの草の根リーダーたちの間でこの本が広く読まれ、インスピレーションを与えていました。日本でもぜひ多くの人にこのメッセージを届けたいと思い、翻訳出版を決めました。

ただ、日本語版の出版は、思った以上に難航しました。十社近く出版社に断られました。ようやくこの本の意義を認めてくれたトヨタ財団から翻訳と出版に関する助成金をもらって、二〇〇三年に山と溪谷社から出版できました。

翻訳作業は最初、ヒマラヤ保全協会の下に翻訳委員会を立ち上げ、分担して進めました。しかし当時、ラダックに関する情報はほとんどなく、自分たちの訳が本当に正確なのか、どうにもわかりませんでした。そこで、国際交流基金の次世代リーダーフェローとして、私自身でラダックに一年間滞在し確かめてみることにしました。私にとっては、NPOの責任者としてではなく、たったひとりで、やることも決めずに見知らぬ地に入って、何がやれるか試してみる、という武者修行でもありました。一九九九年九月から二〇〇〇年九月までのことです。一九九九年、インド—パキスタン間の紛争が激化し、ラダックの境界ではミサイルが飛び交っていました。

ラダック滞在中は、チベット伝統医療の調査と復興のための戦略立案支援をKJ法を使って行なうことになりました。ラダック人も恐れて行きたがらない「氷の回廊」を往復してザンスカール調査を決行したら、命がけでやっていると認めてくれたのか、ラダック伝統医師協会のアドバイザーにも就任しました。

滞在で印象的だったことのひとつに、海外からの観光客向けに、夏の間ほぼ毎日上映されていた、一時間のドキュメンタリー映画がありました。この本を元に制作された映画で、上映後に毎回、熱い議論が一時間ほど交わされていたのです。テーマは主に、ラダックにおける観光客や開発・発展のあり方、そして自分たちの母国での暮らしや社会のあり方です。当たり前と思っていたことを、自分ごととしてその根元から考えることを喚起する、問いの力がこの映像にあることを目の当たりにしました。そこでイギリスの大学院に戻ってから、この映像の日本語版の制作を思い立ちました。幸い、映像監督の岸本喜久男氏の協力と、今で言うクラウドファンディングで多くの人から助力を得て完成しました。初の上映会とワークショップを日本で開催したのが、二〇〇一年七月。このときの上映会の参加者と資金援助者がメンバーになって、継続的なやりとりと活動のための「懐かしい未来ネットワーク」が発足しました。

並行して、分担して翻訳したために不揃いだった仮訳の全体を、リライトして整えてくれたのは、ライター・編集者の三浦宗介氏です。仮訳全体を三浦氏がリライトし私が手を入れるという作業を、三回行ないました。また、ラダックについて知られていなかったこともあり、訳注を数多く付けてみました。

本のタイトルを決めるのも、難航しました。原著のタイトルは〝Ancient Futures〟。直訳すると、「古代的未来」です。しかし、これでは何のことかよく伝わりません。思案の末、「懐かしい未来」としてみました。関係者からは強く反対されたのですが、結果的には好評でした。その後、もうひとつの未来を指し示す言葉として、「懐かしい未来」があちこちで使われるようになりました。辻信一著『スロー快楽主義宣言―愉しさ美しさ安らぎが世界を変える』二〇〇四年を皮切りに、農文協編『なつかしい未来へ―農村空間をデザインし直す』二〇〇四年、広井良典著『持続可能な福祉社会―「もうひとつの日本」の構想』二〇〇六年、吉澤保幸著『グローバル化の終わり、ローカルからのはじまり―新しく懐かしい未来へ！「志金」を活かした日本再生シナリオ』二〇一二年、藻谷浩介『里山資本主義―日本経済は「安心の原理」で動く』二〇一三年。楽曲として坂本龍一プロデュース「懐かしい未来―longing future」二〇〇八年など、団体名や事業名も含めると、数えきれないほどです。

最後に日本語版の出版において、関わった主な方々を記します（敬称略。肩書は当時）。山と溪谷社二〇〇三年版は、ヒマラヤ保全協会の翻訳委員会（礒桂子、鎌田陽司、熊野里砂、水野正己）と、翻訳ボランティアの荒尾恭子、小林朋子、西田正生、服部朋子、森裕之、山口富子。その他の助力は、飯田泰也、小川忠、栗田康二、鈴木礼子、高木辛哉、田中博、水谷しのぶ、ヒマラヤ保全協会事務局。編集・構成は三浦宗介。写真提供は山田正文、長岡洋幸、鎌田陽司。ブックデザインは小泉弘。翻訳出版助成は財団法人トヨタ財団「隣人をよく知ろう」プログラム。序文はダライ・ラマ法王と仲介してくれたルントック。出版は山と溪谷社と担当の節田重節、千秋社の米山芳樹。

懐かしい未来の本二〇一一年版は、「幸せの経済学」の翻訳と編集作業を、NPO法人懐かしい未来　運営委員加藤久人。デザインは気流舎図案室の加藤賢一。写真提供はジョン・ペイジと山本高樹。印刷は東京都大田福祉工場。ヘレナさんの招聘をはじめ、さまざまな協力を懐かしい未来ネットワークとそれにつながる人たち。

今回の文庫版では、大幅改訂に辛抱強く付き合ってくださった山と溪谷社の神長幹雄、千秋社の田川文子。写真提供は山田正文、長岡洋幸、鎌田陽司。

もちろん、原著者のヘレナと、パートナーのジョン、そしてスタッフたち。ヘレナには今まで三十年近くにわたって、たくさんの勇気をいただきました。

そのほか、ここに記せなかった多くの方の助力で、今回の文庫版出版に至りました。

本書が、大きな時代の分岐点にあたって、本当に幸せで持続可能な社会やライフスタイルを模索しているすべての方々を、力強く励ましてくれることを願ってやみません。

二〇二一年小寒

鎌田陽司

カバー、口絵写真＝山田正文
本文写真＝長岡洋幸、鎌田陽司（２２９Ｐ下、２８１Ｐ、３２１Ｐ）

本書は、ヘレナ・ノーバーグ＝ホッジ著『ラダック　懐かしい未来』（二〇〇三年、山と溪谷社）と『懐かしい未来　ラダックから学ぶ』（二〇一一年、懐かしい未来の本）の二冊を再構成して増補改訂版として文庫版に改めたものです。新たに第四章「グローバルからローカルへ」を立て、巻末には解題「ローカリゼーションという希望」を加えるなど、全面的に改訂されたものです。

増補改訂版　懐かしい未来　ラダックから学ぶ

二〇二一年二月十五日　初版第一刷発行

著者　ヘレナ・ノーバーグ＝ホッジ
監訳者　鎌田陽司
発行人　川崎深雪
発行所　株式会社　山と溪谷社
郵便番号　一〇一－〇〇五一
東京都千代田区神田神保町一丁目一〇五番地
https://www.yamakei.co.jp/

■乱丁・落丁のお問合せ先
山と溪谷社自動応答サービス　電話〇三―六八三七―五〇一八
受付時間／十時～十二時、十三時～十七時三十分（土日、祝日を除く）
■内容に関するお問合せ先
山と溪谷社　電話〇三―六七四四―一九〇〇（代表）
■書店・取次様からのお問合せ先
山と溪谷社受注センター　電話〇三―六七四四―一九一九
ファクス〇三―六七四四―一九二七

印刷・製本　株式会社暁印刷
定価はカバーに表示してあります

Printed in Japan ISBN978-4-635-04904-7